放聲集 第二輯

蔣中正日記中的當代人物

大任

臺灣學生書局印行

楊序

楊天石

胡佛研究所有一座咖啡廳，所內學者，包括訪問學者公餘都可以去坐坐，喝喝茶，品品咖啡，吃幾塊點心，是一個舒心愜意的聊天所在。二〇〇六年，我應邀到胡佛檔案館研讀蔣介石日記，一天緊張的工作之後，常愛到咖啡廳坐坐。某日，見四、五位中國同胞已經先在，正圍桌團坐，聽其中一位談蔣介石軼事。這一位個子不高，略顯清癯，江南口音，談興正濃。我湊進去，介紹之後，得知這一位便是阮大仁先生。

阮先生原籍浙江，一九六五年畢業於台灣大學數學系，次年赴美留學，先後獲得數學博士、企業管理碩士、電腦工程碩士等學位，在大學裏擔任過教授，在高科技公司、銀行界擔任過高級管理職務，為報刊寫過十年政論，也曾躍入商界遨遊。他博覽典籍，愛好文史，精研書法，寫得一手好字，是真正的才子和多面手。我們初次見面，相談頗為投機，可謂一見如故，此後，我每年去胡佛研究所，都要和大仁先生見幾面。大仁先生熟悉掌故，健談也愛談，尤好長談，每次見面，只要話題一開，大仁先生就口若懸河，滔滔不絕地談下去，我只要帶著耳朵恭聽就可以了。有一天，在大仁先生寓所的寬大陽台上，一面眺望山野景色，一面談民國史事，天黑後，轉入室內，燈下續談，仍然是大仁先生當主角，不覺已經夜深，我起身告辭，大仁先生意猶未盡，殷勤挽留，表示可以繼續談下去。

大仁先生所談，有許多可以稽諸文獻，但是，也有許多屬於人所不知的祕辛。我雖研究民國史多年，與大仁先生談話，常有聞所未聞之感。後來了解到：大仁先生的祖父阮性存，早年參加同盟會，追隨孫中山，參與民國建立；父親阮毅成，擔任浙江省民政廳長長達十餘年，國民黨遷台後，追隨蔣介石，歷任中央日報社長、國民黨中央政策會副祕書長等多種職務，其所著《中央工作日記》至今仍在台灣《傳記文學》連載。大仁先生自述，毅成先生曾告訴他不少政壇祕聞，為防竊聽，有些則是在大街小巷散步時所告。此外，大仁先生又以家庭關係，與民國的政壇耆宿及其後代多有交往，這些人有意講述一些事情，企圖借大仁先生之筆傳世；大仁先生有時也有意向他們請教、打探、求證。這些原因，加之大仁先生博聞強記，記憶超人，其所以祕辛獨得，掌故獨多，良有以也。

治史，當然主要靠檔案和文獻，因為此類資料形成於歷史事件發生的當時，比較準確、可信，但是，由於種種原因，檔案、文獻亦不盡可靠，而且，它絕無可能紀錄所有歷史家需要的資料，有許多事件、過程、情節、細節，不可能見之於文字，或根本不能見之於文字，這就需要歷史學家周資博采，收集當事人，或相關人的回憶、口述，包括傳聞等資料，然後與檔案、文獻對照、檢核，驗證，擇其可靠、可信者入史。這樣做，可以使歷史學不僅真實，而且豐富、全面、生動。中國偉大的史學家司馬遷當年就是如此，他的不朽名著《史記》，既利用了漢朝的國家檔案，也是他行萬里路，周遊各地，廣泛調查、訪問的結果。

大仁先生住在史丹佛大學附近，這使得他可以從容精讀蔣介石日記和相關檔案文獻，又可以利用他得之於祖輩、父輩的口述或傳聞資料，使二者相互補充，相互驗證，相得益彰。大仁先生說我曾戲稱他為正史、野史兼采的「二史堂主人」。我年輕時記憶力可能尚好，但近年來腦力日衰，已經不記得當年說此話的情景，不過，即使有此語，亦非批評，而是讚美，因為第一，正史未必盡真，而野史未必盡偽。魯迅一生就瞧不起那「裝腔作勢」，擺「史架子」，「也不敢說什麼」的「正史」，而提倡讀民間私人敢於說真話的「野史」；第二，如果以檔案文獻與回憶、口述、傳聞來界定「正」與「野」，那麼，「二史堂主人」的老祖宗正是被尊為「史聖」的司馬遷。如此說來，「二史堂主人」之稱，豈不美哉！豈不懿哉！當年的司馬遷「悉論先人所次舊聞」，而今的大仁先生傳述祖上親歷、親見、親聞之事，亦何嘗不是一件美事、好事！

收集在本書中的大仁先生的文章利用蔣介石日記，參以阮毅成先生生前日記、口述回憶和身後留下的其他資料，相互驗證，對照，解開了一九四八年以後，特別是一九四九年國民黨遷台之後的諸多祕密。大仁先生是學數學的，重視科學精神，主張寫歷史要冷靜、中立、客觀，反對「筆鋒常帶感情」，因此他的文章論證嚴密，以說理和分析見長；但是，大仁先生文學修養很深，因此，書中也頗多引人入勝、趣味盎然之處。國民黨內，派系複雜，人物關係複雜，大仁先生卻能條分縷析，層層剝筍，揭示真相。大仁先生成長於台灣，國民黨遷台以後的歷史是他的「所見世」。由於時間較近，檔案尚未開放，台灣學者可能尚未顧及，大陸學者則難以深入。大仁先生本書，根據蔣介石日記和毅成先生所述以及自身的見聞，對這一時期台灣政壇的重大變幻，如蔣介石和陳誠的關係，蔣經國、嚴家淦、李登輝之上台，以及著名的「葉公超案」等，都做出了很有說服力的敘述和分析。

大仁先生認為蔣介石日記是「無盡的寶藏」，積極加以利用，但是大仁先生在利用的同時，對日記所載，也採取考核、存疑的態度，對其中論事、論人的主觀與謬誤，甚至不惜下大力氣加以批駁、辨正。大仁先生認為：蔣介石寫日記是為了供自己「日後查閱」，「原則上不會故意說謊去欺騙自己」，因此「大致是可信的」，但是，有時也有當記而不記的「省略」。這種情況，大仁先生稱之為「不正當的省略」。另外，蔣介石像每個人一樣，也有其喜怒哀樂與主觀之處，他對別人的批評與指責，歷史學家不能不加查證而全盤接受，不能只以他日記中的記載為準。這些意見，對於已經利用蔣介石日記，或準備利用的學者是有啟示意義的。

二〇一二年六月初旬於北京東廠胡同之書滿為患齋

呂序

呂芳上

二〇一〇年十二月，阮大仁先生出版《放聲集》，雖屬政論文字，但事涉一九七〇年代台灣重要政治事件，所論集中在台灣的民權與人權上，從歷史的角度看，諸多讜論，已成為台灣民主化的重要象徵與文獻；如論作者的寫作態度，以「放聲不願誤蒼生，博學終為讀書人」，大約可以概括。從政論轉到歷史研究，作者秉持同一心態：識力、風骨、坦然、洞見，完成的新書《放聲集》第二輯——蔣中正日記中的當代人物，當為時下蔣中正研究風、民國熱，添薪加材，延燒熊熊之火，格外引人矚目。

收錄在這本書的十六篇文章，是一九四八年至一九六三年間，以蔣中正先生為中心的史事，的確為所謂風雨飄搖到大局初定的十五年，留下了時代的可貴紀錄。蔣中正一生的政治生涯，跌宕起伏，雖說台灣時期最稱安定，但小局面下，對內對外，依然波濤洶湧。撤退到台灣的蔣，最關懷的幾件事，一是穩定局勢尋求再起，故有黨的改造、政治戒嚴、尋求接班人；二是念念不忘反攻大陸、光復故土，不僅坐而言，且起而行，直到一九六三年希望才告破滅；三是維繫民國命脈，保有國際地位，故外交上親美、鞏固在聯合國的代表權，成為每年耿耿於懷的大事。內政外交交錯，政治案件往往因之迭起。其初，國民黨內部派系、地域之見，仍時隱時現，化為權力之爭，每見出招、接招戲碼，ＣＣ派與政學系，見於一九四八年陳立夫、張羣組閣之爭；一九六三年陳誠、嚴家淦的下台與上台，也見團派與政學系的身影。一九六一年葉公超去職案，在蔣眼中，涉大不敬、欺君、賣國、抗命諸罪，內情撲朔迷離，經作者的分析，此事牽及中美間有關聯合國代表權及外蒙入會案之交涉，對美外交第二管道的出現，加上葉公超洋派作風，輔以小報告的推波助瀾，終造成壓倒駱駝的最後一根稻草。一般人談歷史，看表面文章不難，要掌握內幕不易，作者於重要史事內情，每娓娓道來，讀之於知人閱世增益頗多。

歷史學者多深知，先把握歷史發展大勢，並由大事權衡歷史關鍵問題為治史之道，大仁先生綜論史事的典雅文字，正落在非易易的竅要論述上，此正見其智慧與才情。作者之所以有這套功夫，有家世的淵源，也有自修所得之涵養。大仁先生先祖性存（荀伯）先生，清末法政留學生，曾與胡漢民、汪精衛等革命要人同學；其尊翁毅成先生在五四時期已嶄露頭角，活躍浙江學界，其後歷任黨政要職，留下的「從政工作日記」與口述歷史，正是作者據以為文的寶庫。大仁先生個人才氣不凡，高中時代眾生懵懂時，他已有成熟文章面世；大學時代，與劉氏兄弟等，共用「上官鼎」筆名，引領眾人進入武俠世界。一九七〇年代的政論文章，分析時政，籌思振筆，發為時評，每見真情。待新世紀投入歷史寫作，以美國聖母大學數學博士，又讀企管、電子計算機工程者，復見其文史根柢之雄厚，不論史事論斷、人物月旦，於公私夾敘中，有想像但逼真；於太史公筆法中，有感喟不失其公義，所謂智燭機先、談言微中，發人所未發、見人所不見，尤使專業史家自嘆弗如。

二〇〇七年蔣中正日記公開於美國史丹佛大學胡佛研究所，學者趨之若鶩，個人因此連續三個暑假也附會風雅，得晤大仁先生。猶記當時每逢傍晚時分，多數同道聚集咖啡廳，海闊天空論議抄錄日記心得，更且品評時政。大仁先生往往放言高談，其豐富見聞，開闊眼界，縱論古今，談笑風生，傾倒眾人，而談論史事之關鍵處，尤有肯棨之見。如今大仁先生以近幾年來相關民國五、六〇年代史事文字集結成書，雖為私家之作，但不可僅視為政壇祕聞。往事並不如煙，本書相關文字對現代史事提供之多元視角及精闢見解，於轉型關鍵時期之歷史，尤有見微知著之用，讀者幸毋輕忽。爰以為序，並請大仁先生及前輩指教。

二〇一二年三月五日　謹序

郭序——大仁筆下的歷史

郭岱君

大仁兄寫史有獨特的方法。他擅長從「人」的角度觀察歷史事件，特別重視政治人物的互動、他們的背景、派系、思想、人事關係等，有時還觸及個人的性格及心理狀態；而筆下的人物，大部分他曾親見、或與他家庭熟悉。蔣介石、陳誠、蔣經國、陳立夫、張羣、王雲五、嚴家淦、葉公超、黃少谷、唐縱等，這些在民國史上叱吒風雲的人物，他幾乎都見過，而且與他父親阮毅成先生過從甚密。

在國民黨的官場文化中成長，了解其中的複雜與微妙，大仁不但能得到一般學者所無的事件當事人的第一手口述資料，而且他讀蔣介石日記，別有一番體會。再加上大仁博學多才、學貫東西，兼有過目不忘之能，因此他能見人所未見。

例如，不少研究民國史的學者關注蔣介石與汪精衛的關係，孫中山逝世後，汪精衛、胡漢民、蔣介石分掌黨政軍。當時汪早已是資深的革命領袖，而蔣則出掌黃埔不久，在黨政方面的資歷都去汪甚遠。可是，僅僅十數年間，蔣汪幾度分合，最終分道揚鑣，走上了兩條不同的道路，其結局亦別於天壤。蔣領導抗日勝利，是國際上公認的中國民國領袖、民族英雄；而汪卻成了千夫所指的「漢奸」。

究其原因，兩人對日和戰態度不同、以及對國民黨領導權的爭奪固自是主因，但彼此地位消長帶給汪的委屈與不平，也不能忽視。在大仁的文章中，他父親阮毅成先生（時任汪精衛機要祕書）對汪近身的觀察，就頗耐人尋味。

一九三八年四月，國民黨在武漢召開全國代表大會，欲把黨權定於一，以因應抗日。大部分黨員的共識是由蔣介石任總裁，汪精衛任副總裁，但原來在名義上一直掌握黨權的汪不願屈居蔣之下，堅拒出任副總裁。汪向蔣表達這個意思，蔣也同意了。可是四月一日選舉總裁、副總裁大會中，汪卻被動的陪著演了一場不愉快的戲。當日蔣本人迴避，汪擔任大會主席。選舉總裁、副總裁本是兩案，先選總裁、再選副總裁，沒想到吳稚暉提案把「選舉蔣中正同志為總裁、汪兆銘同志為副總裁」併成一案，全場立刻起立鼓掌，一致通過。汪精衛在台上，贊成也不是、不贊成也不是，尷尬萬分，躊躇幾秒，只好也起立鼓掌。當時也在台上、站在汪側後方的阮毅成先生清楚看到汪臉色鐵青，「羞憤至極」，覺得被蔣擺了一道。毅成先生指出，幾個月後汪精衛出走，經河內轉赴日本，另立政府，多少與此事有關。

像這樣近距離觀察政治人物互動的機會，一般歷史學者是很難有的。本書所收集的十六篇文章，除了第四篇外，其餘都是這樣的典型。例如一九六一年十一月國民政府駐美大使葉公超突被召回，當場免職，而且不許其回到華府辦理交接。為什麼素受蔣介石夫婦信任的葉公超，突然遭受這麼嚴厲的處分？多年來眾說紛紜，撲朔迷離。蔣介石日記剛開放時，不少台灣媒體及學者特別來找答案，也有幾位朋友特別託我查看這段事故。

從蔣日記看來，是因為葉公超在處理聯合國代表權相關的「外蒙古案」上，違背蔣介石的命令，犯了「抗命罪」、「大不敬罪」。可是，大仁根據蔣日記、美國國務院檔案、特別是其父親的工作日記、和當年參與處理此案的長輩口述，發現事情不是這麼單純。

原來蔣介石早在一九五八年就對葉公超不滿，認為他在處理《中美共同宣言》的英文版本時，玩弄文字，「欺詐」元首。一九六一年葉在「外蒙古案」的態度，更使蔣「深惡痛絕」。當時，蔣不但拔掉葉駐美大使職位，還要降調他為行政院顧問，以示懲罰；後經過陳誠斡旋、葉也向蔣經國求情，才考量「內外關係」，把葉調為政務委員。

蔣介石為什麼那麼厭惡葉？多少是因為懷疑葉被陳誠收編。王雲五親口告訴阮毅成先生，他一九五九年美國之行，表面上說是考察公務員考選業務，其實是另有一祕密任務——蔣要他調查為什麼羅斯福可以連任四次美國總統。蔣把這個任務交給王雲五，而不是駐美大使葉公超，顯示蔣信不過葉公超，而最主要的是當時蔣對陳誠的信任已不如前，他懷疑葉傾向陳，所以對葉也不放心。

因此，大仁指出，葉公超一案實牽涉「內外關係」，肇因於「內外關係」，最後處理也是考量了「內外關係」。也就是說，在蔣的心目中，「外」是因為葉公超與美國人太近；「內」則是因為葉公超是陳誠的人。

談到陳誠，蔣介石與陳誠關係的變化，也是大家難以理解的謎。自一九二〇年代以來，陳誠一直是蔣信賴的部屬，尤其是一九四九年撤退台灣後，陳誠是蔣介石最倚重的左右手，從台灣省主席、行政院長、直到副總統、國民黨副總裁，聲望之隆，僅次於蔣介石。當時陳誠接班的態勢明顯，卻為什麼內閣突然在一九六三年改組，陳誠辭去行政院長兼職，由嚴家淦接任？這個變化直接影響到台灣後來數十年的政治發展。

大仁跟據蔣日記以及私人管道的訊息，提供了理解的線索。他認為蔣陳嫌隙的關鍵是一九六〇年蔣介石欲連任第三任總統。陳誠「坐二卻不能望一」，因失望而生怨。蔣陳也因此而有心結，雙方互相猜忌，到一九六三年初，蔣陳關係已變質，整個一九六三年，蔣日記出現許多批評陳誠的文字，大多是指陳「心胸狹小」、「成見太深」、「偏激偏見」，幾乎無好言，在一九六三年十一月國民黨九全大會上，還做出不尊重、甚至羞辱陳的言行。所以，陳誠下台是勢在必然，反而嚴家淦上台「純屬偶然」。

大仁指出，蔣陳都是剛強不折的個性，本來中間有位性情圓融的張羣（總統府祕書長）作為潤滑劑，化解衝突，可是一九六三年張羣自己也有問鼎行政院長之意，因此不但未能疏通兩人心結，反而火上加油，最後導致陳誠憤而辭去行政院長兼職，不久即因病過世。

當時有意爭取行政院長的，除了張羣，還有王雲五（行政院副院長）和周至柔（總統府參軍長）。三方各有利弊，蔣難以取決，但又執意要拿掉陳誠，最後跌破眾人眼鏡，匆匆找來政學系的嚴家淦接任行政院長。

大仁的分析引用了許多不為人知的「內情」，而這些內情，則是當事人或參與協調折衝的王雲五、陳雪屏（行政院祕書長）親口所述。阮毅成先生時任中央政策委員會副祕書長，也親見一九六三年整個政局變化以及國民黨高層的互動。

大仁沒有受過正規的歷史研究訓練，但他提出的觀點和研究方法值得我們深思：

㈠他的分析充分證明正史不可盡信。文字記載的歷史多為官樣文章，免不了有所隱瞞或偏失。歷史事件有其多面性，其中有太多灰色地帶，治史者必須特別留意。

㈡他提醒我們，研究歷史人物，不能只從他們公開的、官方的言行去看，而是要觀察他們私下的言行，才能碰觸到他們真正的想法。參與、或知道事件真相的人，經常會陷入不能講、不願講、或講不清楚的困境。如何判斷？如何挖掘真相？就要靠治史者的努力和能耐了。

㈢大仁筆下的歷史充分顯露國民黨的政治文化、以及蔣介石的領導統御模式。在每一篇文字中，蔣介石的領導模式、性格、決策的心路歷程，還有國民黨領導人的派系、彼此的互動、特別是他們難以言喻的微妙關係、事件的來龍去脈、以及細膩的脈絡，一一活生生的呈現出來，真是一部活歷史！

楊天石教授曾戲說大仁是「二史堂主人」——信史加野史。事實上，正史（特別是現代史）在目前還有許多說不清楚的地方。當然真相只有一個，可是，史家除非掌握各個方位，還要力求客觀，否則很難窺其全貌。

從這個角度來看，大仁在這方面得天獨厚，他有特殊的背景和管道，復有鍥而不捨的精神，一點一滴的訪查、拼湊，把一般歷史學者關照不到的地方補起來，使歷史的大拼圖更接近真相。

為此，我要誠摯的向大仁致敬、致賀！

二〇一二年六月史丹佛大學胡佛研究院

放聲集 總序

壹、前言

把文章印成作品發表，我是從十多歲在讀師大附中時開始的。那時大多數是在校內刊物——《附中青年》上刊載的，偶而也有在校外的報章雜誌上，例如在唸初三時用我的名字代替父親所寫的「杭州一師毒案」一文，刊載於台北的《法令月刊》上。

二〇〇三年我重新拾筆時，當時的《法令月刊》發行人虞彪兄邀我寫作專欄，便是拿出那篇舊文作為再續香火緣的理由。五六十年前的《法令月刊》則是虞兄的尊翁，也是先父的好友虞舜先生所創辦的。

不過大量發表拙文，應當是從我在台大唸一年級時，寫作武俠小說開始的。即從一九六一年起，至今大約五十年，總數已超過了兩三百萬字以上了。

貳、五十年寫作生涯可分三個階段

我的寫作生涯可分三個階段，以時間次序排列如下：

一、一九六一至一九六三年（即十九歲至二十一歲）

㈠一九六一年我唸台大數學系一年級時，與劉兆藜、劉兆玄兩兄弟合作，共同使用「上官鼎」的筆名寫作武俠小說，到一九六二年暑假完，要升二年級時停止。

㈡在一九六三年唸三年級時，又重新拾筆，再以「上官鼎」的筆名寫了一套書。以字數計，此大約在一、兩百萬字之間。

二、一九七二年至一九八二年（即三十歲至四十歲）

當時我住在美國，用本名或不同的筆名，分別在紐約、舊金山、香港、台北等地的中文報章雜誌上發表政論文章，以字數計，大約在一百萬字以上。

三、二〇〇三年至今（即在六十一歲以後）

我在一九八二年因為參加了台北的慶豐集團工作，乃擱筆不寫政論，一直到二〇〇三年，我已從台北搬回美國，自商界退休之後，才又重新拾筆。不過我也不再寫作政論，作品的題材以研究書法、論史談文、近代典故等為主體。前三年是替《法令月刊》用夏宗漢的筆名寫「如是我聞」之專欄，每月一篇。後來則改為向《傳記文學月刊》投稿。以字數計，此大約已有四五十萬字。

參、小談「上官鼎」

因為劉兆玄兄曾經擔任行政院長，所以「上官鼎」這個名號受到了大家的注意。

其實在一九六〇年代，曾經有六個人先後使用過這個筆名去合作寫作武俠小說，此六人都是從台北師大附中的高中畢業的，都唸了台大，專科分別是電機（二人）、地質（一人）、化學（一人）、植物（一人）與數學（一人）。此後大家都去了北美洲留學，其中五位去了美國，一位去了加拿大。後來四位拿了博士，兩位只唸了碩士後即經商創業，其中的一位現在卻是台灣可說的上為富可敵國的大企業主，也就是說此君最為聰明，不去浪費時間唸個博士也。

這六個人寫作的階段，如果以我在一九六一年參加的時間作劃分，可分為：

一、在我之前，是劉兆藜、劉兆玄及許元正。

當時兆藜唸台大地質系，兆玄與元正是附中高中三年級的同班同學。元正因為要考大學，課業忙，有時請張虔生代筆，虔生則比他低一屆，唸高二。

二、一九六一年，我重考入台大數學系，兆玄則入化學系，元正要重考，我乃應邀參加而代之。在大一升大二時，我的微積分課被沈璿教授「當」掉了，父親乃令我擱筆。

三、我停筆後，兆凱參加。

今製表說明我們六人在台北師大附中的班級與畢業時間，以及在台大的系別如下：

姓名	班級	高中畢業時間	在台大的系別
劉兆藜	實驗六班	一九五八年	地質系
阮大仁	實驗十班	一九六〇年	數學系
劉兆玄	實驗十二班	一九六一年	化學系
許元正	實驗十二班	一九六一年	植物系
張虔生	高六十八班	一九六二年	電機系
劉兆凱	實驗十六班	一九六三年	電機系

不論以時間之長短及作品之數量去計算，劉家三兄弟合起來都居冠軍，因此「上官鼎」這塊招牌的「智慧財產權」應當屬於他們三位，至於元正、虔生及我這三個人可以說是小包（subcontractor）

吧。

當時大家都是二十歲左右的毛頭小夥子，各自分別在唸中學或大學，而且都是不久就要出國留學的人，可以說沒有一個是打算久於此業的了。因此也沒人注意這塊註冊商標的「智慧財產權」是屬於那一個人的，反正大家同工同酬，分工合作，有稿費拿便可以了。

原則上，在同一時段裏，是只有三個人同時使用「上官鼎」這個名字的，此即鼎三足也。

肆、感謝

在《放聲集》這套書中，包括這本第一輯在內，大多數收集在內的拙作，是在三十多年前就已經發表了的，本來早已束之高閣，並沒有出書的打算。

大約是在三年前沈克勤大使見到了一些我的舊作，乃鼓勵我將之再版出書，並承大使向台北的學生書局推介，又蒙前後兩位總經理，即鮑邦瑞先生與楊雲龍先生之青睞，並邀請淡江大學之陳仕華教授代為主編，以及書局的陳蕙文小姐負責編務，經過兩年多之努力，才能出版此套書，令我實為深深感謝。

此外，在這數十年的寫作生涯中，拙作承蒙下列報刊當時主事者之看重而得刊出，其中或猶在世，或已仙去，不論存歿，容我在此一並致謝：

台北及美國之中國時報：余紀忠先生及各位同仁。

台北自立報系：吳豐山先生。

台北八十年代及亞洲人雜誌：康寧祥先生、江春男先生。

香港明報月刊：查良鏞先生、胡菊人先生、孫淡寧女士。

香港中報月刊：傅朝樞先生、胡菊人先生。
美國野草雜誌：張系國先生及各位同仁。
美國星島日報及北美時報：蘇國坤先生、嚴昭先生及張顯鍾先生。
美國遠東時報：吳基福先生、許世兆先生、俞國基先生及吳嘉昭先生。
台北法令月刊：虞彪先生及各位同仁。
台北傳記文學月刊：成露茜女士、成嘉玲女士、簡金生先生及各位同仁。
最後在此也向為本書作序的胡菊人兄與康寧祥兄致謝。
以上的名單如有遺漏之處，請相關的人士賜諒，因為事隔幾十年，有些事實在記不太清楚的了。

伍、這套書的書名之由來

我的本行是數學、電腦及商科，本書中所收集的文章中卻沒有一篇談的是這些項目，只能說是一個事事關心的讀書人之管見罷了。

宋朝的王安石有二首〈車載板〉詩，收在《王臨川全集》卷三。車載板是一種鳥，其啼叫的聲音似此三字，故楚人（湖南人）以此名之，王詩中有句云：

> 憐汝好毛羽，言音亦清麗，
> 胡為太多知，不默而見忌。

我在一九六五年評批《王荊公詩集》時，曾作一詩評之如下：

非是不知默，而是太放聲，
放聲猶不足，書生誤蒼生。
我讀賈誼事，哀其志未伸，
再讀臨川傳，方知漢文仁，
長沙雖博學，終是讀書人。

陳仕華兄在主編這套書時，選用我這首舊作的詩句以為命名，實在是深獲我心。少年時我作此詩時是反對書生論政的，出國後因為釣魚台運動，受了張系國兄之感召而始作政論文章，到了一九七九年底因為高雄事件而決定棄筆從商。我雖然在一九八二年才擱筆，然而在八一與八二年間以替舊金山的遠東時報與在紐約的中國時報撰寫社論為主，比較少用個人的身分寫文章了。

在三十年後的今天，出版本書時，重讀舊作，有感於今日台灣政局雖見百花齊放，但卻未能果實豐碩，不禁暗思，讀書人如我，當年是不是太多知了呢？

二〇一〇年十月於北美

自　序

一、我在寫作有關歷史文章時所採用的幾個原則

二〇一〇年冬天，台灣學生書局替我出版了一本書，是為《放聲集》之第一輯，題材為台灣的人權與民權問題之探討，一共收錄了三十八篇拙作。其中除了兩篇之外，都是在一九七〇與八〇年代所發表的，是針對當時所發生的政治事件所作的評論，是屬於政論性質的文章。

至於本書則為這套《放聲集》之第二輯，所收的十六篇文章，是以蔣中正先生為中心，研討與之相關的史事與史論為多。承北京的華文出版社之厚愛，選取了其中五篇，出版了本書的簡體文版，並承代取書名為「蔣中正日記揭密」，此即：

1. 解析蔣中正放逐陳立夫之經緯。
2. 陳誠、嚴家淦脫穎而出之經過——兼談蔣中正與李登輝政治手法之不同。
3. 由蔣中正日記去看葉公超大使去職之經緯。
4. 一九六三年蔣中正日記中兩條令人驚奇的記載。（原文為三條，刪去了有關傳作義將軍的一條）
5. 由蔣中正日記去分析一九六三年行政院長陳下嚴上之原因。

這五篇文章都是在二〇〇七年到二〇一二年間發表於台北的《傳記文學月刊》者。

關於繁體文版之本書所收各文的大要之簡介，請見各章之引言中。又因我的文章牽連較廣，信手而為，常有相關之處，所以請學生書局在每章目次下，對未顯現的內容，略作綱目，便讀者檢閱也。此處要談的，則為作者對業餘寫作歷史文章之原則性的看法。

首先，有關蔣中正日記的拙見如下：

1. 蔣中正日記問世之影響。
2. 蔣日記之特點。
3. 蔣日記可不可信？

其次則是作者對寫作有關近代史文章的態度，即：

1. 正史與野史應予並重。
2. 史料、史識、史德與史論之研討。
3. 拙作與一般史學論文的三個不同處。

在討論這些題目之前，容我在此先解釋一下我對研究與觀察近代史與現代史的幾個基本原則，此即：

1. 王國維先生曾說：「人間總是堪疑處，唯有此疑不可疑」，對包括國、共在內的各方面的官方說法，我是抱著這種看法的。
2. 抓大放小，凡事從大局去看，不可執著於細枝末節。
3. 只要有了疑問，即使自己還不能找到解答，仍然寫出來，請大家一齊去找出真相來。
4. 「不黨不私，找出真相」，這是三十多年前在我學習研究戰史時，作為亦師亦友的前輩李則棻中將給我的指導。這個「不黨不私」，於國內言是國共之分，於國際言則是要超越民族情感，不以

「敵我」之分而自畫牢籠去論戰談史。例如抗戰至今已結束了六十多年，海峽兩岸三地的論者能跳出國共之立場者已為少見，至於進一步可以平心靜氣不先預設民族立場而去加以研析者，包括本人在內，在中國人中間我真可說還沒有見到過一個人的了。

這些原則都是知易行難的，泛泛之談，言者何其易也，真的要去做到，則人非草木，安能不受其主觀情感所左右呢？在國共之間，在中日之間，我們論戰談史，又如何才能做到客觀公正的呢？願與大家共勉之也。如拙作有了此種缺失，也請多指教。

二、蔣中正日記之問世影響重大

美國的史丹佛大學胡佛研究所代為保管了蔣中正日記之後，逐步將之公佈，並在二〇〇七年中大功告成也。

對研究中國近代史者來說，蔣日記之問世，實在是開了一個新的紀元。

筆者因為住在史大附近，得以「近水樓台先得月」，乃可多所取經。只是作為一個退休的老人，又是個業餘的寫作者，受了時間、精力及見聞之限制，筆者只能選擇一些題目去作研究。

因為蔣先生這套日記一共有五十六本，為一年寫一本，真是篇幅浩大的了。據我所知，只有現任北京社科院榮譽學部委員之楊天石兄一個人，前後在三年裏，屢次造訪史大，長期居留，把整套蔣日記讀完，並且作了大量的心得之筆記與原文摘要之抄本。其他人，包括筆者在內，都只是作了選擇性的閱讀。

楊兄之所以能成為舉世公認的研究蔣日記之權威，是下了紮紮實實的苦功而實至名歸的了。

這使我想起清朝的大史學家全祖望，他曾為了讀完一遍《永樂大典》，在朋友家借住了三年的故事。

可是在資訊已經極度發達的今天，是不應該發生這種事情的。現在蔣家已決定把蔣日記交由台北的中央研究院全文出版，希望此事能早日實現。

提起楊兄，承他盛情為本書作序。另外兩位作序者，即呂芳上兄及郭岱君女士，他們三位分別是大陸、台灣與美國研究蔣日記的重量級學者，承蒙他們的錯愛，筆者實在深深感謝。

三、我所注意到的蔣日記之四個特點

我沒有讀完全套蔣日記，只能多聞闕疑，慎言其餘，就我已經看過的說幾句話。

除了極少數的例外，譬如在西安事變中，蔣先生當然不方便寫日記，否則蔣先生的習慣是在次日清晨去補寫前一天的日記，都是用毛筆寫的。

蔣先生學的是宋朝黃庭堅的小字行書，非常像黃氏的「王長者墓誌銘」這本帖。令人佩服的是蔣先生一筆不苟，數十年不變，其自律之嚴，真是驚人。

整體來說，我認為蔣日記有下列特點：

1. 先生是一個虔誠的基督徒；我本來以為先生之信教，只是為了要迎娶宋美齡女士所採取的權宜之計。在讀了他的日記之後，才知道他在受洗之後，信仰之誠，數十年如一日，終其身如是也。

在這裏容我插一句話。蔣先生在一九七五年四月過世之時，秦孝儀世伯為之代為起草遺囑。秦先生在原文中漏寫蔣先生信仰基督一事，被蔣夫人宋美齡女士發覺，大不高興，命秦先生補寫上去。可是原文是用毛筆書寫，而且許多見證人已簽名於後，秦先生不得已乃採取權宜補救之法；此即在文章中的「余自束髮以來，即追隨」後面，因為尊敬下文之孫中山先生，予以「抬頭」另起一行。因之此處有半行空白，乃可以補上「耶穌基督」等字，可是此舉卻引起非議，因為此非事實。按古人行冠禮時予以束髮，故當在少年成人之時。而蔣先生之信奉基督教，則是在北伐中間與宋女士成婚時也。此不但在時間上不符合，而且蔣先生是先追隨孫先生革命，而後方才信教的，因之與其遺囑中二者所列之次序也反過來了。秦先生在飽受批評之後，曾私下向先父吐苦水，說明他把信教列在孫先生之前，純是因為補寫時不得已的從權，他說從原跡的墨色不同去看，可以看出「耶穌基督」這幾個字與其他字句是在不同時間寫上去的。

此事知者甚少，在此寫出來，以明真相，順便也替秦孝儀世伯辯冤。因為頗有人以此事批評他，指控他為了阿諛宋女士之權勢而錯寫蔣先生之生平，才會故意把耶穌列名在孫中山之前也。

2.蔣先生之深愛宋美齡女士，也是久而彌新。世人多以為他們的婚姻是一個權與財的結合，蔣先生是通過此婚姻而與孔、宋兩家結親，並藉此外通英美之財團，內合江浙之財閥。此或為事實，可是他們夫婦之感情仍然還是可以深厚的，並非必然因之而各有用心而同床異夢的了。

3.蔣先生極為痛恨日本人之侵略中國，從一九二八年的五三慘案之後，他的日記中每一天在開篇起首之處，一定寫上「恥」或「雪恥」。而且蔣日記中凡稱呼日人者皆用一「倭」字。本書中列出的其一九六三年九月二十八日之日記，全篇痛罵日本人，只是一個例子，其他則為所在多有也。

4.蔣先生對中共或其領導者如毛澤東、周恩來等人，在他的日記中我從來沒有讀到過對之不敬的責罵或加以侮辱性的稱呼，例如稱之為×匪之類。反而是在追隨他遷往台灣的國民黨的黨政軍人士中，如桂系的白崇禧、外交界的葉公超，蔣先生也曾稱之為「白逆」、「葉逆」。我讀到過的，他罵人罵得最凶的一次，是在一九三七年七月二十二日的日記裏，因為他第一次讀到了二年前何應欽寫給日本梅津美治郎的一封短函，因而大怒，竟寫下「何愚劣至此，誠賤種也」。

以上四點是我在讀了蔣日記後，對其廣泛內容之與外間一般感覺有所不同之處。

四、蔣中正日記可不可信？

許多朋友問我，蔣日記可不可信？

我的看法如下：

1. 蔣先生既然是在寫日記，以供他後日方便查閱，原則上不會故意說謊去欺騙自己。當然，在他成為名人之後，尤其是在北伐之後，主持了國家大政，他下筆自較慎重。因為他應當知道以他在歷史上之地位，他的言行舉動，以及日記與檔案，將來都會成為重要的史料。

2. 因為每一天的日記，受到篇幅的限制，先生用毛筆去寫小字行楷書，大約能寫五六百字左右。以他之日理萬機，當然不能事無輕重巨細，像流水帳般地寫下來，所以他必須有所取捨。因此，關鍵的是在他所省略不寫的事情，是不正當的省略，還是無關緊要的呢？

例如一九三九年三月二十一日軍統在越南河內市去暗殺汪兆銘（精衛），蔣先生當天的日記寫道：「河內刺汪，汪未死，不幸中之大幸。」那麼，是不是他下令戴笠去刺汪的呢？蔣日記對此點隻字不提。二〇一二年台灣的軍情局公佈了一批有關戴笠的資料，經由國史館整理出版了《戴笠先生與抗戰史料彙編》，其中有一冊的題材為「忠義救國軍」，其第一三六頁為「戴笠電胡宗南請向蔣中正保舉張允榮負責在直魯豫邊區組織游擊隊」的一封電報，刊出的是戴笠先生親筆手書的稿子，其中有句曰：

> 惟尚須兄電呈校座力為保舉，因弟自河內事敗之後，校座對弟所言，恐不甚相信也。

由此可見戴笠在派人去河內刺汪之前，是已經向蔣先生報告過的了，結果其所言者沒有實現，因之蔣先生乃「不甚相信其所言」，可是蔣日記並未記載戴笠向他報備刺汪一事也。然而初時蔣先生的真意是要置汪先生於死地，還是只想予以警告，則為未知也。

我認為這就是蔣日記裏面的一個不正當的省略。

在本書中我另外也舉出了一些例子，以說明在我心目中的蔣日記有些不正當的省略之處。當然事情之輕重緩急，因為論者之身分地位及角色不同而有區分，有些事情對某些人來說是重要而不可省略的，對另一個人來說，則是無關緊要者。因之我只是指出了一些我的看法，舉例以供大家參考去作各自的評斷而已。

此處容我打一個岔，河內刺汪之所以誤中副車，汪精衛的親信曾仲鳴被軍統誤殺，是因為那一晚汪與曾臨時忽然互換了睡房。

汪先生租用的那棟洋房別墅是一幢法國式的歐洲建築，汪先生夫婦平時使用的主臥室（master bedroom）之浴室是與臥房相連接在一起，也就是住在那房間的人要用衛浴設備時不必走出臥室去。至於曾仲鳴平時所使用的臥室則沒有這個方便，必須走出臥房，經過走廊，才能走進浴室。

那一天，曾仲鳴的夫人帶了兩個稚齡的幼兒從香港到了河內，汪先生體諒曾氏夫婦小別勝新婚，為了方便他們，才臨時主動與曾交換臥室的。沒想到軍統正好選定了那一晚前來行刺，真是陰錯陽差，曾仲鳴就成了汪的替死鬼了，而中國近代史也因之起了重大之變化也。

在此日之前，汪先生雖然已從重慶出走，仍在河內滯留。蔣先生也曾派了谷正鼎帶了現金及護照到河內去勸說汪遠走法國，當此汪仍在考慮之時，卻發生了刺殺舉動，而汪又「未死」，於是他乃決心去與日本合作的了。

3. 蔣先生也是人，像每一個人一樣也有其喜怒哀樂與主觀之處，所以他對別人的批評與指責，我們不能不加查證而全盤接受。例如一九三七年的八一三戰役，在十一月九日我軍大敗，撤出上海之時，因為一直到十六日，戰場的消息不明確，身在南京的蔣先生當時誤判日軍登陸金山衛者只有一個師團，而實際上則為三個師團以上。因此蔣先生一時對我軍右翼兵團總司令張發奎之指揮大為不滿，在其日記中屢屢予以嚴責。又如在一九六三年秋冬，蔣先生與他的副手陳誠鬧翻了臉，雙方交惡，蔣先生乃在日記中通篇累章地痛罵陳誠。

像這種蔣先生對張發奎與陳誠的詬罵，我們不宜全予採信。然而這並不是表示蔣先生的言詞及日記不可信，只是我們須要去研究考查他主觀與偏激之處，分析他之所以有這種言行的原因之所在也。總之，我認為蔣日記大致是可信的，只是大家在閱讀時不能只以之為準，不但有時需要另查資料，而且要慎思明辨，與小心待之。

五、正史與野史

楊天石教授曾經給我取了一個綽號，說我是「二史堂主人」，意即我的文章是正史與野史皆為有之。

我當場回答楊兄說，以中國近代史與現代史言之，不論國、共雙方的正史（或官方史料）之可信度不高。

孔子說，杞宋文獻不足徵。文是指書面資料，獻則是指耆老故舊。

先祖父阮性存公清末留學日本東京的法政大學，與胡漢民、汪兆銘、陳叔通、古應芬等國民黨元老同學，先祖父也參加了同盟會，追隨孫中山先生參預中華民國的建國。在北伐成功後，先祖父出任國民黨的第一任浙江省政府之司法廳長，並且不久後即病逝。先父阮毅成公則長期在蔣中正先生麾下服務，在一九四九年前，國府主政大陸期間，先父曾經擔任了十年的浙江省民政廳長（一九三八至一九四八）。一九四九年國府遷台後，先父則歷任中央日報社長、中國國民黨中央政策會副祕書長與總統府國家安全會議副祕書長。

我祖籍浙江餘姚，與蔣先生的故鄉奉化是鄰縣，因此我的家族在浙江的國民黨圈子裏不但甚有地位，也可以說是淵源甚深，享譽甚久，而且是深知蔣家與國民黨史事者也。

也就是說經由親友及父、祖輩的交誼圈，我從小就聽到了許多正史中找不到的民國之掌故與祕聞。

在閱讀蔣中正日記時，有許多從我少年時就聽到過或見到過的人與事，在我腦中乃一一浮現出來。這就好像原本散落在一地的許多大大小小的珍珠，我可以因此日記而將之各按其位，把它們串連而成項鍊的了。

這是我比其他的同文在研究蔣日記時佔了便宜的地方。此即作為他的浙江同鄉，又是出身於國民黨元老的家庭的我，比較能了解蔣先生的文句與思路，以及熟悉他日記中所提及的人與事。可是凡事必然會有正反兩面，我也因之可能比較偏向於同情或認同蔣先生及國民黨，容易陷入主觀偏袒之毛病，這是我無時無刻不在自我警惕的地方，也希望讀者們予以批評及指教。

幸好在討論近代史的時候，大家都是各抒己見，不是一言堂，因之拙作如有缺失，也不過是聊備一格，謹供讀者參考而已。

六、史料、史識、史德與史論

古人治史本來就有史料學派與史觀學派之分別。

就史料之取得來說，古今大為不同。古人取得史料極難，而今人則因印刷術之發達，與網路之使用，反而成為史料太多的了，而且過猶不及，也造成了困擾。此即取捨不易，再加上真偽莫辨、輕重難分，時人評史論政乃往往成為漢人王粲登樓賦中所說的「行衢道者不至」——太多的說法、太多的選擇，反而使許多人覺得無所適從的了。此時就得依靠個人的史識了，這個「識」字可分兩個層次，即微觀的「見識」與宏觀的「識見」。

「見識」是指個人後天性的見聞所思，而「識見」則是指先天性的、與生俱來的一種才能。此即不但能綜觀全局，而且在重重包圍之下，能在千軍萬馬之中一眼便可以看出一條生路，殺出重圍去也。

前代史學家中以「見識」的博大言之，當推梁啟超先生為第一，而在「識見」之精深言之，我以陳寅恪先生為魁首，這兩位都是我在下筆時心目中的偶像人物。

先外祖錢倬公在指導我練習寫作唐宋文時，為了要培養我下筆時的「文氣」，從我在初中時便要我多讀梁先生的飲冰室文集。而陳先生的文章，則是在先外祖已過世後，我在唸台大數學系二年級時，於無意中發現的。

那時台灣的出版物很少，書本的售價也頗為昂貴，好讀書的我就想出了一個辦法。台北市重慶南路是書局的集中地，兩旁都有為數眾多的書店。這些書店所出售的書籍卻是大同小異，差不多的了。每每在下課之後，吃了一碗路邊攤賣的湯麵，我就從街頭的書局開始，選擇了一本書，讀完一章以後，就走到下一家去讀那本書的第二章，如此一圈走下來，一般來說兩三個小時就可以把一本書給讀完了。偶爾有大部頭的書籍，就得多去幾天才能讀完的了。總之，在讀完一本書之後，下一次再去，把同一類的另一本書給讀了，如此接二連三，便可以不花一文而讀書甚多。我發現這些同類的書籍，例如中國文學史，不同的作者，不同的書本，往往其內容卻是雷同的，大家抄來抄去而已。這樣子重複讀過幾遍相同的資料，那時年輕，記性好，也都牢牢記在腦子裏了。

有一天，我無意中讀到了陳寅恪先生的大作——《隋唐制度淵源略論稿》。那是一本薄薄的小書，初讀時，我以為分量不重，很快便可以讀完。那知道一讀之下，甚為震驚。哪裏想得到，陳先生文筆之優美、推理之嚴謹、立論之新穎與資料運用之巧妙，都可以說是到了完美的地步，令人愛不釋手，值得一讀再讀的了，久久不忍捨去。

記得那年（一九六三年）暑假，在初讀陳先生大作之時，我正在研讀一本數學方面的小書，即是十九世紀一位代數學家寫的 *Peano Axioms*。此公先作了五個假設，因之推衍而得了自然數系統。其推論之嚴謹，演算之巧妙，不亞於一般人都學過的歐氏幾何（即平面幾何）。

我把陳先生的史學作品與此代數書相比較，發現在陳先生筆端，史學論文也可以寫得像一篇數學論文這樣論理清楚，真是令人心醉。

我當時剛唸完大二，這兩本書可以說對我一生的影響實為深遠。就是使我後來在美國留學時，選擇了代數學作為博士論文的專科題材，並且在業餘有空暇時對寫作歷史方面的文章深感興趣，歷五十年而不衰。

當然在「識見」方面，因才質之高下有別，天賦不同，我是遠遠不及陳寅恪先生的，只希望能取法乎上，則得其中，已經算是僥倖的了。

有了史識，下筆者才能在許多的史料之中作個選擇與編排，其論文的水準才能入目，這是在做淘沙取金，釀花成蜜的功夫。可是此人若是有才而無德，會使讀者未讀其書而先不信其人，則患莫大焉。也就是說作者的史德是寫出一篇能被讀者接受的史學作品之基本條件。

以上談到的史料、史識與史德這三方面的考量，是中國史學中對作者久已有之的要求，自有公論，大家早已有了共識。下面要談的史論，則有兩種不同的典範，並沒有一個唯一的標準，此即：

1.述而不作；例如孔子寫春秋，只記述史實。其實孔子「微言大義」、「亂臣賊子懼」，也就是說他在選字造句時甚為謹慎，已把他個人的意見包涵在內，是在做「置入性的行銷」，只是沒有明白標示出他的論點而已。

2.作者明白地寫出其個人的論點，並且與所記述史實的文句分開，使讀者一目瞭然。例如司馬遷寫《史記》便是如此，他在正文的末尾往往會寫出以「太史公曰」為起首的一段文字，來表達他個人的意見。

七、拙作與一般史學論文三個不同處

我之接觸史論的文章，最初是在從小學五年級到大學一年級，在先外祖指導下去讀《古文觀止》、《古文評註》、《東萊博議》、《韓昌黎集》等等書籍，其中不少文章是在討論與評議歷史故事的。外祖父當時是在教導我怎樣去寫文言文，卻順便把我帶進了史論的圈子裏去。中年時我寫了十年政論，到退休後，已入老年的我，興趣是在歷史與書法的研習。然而積習難改，在論史談文時每每喜歡發表個人的意見，這是拙作與一般學術性的史學文章第一個不同之處。

因為拙作的篇幅往往比《史記》的篇章要來得長些，難以仿效太史公把史論部分集中在一篇之末尾去寫出來。因此我會在全文之中分散插入我的論點，用「我判斷」、「我分析」、「我認為」這種句子作為標示。有些讀者可能會不喜歡拙作的這種作風，他們認為應該像孔子著春秋這樣的「述而不作」。那麼容我建議，就請他們把那種段落的文句跳過去，略而不讀可也。這就像我們在讀史記的時候，如果不喜歡司馬遷個人的看法，是可以不去讀那些「太史公曰」的片斷的了。

拙作在體裁上與坊間常見史學文章的第二個不同之處，是我不喜歡多用註解，在本書中收錄的一篇文章裏，即〈一九六三年行政院長陳下嚴上之原因〉，其第六章「感言」的第七節，即「拙作為甚麼不多作自註」中間，我對這一點已作了說明。因為這節文字稍長，在此不再複述，此處要強調的是古代中國人作者自己是不作註解的，都是由旁人去作註解的。

拙作與時下的史學論文第三個不同之處，是在論點所採取的切入之角度與推論分析的方法。自從五四以後，西風東漸，國人紛紛出洋取經，治史學者亦為如之。

我在美國住了四十多年，所學所事皆為數學、電腦與企管，並沒有唸文史哲等學科，因此對西方史學界的治學方法並不熟悉。反過來，由於家庭的因素，我從小熟讀了古文與國史，倒是與五四以前的讀書人背景類似的了。可是我與他們是有大為相異之處，就是我究竟長期在美國生活，總不免受西方人影響。

與我同輩留學國外的史學界人士相比較，我沒有他們的專業修養，可是比起大多數此中人來說，我的國學或中文程度稍微比較好些。他們與我們父祖輩的「西化派」文史哲學專家們去相比，例如與胡適之、傅斯年、陳寅恪等等去比，他們對中國文化、尤其是文史哲的資料之掌握是遠為不及之的了。

同輩中，時下這些運用西方的治學方法去整理國學的人，不論是在文、史與哲學方面，其優點是觀點新穎，所用的方法較為慎思明辨、邏輯嚴謹，可是大多數人的缺點是對他們所要研究討論的題目與素材所知既為有限，也不夠深入。因此這一類的作者往往喜歡挾洋人以自重，大量引用洋人的研究所得，以其外國師友而自重。請問，陳寅恪先生遊學歐美著名學府十多年，其師友多為當時之漢學名家，在陳先生的論文中卻罕見引用此輩之論點者，此因先生之學術成就已遠遠超過他們了。

如果拿佛學與儒學接合的歷史去作個比較，即在印度文明與中華文明相接觸時，宋朝的理學家可分兩派，即程朱與陸九淵之不同。二程兄弟及朱熹是採用了佛家治學論理的方法（Methodology），卻不用其內涵（Content），陸九淵則二者皆用之。陸學傳到了明朝的王守仁，乃終於把儒佛之學說內容合二為一，也因之終結了自東漢至明朝，一千多年來儒學與佛學之論爭。

現在我們所面臨的是中華文明與西方文明之接觸，而且此是現在進行式的過程，是在「處今日之勢，不變亦變」的狀況。這句話是五四以後，在白話與文言，以及新詩與舊詩相互抗爭之時，主張用舊體詩之規格去寫白話新詩的「白屋詩人」吳芳吉先生的名言，意思是在西風東漸之時，中國文化已不可能抱殘守闕，故步自封，因此就以寫詩來說，國人安得完全固守其造字用句陳規的呢？

至於在史學方面，我們這一代的國人，處身於西方文明排山倒海的衝擊之下，又因為「五四」之後的白話文之風行而不再多學文言，乃與國學疏離。因之大家的作品乃一如無根之浮萍與斷線之風箏，就多被洋人所左右，其所學所思多成隨波逐流與迎風起舞之狀態，因而失去了繫命之根基也。這個毛病，是我們這一代人的通病，包括本人在內，與前輩比較，在國學方面的造詣，多少都是不及的了。

如果以之與佛學傳入中國去作比較，我們這一代的治史者，頂多只能扮演唐玄奘的角色，還沒有產生像天台宗的智者大師，或禪宗的六祖那樣之能開宗立派，自成一家之言的大宗師也。

筆者本人作為一個業餘的研習史學者，有鑑於此，即使想正其弊，也是有心無力。誠如王維詩之「誤落塵網中，一去三十年」，今已行年七十有餘，唯有寄望來者，能反而求諸已去深耕國學之後，再去吸收西方之精華，一洗我們這一代讀書人之通病，庶幾可望再出一些像陳寅恪先生這種精通中西文化之大史家也。

我目前所努力的，是利用我學習數理的背景，試著用此專長去分析中國的近代史與現代史。也就是說大家都是在引用西方人的治學方法去研究中國歷史，只是一般人是用其治史學方法，而我則是用其研究數理方法而已。至於我研究的題材，例如本書中所收的許多篇文章，即以蔣中正日記為基礎，去分析國民黨的幾件史事，則純為一時興起之偶然。我所要努力的，是利用這些文章，試著為史學同好們去建立一個思考或研究的模式，至於拙作的題目與結論，並不重要，謹供參考而已。

對學數學的人來說，任何一個習題，都已經是有了答案的了。從小到大，我們每一個人都做過千百個習題，不論是算術、代數、三角、幾何等課目皆然。這些題目，老師理應都知道答案，可見都是已被解答過的了。那麼學生們為甚麼要一再辛辛苦苦去尋找答案呢？這是因為大家要學習的，並非在知道這些題目的答案，而是在訓練如何思考去找答案的方法與過程。我在談史論文方面的作品，不僅是在發表拙見，而且也是在史料氾濫的今天，試著去找出一條新的研究的方法來，以供大家參考，並請指教。這是因為古人傳下來的研究方法，有許多並不適用於資料過多的現況也。

在古代不論是用手抄或雕版與活字印刷，其出版物的數目，不論是印刷量或書籍之種類，都要比現代遠為稀少。因此古人論史治學多重出處，以其可考也。現在因為印刷方便及網路應用，使得資料之來源已近氾濫，過猶不及，此時再用古人治學之方法，往往會造成尾大於身，一篇短文後面所附的註釋之篇幅會比正文來得冗長的多，而且使得大多數的讀者也懶於查看也，這些釋文乃為徒具形式而已的了。

總之，拙作並非在寫嚴謹的學術論文，一如楊天石兄批評我的，拙作是正史與野史皆為有之，但也像呂芳上兄當面告訴我的，有些拙作將來也可能被正史所採用。不過那些拙見能否為後代所採用為正史，對我來說，並非緊要，我所努力的，是在發展出一套比較重於嚴密推理的史學方面之思考模式。我之所以如此，是因為對許多已經公開的官方說法，從清末到今天，多少都有些疑問。一如王國維之〈鷓鴣天〉詞有句曰：

> 頻摸索，且攀躋，千門萬戶是耶非？人間總是堪疑處，唯有此疑不可疑。

我們在研究中國近代史的時候，不正也是這般光景的嗎？

我曾與郭岱君女士說，現代史與近代史之研究，因為官方文書之多不可靠，使研學者如身在黑暗的隧道之中。蔣日記之被公佈，是隧道壁上有了裂縫，使身在隧道中的我們能夠因之看到了一些道路，可是終為有限。此需要在長遠的未來，有了代換時移之後，研學者才可能走出了隧道而有了大放光明而得窺全豹之機會的了。只是我們每一個人都是生也有涯，一如王粲登樓賦中所說的「懼匏瓜之徒懸」、「俟河清其未極」，可不能因之無所事事，去苦等各種資料之解密或公佈，以致虛度此生。因此包括拙作在內，時下大家有關中國近代史與現代史的作品，在這樣長江後浪推前浪的情形下，是有可能被繼起者超越的了。這是為甚麼我認為我們去努力建立一個研究方法，比去尋找一些在近代史與現代史的問題之答案，來得更為重要的理由。此即因為受了資料方面的限制，我們所做出來的結論，可能會有局限性。但是研究與思考的方法或模式，則不受此限制，對繼起者的幫助將為更大的了。

就像大家所曾學過的平面幾何，這是初中的教材，可是在其中所學到的邏輯推理的方法，卻是可以放諸四海，為終生行事運思之所用也，並非只限制在幾何學方面。又如元代的大書畫家趙孟頫在指導大家習字時所說的：「筆法百世不易，結字亦須講究。」我所努力想去架構的在近代史與現代史方面新的研究方法，即是在資料已經多到氾濫程度的今後，去尋找一個新而可用的「筆法」。至於拙作的結論，只是我的「結字」，謹供參考而已。宋朝的大書法家米芾曾說：「似我者死」，就是說其結字未必一定可學也。

在書法方面，我曾說從鴉片戰爭以後，中國文化中的舊學，包括書法、國畫、國樂、中醫等等項目在內，都在走下坡。我們生當淑世，所能做的，只是興絕學，存危繼絕，做香火傳承的工作，以待來者。也就是說我們並不是參加奧運的選手，為自己在中國書法史上去爭一席之地，我們只是兩個奧運中間傳遞聖火的人，自己能跑多快與多遠並不重要，要緊的是把聖火的火炬能傳給下一棒。

其實此不僅限於書法，在論史談文方面亦為如之。傳香火，興絕學是每一個讀書人的天職，願與大家共勉之耳。

二〇一二年二月於台北

放聲集　第二輯：蔣中正日記中的當代人物

目　次

第四章 雜 俎

第一章

蔣中正與陳立夫之明爭暗鬥

●引言

●陳立夫阻擋張羣組閣之政爭
——兼談李培基落選案之影響

●解析蔣中正放逐陳立夫之經緯
——兼談先君與ＣＣ的複雜關係

引言

一、蔣中正對陳立夫的雷霆一擊

一九四九年國府遷台，國民黨乃進行改造，在此期間的一九五〇年七月，陳立夫先生奉蔣中正先生之命令，率領全家赴美。

本章所收的兩篇有關陳立夫先生的拙文，即在敘述與分析此事之經過及原因。

與大陸時代相比，遷台後的國府失去了百分之九十八以上的領土及人民，因之執政的國民黨必須縮編（Downsize），加以改造，使得其結構扁平化，以謀減少授權的層次，此為必然之事。也就是說蔣先生並不再需要一個代他總管黨務的陳立夫先生，以便自己去抓黨權，乃是合乎情理之舉動。可是蔣先生所使用的放逐陳立夫之手段，實為可議，此已記述在拙文〈解析蔣中正放逐陳立夫之經緯〉中間，在此先摘要逐步簡述如下：

1. 蔣先生在遷台前即已指示陳先生負責草擬國民黨之改造方案。

2. 遷台後，在陳立夫專程去台中日月潭向蔣先生當面報告此方案時，蔣先生指示：

(1) 命令陳先生速回台北，即日召開國民黨來台中央委員及後補委員之全體會議。

(2) 此會議由蔣先生親自主持，並單銜提出前述之改造方案。

3.在那次會議中，據當時在場之陶百川先生賜告，蔣先生於全場通過改造方案後，以主席身分站在台上作結論時，忽然脫稿演出，用手指著坐在台下第一排中央位子的陳先生，厲聲說道：「今後你們要跟著我蔣某人去改造本黨，還是要繼續跟著這個腐敗的陳立夫走？」於是陳先生乃黯然奉命出國矣。

二、二陳兄弟都很窮

此事值得分析的有兩點，即

1.陳立夫是腐敗的嗎？

2.蔣中正免除了陳立夫的黨職之後，為甚麼不許他留在台灣，非得把他放逐出國的呢？

容我先說第一點。

在一九四五到一九四九的國共內戰期間，中共攻擊陳果夫與陳立夫兩兄弟的口號有兩個，此即：

1.「蔣家天下陳家黨」。

2.「蔣、宋、孔、陳四大家族」。

第一句話不錯，當時國民黨中央的黨權確是操控在二陳兄弟手中。第二句話意指此四大家族是官僚資本的大財閥，貪污腐敗。因為其餘三個家族與拙文無關，暫且不談。至少就陳家來說，我認為此是大錯，陳家絕對沒有錢，此在二〇一三年筆者寫作本文的今天，已可以說是蓋棺論定的了。

我的家族與陳家是三代世交，又同是國民黨人。先祖父阮性存（荀伯）公在清末民初就與陳英士先生共同在江浙奔走革命。而先父毅成公在一九三八至四八年擔任了十年的浙江省民政廳長，又屬於二陳所領導的CC系，那麼與隸籍浙江的陳家各位當有交往也。遷台後，在果夫先生去世，立夫先生出國之後，我少年時在台北，兩家猶多往來。我曾拜見過英士先生的兩位兄弟——勤士及靄士先生，以及立夫先生的堂弟惠夫先生，以我當時所見到的陳家之生活起居情形，並非有錢人也。

立夫先生長期住在美國時，以養雞為生，其生活之拮据，固已為世所周知。

在讀到拙作之後，今猶健在，住在紐約的趙寶熙兄來信告知一事，讀之令人心酸，今簡述如下：

一九五一年果夫先生病逝於台北，時立夫先生仍在美國，不得獲准返台奔喪。當時趙兄以戚誼而借住在果夫先生府上，親見其夫人悲泣甚哀曰：「連買棺材的錢都沒有。」幸好陳誠（辭修）先生來弔唁，知情後乃令省政府代為發喪也。

此事發生在大陸易手之後不久，請問貧到無以辦理喪事的陳果夫家，怎麼會是「貪污腐敗」的大「官僚資本」豪門呢？

立夫先生在一九六七年返台定居時，趙兄說先生買地卜宅於台北近郊之天母，其土地銀行之房地產貸款是由其在美就業之四個子女所平均負擔。幸而立公高壽，數十年後待他賣了房子搬回台北城裏去居住時，得款甚多，才發了一筆小財也。

蔣中正在一九五〇年放逐陳立夫赴美時，給他的考評是：

1.腐敗。

2.要負起大陸失敗時的黨務方面之責任。

我的看法是：

1.陳果夫與陳立夫沒有錢，「腐敗」二字是冤枉了他們。

2.二陳兄弟在大陸時代應該負起黨務失敗之部分責任，可是蔣中正先生本人的責任比之更大，卻終其一生，他從來沒有在公開場合，或私下在日記中，對自己作過檢討與認錯，是嚴以責人，寬以待己，也是不對的。

三、陳立夫爲甚麼不得留在台灣？

一九四九年國府遷台後，在黨政軍方面都必須縮編。在黨務上有了改造，在軍方則將撤至台灣的數十萬陸軍精簡至六個軍，可是在政府方面的縮編卻發生了困難。這是因為蔣先生為了維護「法統」，不願意修憲，因此：

1. 他必須維持了中央、省、縣的三級組織上的架構。
2. 在中央政府維持了龐大而不切實際的機關，例如保留了蒙藏委員會。
3. 更為嚴重的是三個國會不能改選。

就蔣先生與陳立夫之間來說，第三個因素是迫使蔣先生要放逐陳立夫出國的原因。

一如本章所收的兩篇拙文所顯示的，一九四七年在大陸所選出的三個國會中間，即在立法院、監察院與國民大會裏面，由二陳兄弟所領導的CC系是實力最為龐大的派系。陳立夫即使離開了中央黨部，只要他住在台灣，就能領導CC成為左右政局的一派之首。此即在一九四八年大陸撤退前夕，陳立夫在立法院中翻雲覆雨，領導了CC先後阻擋了張羣之組閣，以及李培基之出任立法院長，使蔣先生極為痛心。因此在一九五〇年罷黜陳立夫時，蔣先生為了打散CC，使之群龍無首，因而分裂成為幾個次級政團，以便黨方操縱，乃迫使陳立夫赴美的了。

陳立夫阻擋張羣組閣之政爭

——兼談李培基落選案之影響

一、前言

拙文〈解析蔣中正放逐陳立夫之經緯〉（以下簡稱〈解析〉）在《傳記文學》月刊第五五六期刊出之後，承趙寶熙先生於《傳記文學》第五五九期作了「補充說明」，趙先生根據陳立夫先生的自述，提出了與拙作兩點不同的看法：

㈠陳果夫及陳立夫兩位全盤否認CC這個名稱。

㈡有關行憲之初，在一九四八年五月，張羣受命組閣而未果一事，我根據先父晚年在台北的口述回憶，認為是陳立夫領導下的CC利用黨籍立委舉行假投票予以暗阻，是「瞞上弄權」。趙先生則引立夫先生之言，認為蔣先生事先並沒有告知陳先生他的心意，因此陳先生疏於安排，才弄出了是是非非。

二陳兄弟在蔣先生於大陸主政時期，組織了一個以政大師生校友為主體的政治團體，世人稱之為CC。在蔣先生日記中亦以此稱之，可見已到了約定俗成的地步。最近我從先君所遺留下來的書面資料查到，在抗戰前於南京洪蘭友先生家中，由陳果夫先生監誓，他宣誓參加的團體，其名稱叫作「青白團」。恕我寡聞，以前從沒聽過「青白團」這個名字。不過二陳兄弟領導的政團的正式名稱是不是叫作ＣＣ，我們暫且不必為之爭論了，我們姑且從眾，在本文中以ＣＣ稱之好了。

為了弄清楚在張羣組閣受阻一事中，ＣＣ及陳立夫先生究竟扮演了何種角色，我去了史丹福大學胡佛研究所細讀蔣中正先生有關此事之日記。今逐條全文抄錄附記於本文之末，以供大家參考。我的結論是ＣＣ及陳立夫在事先知道蔣先生要張羣組閣的心意，而且也是利用了黨籍立法委員假投票去阻擋此事，不過他們有他們的理由，並非無理取鬧。而且在舉行假投票之前的數小時，陳立夫已當面向蔣先生報告他們反對張羣的理由，並預告張羣將要落榜事也，此與先君所告訴我的，是在假投票後，立夫先生方向蔣公推託為不同也。

拙作另有一個錯誤，謝謝趙先生指正，即在一九四八年五月至十二月的翁內閣時期，陳立夫是立法院副院長；到了孫科接替翁文灝組閣，陳先生才入閣為政務委員，因之辭去立法委員。並且此舉確是出於陳先生之自願，而非受到蔣先生之命令。不過陳先生之未能繼孫科出任院長，則是在陳作出入閣之決定以前約二十多天，已為蔣先生所勸阻，蔣先生當面告訴陳先生，他認為陳先生「不宜競選」也。

此外在研讀蔣先生日記時，我發現一九四九年一月二十一日蔣先生之引退下野，除了眾所周知的桂系李宗仁、白崇禧之逼宮外，另有一個原因，即是蔣先生所屬意的新任立法院院長提名人李培基先生（晉閻系）之落選。此事是ＣＣ暗中支持團派的童冠賢委員將之擊敗，也就是陳立夫先生陽奉陰違，使得ＣＣ與團派合作，以共禦外敵之「意外」事件，我將此事件順記於本文之中。

從一九四八年五月六日國民黨中常會雙提名張羣組閣，與陳立夫出任立法院副院長起，到同月二十四日中常會改提翁文灝組閣時為止，一共十八天。本文之主旨在依照這段時期內蔣先生的日記而對此政爭作分析。

蔣先生及陳立夫先生是此政爭的兩造當事人，所言都是主觀的，因此在本文中我將兩人的說法並存，以供大家自己去作評斷也。

在拙作〈解析〉中有關此次政爭的材料，是得之於先君在一九八〇年代的口述回憶。一九四八年五月先君住在杭州，先母則是新科立法委員去南京開會，身歷此事，因此先君也是二手傳播，自然不如蔣先生與陳先生兩位的訊息來得多了。因此在有關這十八天政爭的記述與分析，我的看法當以本文為準，如前作有與本文不合之處，謹向包括趙寶熙先生在內的讀者們致歉也。

二、團派杯葛陳立夫、政學系張羣受池魚之殃

一九四八年五月二十日蔣中正先生及李宗仁將軍在南京分別就任中華民國行憲後的第一任正、副總統。

五月二十四日原任行政院長張羣辭職，蔣總統改提張內閣的原任副院長翁文灝先生繼之。先是，在五月六日國民黨中常會與政治會議都已經議決，提名張羣院長組織新閣，並預備交付將在五月十六日新召開的立法院大會予以同意通過。

從五月六日到五月二十四日，在這短短的十八天裏，新任行政院長的人選由張羣改為翁文灝，其過程實為曲折複雜，乃是種因於一場驚天動地的國民黨內的重大政治鬥爭。

張羣在一九四七年四月十八日組閣，當時是訓政時期，尚未行憲，是由國民黨三中全會所通過的。可是在一九四八年五月行憲後，新的行政院長照新頒佈的憲法，是由總統（蔣中正）向立法院提名，並非如訓政時期之由黨總裁（蔣中正）交由中常會及政治會議議決後，向國民黨的中央委員全體

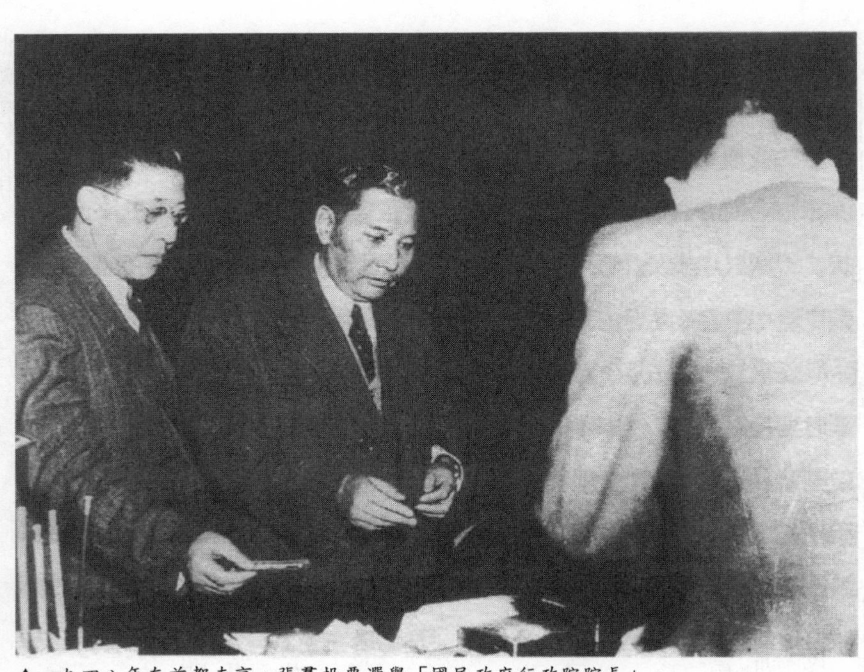

▲一九四八年在首都南京，張羣投票選舉「國民政府行政院院長」。

會議提出。

在一九四八年一月所選出的第一屆立法院中，共有七七三名委員，其中二陳兄弟所領導的CC則佔了五百名以上，也就是說CC對新閣魁人選擁有決定權。

在五月六日黨中央提名張羣組閣之同時，也提名了陳立夫出任立法院副院長。此兩案在提名時，須要交由國民黨的中常會與政治會議討論。在元老們居多數的這兩個會議中，反對陳立夫者為多數，而張羣則是政通人和，輕易過關。

可是兩位一旦獲得提名以後，便要交給立法院去分別票決，此時則張、陳兩人在立法院中的支持度便正好與在中常會的支持度翻轉了過來，成為陳立夫必然出線，而張羣則要看CC的臉色了。

因此在五月六日中常會裏，兩案之所以能夠同時過關，是反陳派與擁陳派的政治妥協。反陳派放水讓陳立夫獲得黨中央之提名在先，而擁陳派則須要在其後立法院裏放水讓張羣順利過關去組閣，以為回報。否則以中常會中反陳立夫者佔了「十之七以上」，陳立夫是無法獲得黨中央提名去出任立法院副院長。

既然雙方在五月六日做了妥協，為什麼CC在五月二十一日的假投票時要反對張羣，力捧何應欽呢？那是因為在五月十七日下午選舉立法院副院長時，CC的政敵團派另推出傅思義委員與陳立夫相抗。CC既然佔了七分之五的委員總數，當然有足夠力量來支持陳立夫當選，有驚無險，可也「費力甚多」，因此CC當然認為反陳派沒有履行五月六日的政治協定，是悔諾在先。再加上選舉當天蔣氏夫婦走避無錫，去遊太湖，更使CC群情大嘩，連陳立夫本人都認為蔣先生對他「不夠支持」，在假投票前數小時當面向蔣先生嗆聲。因此為了要替陳立夫討公道，出口氣，CC乃報復在張羣身上了。可是反對陳立夫的是團派，張羣則是政學系，是受了池魚之殃的。此是CC懷疑蔣先生偏袒團派，乃對蔣氏表態，與之相抗，去公開杯葛張羣，目的是要讓蔣先生難堪。

其實在五月十一日到十四日之間，當團派展現反陳之企圖時，蔣先生不論在公開的宣傳會報中，以及私下派蔣經國去向三青團書記長陳誠將軍提出了嚴厲的警告，都是支持陳立夫的。可是這種私下的行為，本來就不是陳立夫或CC所能得知，更何況並未奏效，因此使得CC及陳先生誤以為蔣先生故意縱容團派來與他們相抗了。而且從事後蔣先生並未執行他對團派的嚴厲警告去看，我認為陳立夫及CC對蔣先生縱容團派的指責，並非空穴來風。我判斷因為CC在立法院中一派獨大，蔣先生才會拉拔團派的聲勢，以便從中駕馭也。

在引述蔣中正先生的日記之前，我謹在此先依照趙先生的說法，引述陳立夫先生的自述，以便大家將兩造的說辭去作相互比較也。陳先生說：

蔣先生勝利後要學民主，也要看看大家的真意，反正不如蔣公的意，他可以否決，其實他跟我說了，我就可以先安排，不必弄得事後的是是非非。

趙先生說：「這段話想起來是針對大仁說的假投票。」

今依照蔣先生在此十八天中日記有關此事之記載，按日期製表來記述事態的發展，因為在表格中無法將原文悉數抄錄，只能予以節錄，我乃將原文全抄附在本文之末，供大家參照。

日期	蔣中正日記節錄	我的分析與評註
一九四八年五月六日	中常會通過張案及陳案。	1.出席之中常委反對陳立夫出任立法院副院長者佔十分之七以上。 2.兩案並列。
五月十一日	團派揚言反對陳案。	蔣先生深為憤怒。
五月十二日	1.蔣先生在宣傳會報中公開表態支持陳案。 2.私下向陳誠提出警告。	1.陳誠時為三青團書記長。 2.蔣中正經過蔣經國對團派所作的警告，陳立夫與ＣＣ可能並不知情。
五月十三日	蔣先生對三青團之不服黨紀去杯葛陳案表示心中的反感。	
五月十四日	立法委員中反對陳案及張案者皆為有之。	1.這是蔣先生日記中第一次提到立法委員中有人要求過問行政院長人事案。 2.蔣先生並未把反對陳案或張案之立法委員們之行為予以討論或分析，乃是一體待之，當作反對黨中央者。
五月十六日(星期一)	蔣氏夫婦離開南京去無錫遊太湖兩天。	第二天，立委即將選舉院長及副院長，蔣先生要遊太湖，不在週六或週日，卻選在週一及週二，是有避開之嫌疑。

五月十七日	1.蔣氏夫婦仍在無錫。 2.立院選舉正副院長。	1.上午，孫科（哲生）在無人競爭下順利當選院長。 2.下午，陳立夫與團派推出之傅思義委員經過激烈競爭，「費心甚多」而獲勝。
五月十八日	張羣忽然向蔣先生力辭組閣之任命。	我判斷因為陳立夫在前一天副院長選舉時受到了阻擾，ＣＣ派認為團派沒有服從五月六日中常會之決議，乃思杯葛張案，以為報復。此事已為張先生所察覺，他乃知難而退。
五月二十日	1.晨課畢召見陳立夫、顧祝同、張道藩三人討論邀何應欽組閣事，乃得知何無此意願。 2.十時赴總統府就任總統。	1.在就任總統之前兩個小時召開此四人之小組會議，可見事已緊迫。 2.顧祝同當是代表何應欽出席此會。 3.張道藩是ＣＣ在立法院中的重鎮，此是他的名字在有關張案一事中第一次出現在蔣先生的日記裏。 4.蔣先生雖未說明，以後文可知，是陳與張二人在此時向蔣先生建議舉辦黨籍立委之假投票以「預測張羣之得票數」。
五月二十一日	1.朝課後，召見陳立夫，為張案兩人起了劇烈之爭論（詳見附錄）。 2.下午召見鄭彥棻，聽取上午黨籍立委假投票之結果，「不勝憤悶」。	1.陳立夫在假投票尚未舉行前即向蔣先生報告張羣將要落榜。 2.原因是他已不能控制其幹部之反張。 3.此因陳的幹部們認為陳太服從蔣，而蔣在陳選副院長時反而走避無錫，以致陳之當選不太順利。 4.假投票之結果為何應欽得票數在張羣之上。 5.我判斷蔣先生原先以為假投票之目的既然在「預測張羣之得票數」，那就是一個是非題，讓立委們表態投不投張羣一票。卻沒有想到假投票成了一個選擇題，變成了讓立委們在張與何兩人中間二選一了。 6.何應欽是黃埔系中僅次於蔣中正本人的第二號人物，而團派又是以黃埔系為主體，在團派中何氏之得票自然會比政學系的張羣為多。再加上ＣＣ的操作，暗捧何應欽，張羣當然會落敗。 7.何應欽本來就是蔣先生心目中張羣的備胎，ＣＣ乃順水推舟以何代張了。

五月二十二日	昨日晚飯約見陳布雷，談當天早上與陳立夫之談話經過。	1. 蔣先生要陳布雷出面做和事佬，傳話給陳立夫，說在二十一日兩人談話中，他自己「自覺憤激過甚，神經幾失常態」。 2. 蔣先生亦指責陳立夫「弄手段」、「壓迫脅制」蔣先生，「利用何應欽組閣去排除政敵張羣」。 3. 我判斷： 甲、此時陳布雷推介由翁文灝組閣。 乙、陳布雷代陳立夫緩頰，認為陳立夫也是受了他的幹部之影響，身不由己。因此在下文第二天的日記中，蔣先生對陳立夫的指責已變為比「壓迫脅制」遠為輕的「蒙騙」了。
五月二十三日	1. 面告何應欽不予提名其組閣，另提翁文灝，何表贊成。 2. 把陳立夫、張道藩並列為「欺蒙黨魁」，利用假投票排除張羣之人。	1. 此為翁文灝之名字忽然第一次出現在行政院長提名者之列。此當是前兩天陳布雷所推介者。 2. 陳布雷之推介必然事先已與二陳兄弟會商過，而翁先生亦為蔣先生所能接受之人選，此即蔣先生與陳立夫已握手言和矣。 3. 陳立夫之罪名已由「壓迫脅制」降低到「欺蒙」，而且也把張道藩首次並列為陳先生的「共犯」。
五月二十四日	中常會通過翁文灝組閣之提名。蔣先生親自召集黨籍立委開會通過。	因張羣組閣受阻之政爭乃告落幕。自五月六日中常會決議提名張羣，到此為止，為時一共十八天。

三、十八天政爭之逐步發展

今將上表所列出此十八天中之政爭逐步列出如下：

㈠陳立夫先生在事先知道蔣先生心中要指定張羣組閣，此由五月六日國民黨中常會決議張案可知也。

㈡在此同時，中常會亦決議推舉陳立夫為立法院副院長。因此陳案及張案之兩案並列，是綁在一起的包裹性政治協定。

㈢在中常會五月六日通過陳案之後，立法院中的團派（反陳派）即醞釀杯葛陳案，蔣先生乃在公開的宣傳會報中，以及在私下，都嚴予申斥之，以支持陳案。

㈣可是在五月十七日陳立夫競選立法院副院長時，發生了下述兩件事，使CC及陳立夫認為反陳派並未信守其政治承諾，而且蔣先生也默許此事，此即：

1. 團派（反陳派）另推傅思義委員出馬與陳立夫競逐副院長，因之陳立夫「費力甚多」才能當選副院長。

2. 選舉前一天，即五月十六日星期一，蔣先生偕夫人離開首都南京兩天，好整以暇地去無錫遊玩太湖，到了選後才回南京。

因此他們認為蔣先生對陳立夫「不夠支持」。

㈤五月十八日，即立法院選舉正副院長後一天，張羣已感覺到CC將為十七日選副院長一事對他發動反擊，因而臨時抽身，堅辭組閣之新命。

此時蔣先生並未感覺及此，不明瞭張羣為什麼臨陣逃脫，乃在日記中大發牢騷，嚴加指責。

㈥五月二十日蔣先生在就任總統前兩小時，召開了一個四人小組會議，顧祝同（墨三）出席，他代表何應欽表示不願組閣。而另外兩位出席者，即陳立夫及張道藩乃建議由黨籍立委舉行一次假投票，以「測試張羣之得票數」，蔣先生予以批准。

㈦在五月二十一日舉行假投票之前數小時，陳立夫面告蔣先生張羣將要落榜，兩人大起口角。亦因之可知在假投票中，陳先生及CC已預作安排，否則既然是祕密投票，陳先生怎麼可能預知結果？

(八)假投票之結果，何應欽得票高出張羣。

(九)蔣先生覺得受了陳立夫之「壓迫脅制」，大為不滿，乃在五月二十一日晚飯召見陳布雷，大吐苦水。

(十)陳布雷一方面為陳立夫緩頰，二方面推介翁文灝組閣。

(土)蔣先生乃予接受，並在五月二十三日召見何應欽面告將另提翁文灝組閣也，並在五月二十四日交由中常會及立法院通過。

此次政爭乃告平息。

(圭)蔣先生受了陳布雷為陳立夫緩頰的影響，把他的罪名由「壓迫脅制」改為「矇騙總裁」，並把張道藩也列為「共犯」，此示陳立夫也是受了他的幹部之影響也。

拙作〈解析〉一文中，有關此政爭的記述，因之有下列須要修正之處：

(一)在一九四八年五月到十二月的翁內閣期間，陳先生是立法院副院長，並未入閣，要等到當年十二月底，孫科繼翁文灝組閣時，陳立夫才改任政務委員，辭去立法委員。

(二)為了假投票事，蔣、陳二人之爭執，是在五月二十一日上午，而假投票則在當天下午舉行，因之並非如拙作所說的在假投票之後。

(三)陳立夫當面告訴蔣先生他的幹部都將不會支持張羣，並明告理由，並非如拙作所說的作了推諉搪塞之辭。

四、ＣＣ與蔣先生合演了一場戲——翁文灝組閣

蔣中正在日記中，於五月二十一日晚上與陳布雷見面之前，從來沒有提起翁文灝為可能組閣的人選。

可是在其後，蔣先生也沒有說明是陳布雷所作的推薦。若非陳布雷先生在自殺前不久向先君作了說明，他說翁文灝是由他向蔣先生推薦的，此事將失傳矣。

蔣先生不作說明，是他心知陳布雷也是ＣＣ的領導人之一，陳布雷是代表二陳兄弟來講和的，因此他如果讓世人知道翁先生是由ＣＣ大老陳布雷所推介，則是讓後世知道他之接受翁文灝是做了城下之盟。明乎於此，我們才能了解在翁氏出線後，蔣先生在中常會與立法院的公開行動，是ＣＣ替他作面子，使他在張羣受阻之後，挽回威信也。

▶翁文灝

在決定了提名翁文灝為行政院院長之後，蔣先生在中常會及立法院演了一場大戲。乍看上去，他忽然變得十分強勢，可是如果知道翁先生本來就是二陳兄弟通過陳布雷向他提出來的人選，ＣＣ當然會在立法院全力支持翁先生，我們就能知道蔣先生的強勢作為，只是在裝腔作態而已。且看蔣先生五月二十四日星期一的日記：

> 昨夜安眠足有六時半之久，實為難得之現象。今晨朝課後，即約本黨老者，徵詢行政院長擬提翁文灝之意見，彼等皆甚贊成。乃

到中央黨部紀念週後，開臨時常會，提出翁詠霓為行政院長，討論一小時，表決通過。常會以立法院中之黨員對中央決議每持反抗態度，如常會決議後，恐不能在立法院通過為慮，故有主張不用決議方式，而先開立法院黨員大會通過後，再由常會決議。余以為此乃不成體統，中央自廢紀綱，不可也，仍由常委決議。一面召集立院黨員會議，要求其贊成也。下午二時召集立院黨員會議，余親自出席說明，以全場一致接受後，乃開立法院會議審查會，結果甚順利通過，即交其大會付表決，以六分之五以上票數同意當選也。於是新政府第一之難關通過，此為一星期以來，惟一之難事，幸得解決矣。

CC既然讓蔣先生大出風頭，公開挽回了面子，蔣先生也願意與陳立夫修好。乃在五月二十五日，即第二天晚上召見陳立夫。想不到在此私下一對一的會面中，陳先生還是不給蔣先生面子，拒絕讓步認錯，蔣先生只得說：「可痛！」了。

五、李培基落選案

蔣先生是在一九四八年五月二十日上午就任總統的，次日，即五月二十一日清晨，當陳立夫面報蔣先生在當天下午的黨籍立委假投票中張羣將要落榜時，蔣先生大怒，聲稱若然他將要下野。在他就任後的第二天，他就說要下野了，當是氣話。

五月二十四日翁文灝出線後，政爭結束，蔣先生的日

▲李培基

記裏就暫時不再提起「下野」了，到了一九四八年十一月、十二月間蔣先生又在日記裏常常提起「下野」起來的。

這前後六個月的差別甚大，在一九四八年五月間，國共尚在東北交戰，可是到了十一、十二月間，東北、山東已為中共所佔領，華北已告不穩，而且此時徐蚌會戰（淮海戰役）接近尾聲，國軍敗象已露。更有進者，翁內閣的金圓券幣制改革已全面失敗，造成了金融及經濟的大崩潰。

因之在一九四八年十二月孫科即將組閣之際，蔣先生又在考慮下野，而此時發生了兩件大事，促成了他之毅然求去：一件是由華中剿匪總司令，桂系的白崇禧將軍領頭的逼宮，此是為了擁戴桂系首領、副總統李宗仁將軍之繼位。另一件則是黨中央所提名的新任立法院長李培基之意外落選。

白案為世所眾知，至於李案則甚少人注意及此，而在細查蔣先生日記之後，我發覺此事實為促成蔣先生決心下野的原因之一。

當孫科由立法院長改任行政院長時，因之而起的人事變動有三，即：

㈠新任的立法院長人選。

㈡原任立法院副院長陳立夫的職位是否因之更動？

㈢新任的行政院副院長人選。

孫科最初屬意的行政院副院長人選為張治中將軍，張氏屬於政學系，為美國及中共方面都能接受的國府重臣。張將軍本人對此新職則十分猶疑，而蔣先生在十二月八日的日記中說：

> 與岳軍、文白商談哲生態度，及其組閣之利害得失甚詳，屬文白接受其副院長之要求。

此時徐蚌會戰已近尾聲，國軍敗跡已露，而美國的態度是要逼蔣先生退位，因之孫科的態度也改趨消極。

到了十二月中旬，孫科（哲生）改變心意，願意組閣，可是改為要求吳鐵城出任新閣的副院長。起初吳先生並不願意，蔣先生十二月十九日的日記說：

> 岳軍與鐵城來談，協助哲生組閣事，鐵城絕不願任其副院長，則難以組閣矣。

此處要說明的，是為什麼蔣先生會說難以組閣呢？當時共軍渡江已不可免，國府只有退守西北、西南與東南，此時浮上檯面的方面重鎮將是：

1. 西北——張治中，屬於政學系。
2. 西南——張羣（岳軍），屬於政學系。
3. 東南——台灣與福建為陳誠，屬於三青團派。浙江則為陳儀，屬於政學系。兩廣則為粵系與桂系。

其中張治中、張羣與陳儀皆屬政學系，而孫科則代表兩廣，尤其是粵系。亦即除了各省的地方豪強之外，中央將是粵（孫科）、桂（李宗仁）與政學系共同合作的局面，因之亟須政學系參預新內閣。在張治中與張羣即將分別外放去坐鎮西北與西南之際，政學系乃共推吳鐵城出任副閣揆，可是屆至十二月十九日，吳鐵城仍無此意願，蔣先生乃有難組閣之嘆也。

到了第二天，即十二月二十日，蔣先生日記說：

> 朝課後，約見亮疇與鐵城，談協助哲生組閣事，鐵城據然允任其副院長，私心為之一慰。

按，王寵惠（亮疇）先生時任司法院長。又此處蔣先生寫的「據」然，當是「居」然之筆誤。

至此新閣的行政院副院長之人選乃告底定，亦因之影響到陳立夫先生的出處。在孫科即將組閣之時，立法院長必須另推人選，陳立夫身為副院長，是當然的候選人之一。可是蔣先生另有打算，十一月三十日蔣先生日記說：

> 昨午與立夫談立法院長事，勸其不宜競選也。

十二月二十二日的日記說：

> 召見薛篤弼、陳立夫商定李培基為立法院長候選人，十時召開中常會與政治會議，通過行政院各部會長人選。

此即因為陳立夫在此時答應入閣，故在三人小組會議後，即可底定行政院之人事案也。同一天日記：

> 正午約岳軍、禮卿來，談白崇禧派人來告，屬其二人勸告余從速下台，否則後悔莫及。

此是白崇禧以華中剿匪總司令之身分，坐鎮華中武漢三鎮，號稱擁兵六十萬，乘著徐蚌戰役蔣先生的嫡系大敗，折損了三十多個師之危機，採取兵諫，逼蔣下野之始。張羣與禮卿（吳忠信）兩位皆是與白崇禧有私交的蔣先生親信，所以白氏請他們代向蔣先生傳話了。

一九四九年一月十日徐蚌會戰結束，國軍敗績。一月二十二日，北平易幟、和平解放（按：傅作義部隊於二十二日出城，接受改編，三十一日解放軍入城接管）。一月二十一日蔣中正引退下野，由副總統李宗仁將軍代理總統，此距白崇禧發動兵諫之始，為時大約一個月。

在此一個月中，除了桂系發動了前後幾波倒蔣活動之外，另有一件事牽涉到蔣中正與陳立夫之間，即李培基落選之事，此也是促成蔣先生引退的原因之一。在一九四八年十二月二十二日黨中央提名李培基之後，立法院中的三青團派即發出反對之聲浪，蔣先生二十三日之日記說：

> 昨日最複雜困難之問題，即立法正副院長人選提名問題，忽於五分鐘解決。

前一天決定了立法院長提名李培基，而原來的副院長陳立夫入閣為孫內閣之政務委員，因而辭去立委，所以蔣先生乃有如釋重負之感了。

此即趙寶熙先生所引陳立夫後來在紐約所說的，因為孫內閣之新任副院長吳鐵城之堅邀，彼乃允許出任政務委員，當是事實。在十二月二十日吳鐵城方才答允自己出任副院長，而在兩天後，即二十二日陳立夫隨之入閣，因而使蔣先生解決了他心中的一個難題。即在孫科卸任立法院長後，蔣先生既然不願意陳立夫繼任，則在新院長就任時，如何安排原任副院長陳立夫之出處呢？若讓他留在立法院，則使其屈居新人之下，是不合官場的政治倫理也。

可是接著發生的問題是，李培基既不屬於ＣＣ，也不屬於團派，而是屬於閻錫山的派系，因之他的出線引起了蔣先生嫡系的反對。

為什麼我有此判斷呢？因為：

㈠在決定提名李培基的小組會議裏，出席者三人，即蔣中正、陳立夫與薛篤弼。蔣與陳在場是合理的，為什麼會有薛先生在場，反而李培基本人不在場呢？薛篤弼是閻錫山的心腹，曾任水利部長。此即在東北、山東已失，華北不穩之時，蔣先生已考慮到整個北方必須借重山西的閻錫山，要拉住他，不使他投共，乃把立法院長給了他屬下的李培基。而且從李氏本人缺席去看，那一天他可能並不在南京。

㈡在中央提名李培基後，陳立夫領導的CC不便公開反對。這是因為三人小組在做決定時，陳立夫是出席在場的，因此乃由團派出面唱反調了。可是如果CC支持中央，則團派當然不成氣候也。

因此在十二月二十三日的日記中，蔣先生接著寫道：「五：立法院選舉議長之提名決議案，新政俱樂部（青年團）等仍主張其原定之童冠賢，而不選李培基，不勝悲戚。乃召立夫、健群來談，嚴令其執行黨的決議，其中複雜離奇，情形實不可思議，黨員之失紀棄信，殊為痛心。」

也就是說在陳立夫入閣，不得繼位立法院長，而蔣先生又要挑選一個外人李培基來做院長的時候，本來同屬蔣先生嫡系，積不相容的CC與團派，此時反而合作去共同杯葛李培基，共同推選團派的童冠賢與之相抗也。這是蔣先生事先沒有計算到的變化，才會說「複雜離奇，情形實不可思議」的了。

劉健群是團派在立法院的領導，後來也曾擔任過立法院長。這是在五月十六日新立法院成立後，蔣先生很少有的把立法院中CC的領導人陳立夫與團派的領導人劉健群一齊召來面談的例子。十二月二十四日蔣先生日記說：

另召劉健群、吳鐵城等切囑其所屬立法（委）員須照中央決議選舉，及至下午五時選舉結果，正院長為童冠賢，而非李培基，此為平生入黨以來任黨務後唯一之打擊，從此本黨等於破產，革命歷史完全為若輩叛徒所賣，立法院亦無法維持矣。比諸四月間哲生不能當選副總統時之失敗更慘也。何使黨敗至此，豈非余無能罔德之罪惡乎？余乃決心下野，非重起爐灶，另造幹部，無以革命矣。

三天後，蔣先生即下令預備辭職宣言之草稿，而且在一月二十一日，即距十二月二十四日不到一個月，蔣先生乃下野矣。

新任立法院長童冠賢先生在一九四九年大陸撤守後，長居香港，不來台灣歸隊，當亦自知在此次選舉中，他已大拂蔣先生之心意也。童冠賢屬於團派，CC則超過全體委員之半數，若無CC之支持，童先生怎麼可能當選院長的呢？

拙作〈解析〉中，以為陳立夫之從立法院副院長改為行政院政務委員，是出於蔣先生之懲處其時阻張羣組閣一事，當有下述須要改正之處：

㈠陳先生在一九四八年五月以假投票阻擋張羣時，剛當選立法院副院長五天，所以在翁文灝繼張羣組閣時，仍為立法院副院長。

㈡在七個月後，立法院長孫科繼翁文灝組閣後，陳立夫才改任政務委員。因之拙文以為陳先生是翁內閣之政務委員是錯的，多謝趙先生在補正拙文中的指教。

㈢蔣先生在陳先生決定因為吳鐵城而同意入孫內閣之前，已勸告陳先生不要競逐立法院長。但當時蔣先生並無腹案安排陳立夫之出處，故自云立法院正副院長提名人選為最困難之事，到了陳立夫自願入閣，則難題因之在五分鐘內忽然解決也。

㈣有趣的是，真正替蔣先生解決此難題的反而是張羣，此由熊式輝之證詞可以見之。今已可見到的政學系要角熊式輝先生之回憶錄第六七七頁，其一九四八年十二月四日之日記說：

> 下午赴吳鐵城寓，與張羣、張治中、盧作孚等復會談。張羣先言孫組閣受命經過，次及與黨一致辦法，須張治中參加，邵立子、陳立夫亦參加。……本晚，吳鐵城、張羣將赴滬與孫談組閣

事。

此次會談之參與者皆是政學系當時在南京之要人，時間在吳鐵城答允出任孫內閣副魁前之十六天。由此可見陳立夫之參加孫內閣，雖由吳鐵城出面向陳先生提出，最初之動議者，實為張羣，而且是經由政學系要角們開會所認可者，並非如陳立夫之以為是吳鐵城一人之盛意相邀，我判斷可能陳先生也不知道政學系此次祕會之經過。

六、小結及附錄

因為讀到了趙寶熙先生對拙作的賜教，我才去仔細閱讀了蔣中正先生有關的日記，撰成此文，一方面以答趙先生，二方面也在對此次政爭提出了較為詳細的描述。

蔣先生是當事人，一如陳立夫先生，其所記述者亦為主觀。蔣先生批評陳立夫「狹隘不平」，只顧自己的立場等，其實蔣先生自己也犯了同樣的毛病。例如在五月十七日下午立法院選舉副院長一事，我同意陳立夫先生的看法，蔣先生之走避出京，是在暗中包庇反陳的團派，此由其日記有關此事之評語，是在檢討陳立夫之為人行事，並未深責團派，更且在事後並未實施其在事先對陳誠所提出來的警告，可知他對團派之反陳實為縱容也。不過，我在此也要檢討陳立夫及CC諸公的政治智慧。張羣並非團派，是政學系，五月六日中常會之通過張案及陳案，是一個包裹性的相互承諾，團派對陳立夫的騷擾性杯葛，是與張羣無關的，CC因之反對張羣組閣，而與蔣先生公開反目，是不智之舉。

本文所記述的是在一九四八年五月到一九四九年一月之間，大約七八個月的國府在南京之政局。此為內戰失利，財經崩潰，蔣先生的政權岌岌可危之時。在這段時期內，蔣先生的日記是以軍事方面為主，立法院及行政院之事務並非其主要之考慮。

此外，在拙作中我提及洪蘭友先生為ＣＣ四大天王之一，蕭錚（青萍）先生為四小天王之一，承趙先生問及其他各位是何人？所謂的四大天王、四小天王是我在少年時聽長輩們談天時得知的，印象中賴璉（景瑚）先生是另一位小天王，先生在聯合國祕書處長期任職之後退休。至於其他各位，目前我已記不得長輩們說的是那些人了，抱歉。不過，在大陸末期及來台初期，ＣＣ位居部院長者，除了二陳兄弟不列名其中之外，另有朱家驊、張厲生、谷正綱、張道藩、程天放、余井塘等人，推想其人選當在諸公之中也。

最後，容我在此指出來一點，即遷台以後，先陳誠，後蔣經國，都是屬於團派的。亦即蔣中正先生在黨中央及行政院之重用團派，並且長期放逐陳立夫出國，應當是他身受ＣＣ控制了三個國會之痛苦。此即在一九四八年內七個月中間，ＣＣ先是杯葛張羣，後是杯葛李培基，都使蔣先生為之深痛惡絕也。ＣＣ在台灣因為「萬年國會」而在黨中央猶有一席之地，但是也因之在政府中長期成為少數派，此現象之產生，是種因於一九四八年ＣＣ在南京政府末期之表現。

附錄：相關日記原文解讀

自一九四八年五月六日國民黨中常會提名張羣出任行政院長，與陳立夫出任立法院副院長時起，至五月二十四日中常會改提翁文灝為行政院長之時止，一共十八天之間，蔣中正先生日記中有關此事之文字，今悉數全文抄錄如下，以供大家參考。在本文製表論述、分析與評註此次政爭時，因原文太長，我無法一字不漏全數抄錄，但是又恐怕讀者誤會我未能忠於原文，所以將之列為附錄，敬請公評之也。

㈠五月六日：

自十二時至十六時半，召見中常委與立法（委）員，商討行政院長及立法院副院長人選。反對立夫者十分之七以上，最後以岳軍為行政院長，立夫為立法院之副。黨內糾紛已極，應積極改正領導辦法，以資恢復向心力也。

㈡五月八日：

再與岳軍談改組行政院事。

㈢五月十一日：

青年團舊幹部對黨部二陳之不滿，演成極端反對態度，表示立法院副院長之選舉，仍不能服從常會之決議，若輩誠不惜毀滅本黨歷史以洩私憤。

㈣五月十二日：

正午宣傳會報，對青年團少數幹部要脅與背叛本黨決議，反對立夫為立法院副院長，不勝憤慨。並令經兒轉告辭修，警告叛徒澈悟，否則開除黨籍。

按：陳誠（辭修）將軍此時任三青團書記長。又此訓斥之嚴令，在五月十七日之選舉中團派公開抗命去反對陳立夫以後，蔣先生並沒有執行，可證只是虛聲恫嚇而已，詳見本文。

㈤五月十三日：

尤以青年團幹部陽奉陰違，道義與精神完全喪失，殊失所料也。處境之忤逆，無以復加矣。

㈥五月十四日：

近日以立法委員中之黨員不僅反對立夫，而且對行政院長人事亦要求過問、干涉。加之桂系不能開誠合作，黨紀法紀皆蕩然無存，內心憂傷，不知所止。

按：此時蔣先生並沒有將反對陳立夫之立法委員，與要過問行政院長人事之立法委員之間是否為一派，或是對立之兩派去加以分析，而是當作反對黨中央者一體待之，當是失察。

㈦五月十七日：

本日新立法院選舉正副院長，上午哲生當選院長，甚為順利。下午競選副院長甚烈，反對派之黨員以反對立夫，乃舉傅思義相抗，結果仍為立夫當選，然而費力已甚。一般黨員因反對立夫狹隘不平，而反抗黨之決議，黨紀黨德至此蕩無存。

按：蔣先生夫婦是在前一天，即五月十六日星期一離京去無錫太湖玩兩天，待此次選舉完畢後始返京。

㈧五月十八日：

六時訪張岳軍院長，賀其六十誕辰也。審閱戰報後回寓，忽見岳軍，堅不願任新政府行政院長，此種行態，實非意料所及，且出人情之常。以彼始辭職時，我已屬敬之準備組閣。彼又願繼續組閣，故請敬之辭讓。而今日即將組織新政府之前夕，彼又突然請辭，令人不堪設想也。

按：敬之為何應欽將軍之字號。又，張羣當是在與蔣先生兩次見面之中間得到情報，知道立法院中的CC成員為了前一天陳立夫受到的對待，而要用杯葛他組閣以示報復，所以才忽然打了退堂鼓，而此時蔣先生並未察覺此事也。

㈨五月十九日：

昨日立法院正式開議，對於行政院長同意權之條文，又在其議事規則上附加用人與政策先行報告、質詢等條文，使行政院長無人敢允任此職，而立法（委）員中之黨員在平時受本黨組織部統制之苦悶，以今日民主憲政之口號下，揭露其極端反動而且反常，失卻理性，如醉如狂之行態，此為夢想所不及。黨員如此，更增灰心，而且頓萌厭世之念，心理悲慘，環境險惡，誠有不知所止之感。

按：蔣先生在此並未察覺立法委員此舉是為了替陳立夫出氣，而故意刁難，以逼退張羣，反而認為是針對長期負責黨組織部之陳立夫而發，實為誤判。

㈩五月二十日：

朝課畢，約見立夫、墨三、道藩商討敬之行政院長問題，知彼不願擔任此也，十時到國民大會舉行就職典禮。

按：墨三為顧祝同將軍，在此會中代表何應欽（敬之）將軍出席。道藩為張道藩先生，是立法院中僅次於陳立夫的CC領導，來台後曾長期擔任立法院長。又此會在總統就職典禮前數小時之清晨舉行，可謂不尋常，乃事急矣。

⑾五月二十一日：

朝課後，即召見立夫來見，聽其語意，一反常態，並明言其幹部怪他太服從總裁過分，使其幹部毫無出路。又疑余之出遊無錫，乃為不助其當選副院長之表示，因之他要求其幹部贊成張羣為行政院長，勢已不可能云。余乃告其辭職下野之決心，余本為愛護前方剿共官兵與全體黨員，所以不忍辭總統候選人，今你中堅幹部既如此心理，我已無可依戀矣。立夫更態之快，殊為一生最大之教訓矣。……召見彥棻等，聽取上午中央黨部立法委員之態度，與對行政院長人選假投票之經過，不勝憤悶。

按：此可證明在假投票前陳立夫先生已知道蔣先生要提名張羣組閣之心意，並且他也事先作了安排，否則他怎麼可能預知祕密投票之結果，此即趙寶熙先生轉述多年後陳先生在紐約有關此事之自述，並非實話也。而拙作所引先君的話也是錯的，即先君以為陳先生是在假投票以後才去向蔣先生作的報告，而且是以不知情為搪塞。事實則是陳先生是在投票前即明白告訴蔣先生，CC不支持張羣，因此在假投票中張羣將要落榜了。

㈢五月二十二日：

昨日甫，約布雷來，談立夫言行，自覺憤激過甚，神經幾失常態，彼對余亦弄手段，以假投票方式來壓迫脅制，使余不能不順從其意，挺何應欽為行政院長，並藉此以排除其政敵張羣，殊為可痛。妻與子皆勸余相忍為國，無論如何，此次必須再加以更大努力，忍辱負重也，否則前方官兵之心必動搖，後方經濟必崩潰，將予共匪以滅亡民國之機會矣。余至此仍認為下野之必要，而且上帝亦示余以下野也。昨夜睡眠始入常軌，今晨朝課後，召見吳國楨畢，約亮疇先生來，商下野辭職程序。……十七時後約亮疇、哲生等商談辭職與行政院長問題，未得結果。

按：前一日，即五月二十一日，清晨蔣先生召見陳立夫，兩人大吵一場，蔣先生告知想辭去總統職務，下野求去，此為其就任總統之第二天。下午立委們舉行假投票，何應欽將軍得最高票，張羣為第二，蔣先生聞訊乃「不勝憤悶」。晚飯時召見陳布雷，與之共進晚餐，蔣先生大吐苦水。今日則將昨日所言辭職下野之意念，與立法院長孫科（哲生）及司法院長王寵惠（亮疇）共商，此為其就職後之第三天，亦為遠在桂系白崇禧將軍於今年十二月二十二日倡言逼宮前七個月。因為蔣先生引退之事非本文之主題，因此暫此不提，此處只是要提醒研究此專題之學者注意此點。

㈢五月二十三日：

立夫、道藩等借預測投票為名，以敬之為工具而驅除岳軍，其用心之惡劣，好弄手段，欺蒙黨魁，於公於私，皆極不當。乃以實情明告敬之，余決不強其所難，並另舉翁文灝為新行政院長，彼乃贊成，乃決提翁，明日徵求立法院同意也，昨夜眠極佳，下午會客，與墨三談敬之行政院長事，……晚課後，約哲生等商談行政院長事，決提翁也。

按：張羣為現任行政院長，翁文灝為其內閣之副院長。在張羣連任受阻之時，蔣先生又不願接受立委假投票選出來的何應欽，則由內升而選任翁文灝也是合乎情理的折衷方案。可是細查蔣氏日記，翁先生的名字先前從來沒有被提出來討論過，為什麼在此時突然成為「山重水複疑無路，柳暗花明又一村」的神來之筆呢？

蔣先生並沒有在日記中對此點有所交待，幸好陳布雷先生在自殺前不久曾面告先君，是他向蔣先生推介翁文灝組閣的。細查蔣先生日記，此舉當是發生在五月二十一日晚飯時他們兩人一對一的會面中。蔣先生當然了解陳先生與二陳兄弟事先已商量過的，而翁先生又是蔣先生能接受的折衷人選，因之新閣揆人選乃告底定，而蔣先生在五月二十一日、二十二日均可高枕安眠矣。

㈣五月二十四日之日記中有關此政爭者已全文抄寫在正文之第四節內，茲不再贅。

昨晚課後，約詠霓、布雷來商談行政院各部會長人事問題甚久，作初步意見交換也。

㈤五月二十五日：

朝課後，約亮疇、布雷等與翁院長商談政院人選……

下午沐浴後，召見立夫，彼毫不反省有重大錯誤，好弄小手段，仍一意怪人，可痛。

按：自五月六日中常會提名張羣組閣後，蔣先生有關新行政院人事之日記文字已全部抄錄在本附錄之第一條至第十四條。請注意，有關何應欽組閣事，蔣先生徵詢之對象為何本人或顧祝同（墨三）與林蔚（蔚文）兩位將軍，有關張羣組閣事則徵詢張先生本人。因此蔣先生從未與陳布雷商談新閣事，可是在五月二十一日晚上與陳布雷談話後，接受了陳布雷的推介，任命翁文灝（詠霓）組閣後，自五月二十五日起，頻頻約見翁文灝與陳布雷一齊商談新閣人事。陳布雷長期在蔣先生侍從室負責，之前甚少預聞外事，此時他是在代表CC（二陳兄弟）參預翁內閣之組成，是在蔣先生與陳立夫鬧僵之後的陳先生之代理人也。其次，在中常會及立法院都同意翁氏組閣後的第二天，蔣先生才召見翁先生與之商談，作「初步意見之交換」，可見在此之前，蔣先生並未與翁文灝商談過任命其組閣之事也。至於當晚召見陳立夫，我認為是在前一天CC公開給足蔣先生面子，力捧翁文灝之後，蔣先生給陳立夫一個找下台階的機會。要他當蔣先生面在態度上有所表現，則彼此都可以重修舊好，那知道陳先生不願認錯，蔣先生亦只有說「可痛」了。

二〇〇八年十月於北美

解析蔣中正放逐陳立夫之經緯

——兼談先君與ＣＣ的複雜關係

一、前言

台灣中天頻道的《文茜小妹大》節目中引用了香港鳳凰衛視台的一段影片，以介紹陳立夫先生的生平。其間提出了一個說法，認為在遷台初期，一九五〇年七月蔣中正先生利用國民黨改造運動，把陳立夫全家放逐去美國，是因為陳先生向蔣先生爭奪黨權失敗的結果，此為大錯，因此我撰此小文介紹及評析此事，並且藉此機會來說明先君與ＣＣ之間極為複雜的關係。在構思此文過程中，我讀到了《傳記文學》五五〇期，亦即二〇〇八年三月號，刊載了陳正茂先生的大作〈挫敗下求生——國民黨在台灣的改造運動〉，所引資料甚眾，使我獲益良多。陳先生的大作是用學術界寫史學論文的方式寫成的，以正史的角度去看國民黨的改造運動。至於鳳凰台、《文茜小妹大》或本文，則是用野史的角度去看。孔子說「杞宋文獻不足徵」，即是在說正史的資料是有不足之時的。中國的二十四史都是由後朝去修前朝之史，所引用的書文檔案，公私正野皆有。例如宋代的歐陽修寫《新唐書》時，除了參考《舊唐書》之外，也大量引用了唐人及五代人的筆記書文。史稱「歐書一出，諸書皆廢」，那麼原先的野史中的許多資料，在被歐陽修採用了以後，就成為正史了。

楊天石兄當面半開玩笑地替我取了個別號，叫作「二史堂主人」，意即拙作是正史野史兼而有之。以楊兄歷史學者的角度去看，野史自不可取。可是我認為中國近代史與兩岸的現代史，正史及官方文件自有不足信之處，目前的野史可能有些將來會成為正史，是有存在的必要的。

本文中將會引用先君（阮毅成）自撰年譜中的一些資料，然而一如先君同輩中人的許多記述，其用詞遣句甚為含蓄，我當加以註釋與研析。此為今日大家研究近代史與現代史所面臨的共通問題，亦即：

㈠書面的公私檔案文件，因為戰亂、播遷及黨派立場與尚未解密，既為難以保存與面世，又是主觀立場甚強。因此研究者一方面要知所取捨，另一方面須有功力去自作判斷，在字裏行間去查察真相，不可照章全抄。就拿先君與CC之間的關係為例，我曾見過的書面資料，多以先君為CC之一分子，其實如本文所分析，先君與CC之恩怨離合並非固定不變，而是關係甚為複雜也。

㈡在數十年後今猶在世的當事人，因為當時太年輕，皆非居於核心地位者。這就好像美國電視台的歷史頻道往往在播出二次大戰的紀錄片時，喜歡訪問當年參戰的軍人。試想在六十多年以後，今猶存活者，當時既然年輕，官階最高不過是尉官，如何能親身參與決策呢？又哪能知道些什麼呢？

㈢那些事件中主角的子孫親友未必知道真相，即使知情者，有時為尊者諱，或爭功諉過，或隱惡揚善，也不便明言。孔子不是說過：「子為父隱，父為子隱，直在其中」嗎？

㈣像我這種得之於父老長輩口中所言者，資料既難查證，有時也可能記錯了。

我認為史事甚為複雜，一如鑽石，是有許多面相的。大家只要忠於所聞見思，盡量忠實地各自記載出來，或許每一個人的說法都有缺失，可是眾說並存，留待未來的研究者去做相互比較，一如歐陽修寫《新唐書》一樣，加以取捨，將來即使諸書皆廢，我們的努力仍是功不唐捐的了。

本文中有關蔣中正巧取豪奪陳立夫所起草的中央改造方案，改由他本人向全黨提出，並採取雷霆一擊，公開怒責陳立夫要為大陸失守時黨方失敗負責一事之經過，是陶百川先生面告我的。至於二陳兄弟瞞上弄權，阻擋張羣組閣一事之經過，則是得之於先君之口述。在舉出二陳兄弟仗勢欺下的例子時，我用了先母競選立委的故事，此間大部分資料取材於先君的自撰年譜。在研究遷台後陳誠生前團派與ＣＣ之政爭，以及先君與ＣＣ之間甚為複雜的關係這兩方面，則多依據本人觀察那段歷史之心得也。

二、蔣中正放逐陳立夫的原因

一九四九年國府失去大陸，播遷台灣。國民黨遭此大敗，除了必須檢討失敗的原因，找出負責頂罪者之外，也必須進行改造，此因台灣不論在土地及人口兩方面，與大陸相比都不到百分之二，因此國民黨必須縮編（Down Size）。就蔣中正先生與陳立夫先生之間來說，蔣先生必須考慮的是在縮編以後的國民黨結構中，他是不是還要維持大陸上「蔣家天下陳家黨」的體制呢？也就是說今後在台灣，他還須不須要一個代策代行，全權操控黨務的大總管呢？

此即在縮編後的國民黨架構中，如果要扁平化，減少授權層次，要除去黨務大總管這個職務，那就不能再讓陳立夫先生留在中央黨部裏了。

因之，讓陳先生負起失去大陸一事中有關黨務失敗之罪責，在蔣先生看來是順理成章的，而在世人眼光中，也算是公平合理之事也。

問題是退休後的陳立夫先生適不適合留在台灣呢？為什麼蔣先生必須將他放逐出國呢？這就牽涉到現實政治的操作了。

為了維持代表全中國的法統主張，遷台之後，國府不能改選一九四七年在大陸上所選出的三個國會（立法、監察、國大），可是由陳立夫先生所領導的ＣＣ派卻是這三個國會中最大的派系，只要陳立夫先生在台灣，他就是ＣＣ的最高領導人，他就可以藉此長期干政也。

自從一九五〇年七月陳立夫離開台灣，到二〇〇八年的今天，五十多年來，國民黨在台灣的歷任中央黨部祕書長，都不曾再有一個享有陳先生在位時那種代策代行的大權。也就是說蔣中正先生把陳立夫免職之後，就取消了他原有的職位（Position Eliminated），此後的中央黨部祕書長只是維持了原有的名稱，實質上的權力已與他大不同了。

因此蔣先生之免除陳先生之黨職，是蔣先生今後要親自掌控黨權。此即蔣先生奪回了原先交付給陳先生的權力，並非陳先生向蔣先生爭權失利也，這是鳳凰台電視片的第一個錯誤。

鳳凰台的影片中另有一個說法，認為陳立夫之見逐，是陳誠先生鬥垮了陳立夫先生，此非事實，也是錯的。

三青團成立於一九三八年，即抗戰初起之時，陳誠擔任了第一任書記長。當時蔣先生以黨內派系林立，思加整頓，所以成立了以黃埔系為主體，並組合一些效忠他的其他派系而成立這個政治團體。可是當時既然在抗戰，軍人自然以作戰為重任，包括陳誠將軍在內，他們對黨的事務多無法分神兼顧。今以陳誠先生為例，他在一九四〇年即因此辭去三青團書記長的職務了。

一九四五年抗戰勝利，不久就發生了國共內戰，此時三青團已成立了七年，漸成氣候。只是黨中央的機器仍在二陳兄弟所創造及領導的ＣＣ手中，因之ＣＣ是「主流派」，而團派是「非主流派」。一九四六年陳誠將軍再度出任三青團之書記長，一九四七年行憲後之第一次中央民意代表選舉，團派與ＣＣ競爭劇烈。不過在新成立的三個國會，即立法、監察與國大之中，ＣＣ都大獲全勝，佔了上風。

陳誠先生是軍人出身，他之所以成為政壇的一派宗主，是因為他領導三青團。可是在一九四六年他第二度擔任三青團書記長之前，他事業的重心仍在軍事方面。即使在此時，一直到遷台以後，他由台灣省主席，升成行政院院長，再晉升副總統，再兼任行政院長，再升任副總裁，到此時，即一九五八年以後，他一身兼任三要職，即副總裁、副總統兼行政院院長，才成為蔣先生之接班人，然而此時陳立夫先生早已出國七年了。

在遷台之初，陳立夫尚未見逐之時，即一九五〇年三月，蔣中正先生復行視事，而陳誠先生也由台灣省主席升任行政院長。此時由CC所控制的立法院，則以百分之八十以上的同意票予以支持。陳誠先生在一九六五年去世前不久所作的口述回憶錄，亦即由國史館在二〇〇五年七月所出版的《陳誠先生回憶錄——建設台灣》之第二部《四年行政院長之回憶》中，第九章「必須一提的幾個人」之第四節談的就是陳立夫先生，容我引述他的話如下：

> 總統復職，行政院改組，承立夫先生的多方維護，我得以百分之八十以上的絕大多數同意票出長行政院。同年七月，國民黨改組，立夫先生出國，大陸時代若有若無的派系鬥爭，至此乃告一段落。說起來很可憐，此時此地，除去茫茫的海水外，還有什麼可爭的呢？

陳誠先生這段話可分析如下：

㈠他前半段說的，陳立夫先生在他一九五〇年三月第一次組閣時是支持他的，此以立法院對他的同意票之高，可見當是實情。此事發生在陳立夫下台前四個月，可證當時陳立夫與陳誠之間並非對立的鬥爭者。須知在此之前不久，大陸將要失守前夕，立法院在廣州集會時，李宗仁代總統提名組閣的居正先生，就被ＣＣ運作，差了一票未過半數而被否決了。也就是說至少在陳立夫垮台之前的四個月，ＣＣ沒有把陳誠先生當作政敵，否則ＣＣ是有力量杯葛陳誠組閣者也。

㈡可是他說的下半段，即ＣＣ與團派的鬥爭，「至此乃告一段落」則非實話，例如今在《傳記文學》月刊連載中的先君遺作《中央工作日記》，其年限為一九六〇年至一九六六年，大家不難發現團派與ＣＣ在國民黨中常會裏雙方暗鬥之痕跡，我認為此是因為下列的原因：

1.在大陸上ＣＣ是黨的主流派，團是非主流派。可是在一九五〇年陳立夫見逐之後，陳誠卻逐步崛起，在黨中央雙方的角色就互換了。失勢後的ＣＣ固然不爽，而得勢的團派也不免挾怨而氣勢凌人。也就是雙方在政壇的角色互換後，彼此的心態都一時難以調整過來也。

2.既然三個國會不能改選，就使得陳立夫被放逐而在黨中央與治權（行政、司法與考試）中居於劣勢的ＣＣ，卻在三個政權（立法、監察與國大）中長期佔了優勢，成了「朝小野大」。而政權與治權因為機構上功能性的制衡作用，本來就會衝突，再加上ＣＣ與團派歷史上的爭鬥，就更難調和了。

3.其間也有個人的因素。例如在中常會裏，當時先後擔任了中常委的ＣＣ成員有張道藩（立法院長）、谷正綱（國大祕書長）、余井塘（行政院副院長）及胡健中（中央日報社長）等人，而陳誠副總裁對谷先生最不客氣，甚至到了聲色俱厲，不假辭色的程度，可是對其他三位則多是以禮待之也。我不清楚陳先生與谷先生兩位早年在大陸上是否有政治上的結怨，即使有之，我認為雙方在台灣之積不相容也包含了下列的原因，即：

⑴兩位都是脾氣剛強，極為自負的清正之士。

⑵谷先生所負責的國民大會成員對行政院的需求最多。

此又因下列三點原因：

①在大陸行憲時，因為立法委員必須常年去首都南京開會，又不得兼任公職，所以各地的地方豪強及黨政軍首腦都情願參選國大代表，以保有其本職及在各地方的勢力，反而派遣二軍人物去參選立委。不料大陸失守，大家都逃到了台灣，他們原來在各地的事業都是一掃而盡了。而國大又只是六年召集一次，大家成了無所事事的閒人，因此這些多在中年就被迫自權位上退休的國大代表們，自然牢騷滿腹而靜極思動，就結成了一股不滿現實的政治力量，對執政在位者大加批評也。

②更為現實的是他們多半生活困難，面臨了養家餬口、難求溫飽的實際問題。因為絕大多數的國大代表來到台灣後並不再兼任公職，而國大除了六年一次的大會期中能領些出席費以外，平時並無薪資或公費。他們眼看立委們享有與特任官同階的待遇，並且可以問政，這些當年棄立委而不就的國大們，對那些春風得意的二軍立委，怎麼不會心生妒悔之意而要求國大與立委同等待遇呢？

③本來國大們這些要求是不合憲法所規定的，可是蔣先生又得靠他們的投票來維持國府仍舊代表全中國法統的主張，就身陷其中，無法與他們翻臉而割袍斷義了。因此主掌行政院的陳誠與代表國大會的谷正綱就摩擦不斷了。我不認為此是CC與團派的鬥爭，只是他們兩人恰好分屬此兩派而已，又加上他們兩位都是「剛愎自用」的硬脾氣，才會在中常會裏時常兩人弄得撕破臉的唇槍舌劍也。

在管理學上，陳先生與谷先生的衝突，是雙方的機構性之衝突（The Conflict of the Organizational Role）為多，個人角色的衝突（The Conflict of the Personal Role）為少，換句話說只要國大會與行政院的衝突仍在，即使換了另外兩個人，這種政爭還是會存在的。試看陳先生在一九六五年過世以後，國大與黨中央的紛爭一直延續下去，要到一九九〇年代，李登輝總統手中才予解決，便可知也。

因為陳誠及其領導的團派與CC在台灣長期的權力鬥爭一事並非本文的主題，我暫此不多提，在此我只是要指出來，一九五〇年七月陳立夫被放逐時的原因，實為蔣中正先生只是為了他自己要親自抓黨權所作的考量，而當時陳立夫與陳誠的關係尚稱友好。而且我認為陳誠先生在一九五〇年尚未成為蔣中正先生的接班人，在黨政方面的實力也不足以鬥垮陳立夫先生的。可是在陳立夫出國後，CC成為多元領導，在立、監、國大中各自分裂而產生了不只一個的次級政團，因之使得三次組閣而長期掌控了行政院的陳誠先生在政治操作上較為便利，所以，他在日後是陳立夫見逐一事的長期政治得益者。可是從一九五〇年冬天到一九六三年陳誠先生因病辭去行政院長兼職，這中間長達十三年的CC與團派之政爭，實與陳立夫先生無關也。

三、蔣中正對陳立夫所作的雷霆一擊

一九八〇年代上期，陶百川先生在美國舊金山告訴了我下面的故事。

一九五〇年三月蔣先生在台復行視事。當時陳立夫先生早已奉命主持草擬國民黨中央改造方案事宜，在蔣先生復行視事不久，此案方告完成，陳先生即專程自台北去南投日月潭晉見蔣先生，向他報告。

蔣先生在詳細閱讀過了此改造方案後，甚為滿意，予以嘉許，並且對陳先生作了下列指示：

㈠趕回台北，即日召開國民黨全體來台中央委員及後補委員會議以專題討論此改造方案。

㈡為了加重此方案之分量，由蔣先生本人擔任此方案之提案人，並由他親自主持此次會議。

陳立夫先生不疑有他，即遵囑辦理，此會之會場在台北市寶慶路之實踐堂。陶百川先生說他參加了，敬陪末座。

在全員通過改造方案之後，蔣先生致辭作結論時，他站在主席台上，忽然脫稿演出，聲色俱厲地指著台下第一排坐著的陳立夫先生說：「今後你們要跟著我蔣某人去改造本黨，還是要繼續跟著這個腐敗的陳立夫走？」

此言一出，在場者莫不大驚失色，陶先生說他當時瞠目結舌，為之不知所措了。

在受此公開辱罵指責之後，陳立夫不得不辭去黨政的本兼各職，隨即奉命率領全家出國。臨行前他去總統官邸辭行，由蔣夫人宋美齡女士單獨出面招待。行禮如儀之後，蔣夫人贈送一本精裝聖經給他，以壯行色，並要他赴美後勤加研讀，以進靈修。只見陳先生恭恭敬敬地以雙手捧住那本聖經，奉還給蔣夫人說：「夫人，活著的上帝都不要我了，死掉的上帝又有什麼用！」

現在容我對蔣先生處理罷黜陳立夫一事，說一些我的觀感。

陳立夫是蔣先生親如子姪的晚輩，到那時為止，他的事業都是在追隨蔣先生任職的，數十年如一日，他一生只有一個老闆。

蔣先生如前述，在國民黨遷台以後，局面變小了，他要收回原先交付給陳立夫的黨權，此後要親自掌控，是合理的。蔣先生要陳立夫負起大陸失守的重大政治責任，也是公平的。當然我們要問的是蔣先生自己應負的責任有多少，是不是比陳立夫還要更多些呢？

我要批評的是蔣先生所使用的手段實在太過分了，這不是對待親友同志自己人應該使用的方法。台灣目前常用的一個名詞「奧步」（Dirty Trick），蔣先生巧取豪奪陳立夫草擬的中央改造方案，反過來用之突襲陳立夫，公開羞辱他，逼他辭職，我認為是太不厚道、太過分的奧步了。

▶一九五〇年，蔣中正與陳立夫於南投日月潭。

可是蔣先生不能允許陳立夫留在台灣退休，這不是因為蔣先生過於絕情，而是他吃過陳立夫的暗虧，所以他才會預防日後陳立夫用三個國會中CC派的龐大實力去干政，此由下節可知其詳，由此可見政治上的因果報應真是難料也。

四、陳立夫瞞上弄權——暗阻張羣組閣

一九四七年國府實行憲政，舉辦了第一屆中央民意代表選舉。當時大陸上可以分成三種地區，即解放區（紅區）、交戰區以及國府統治的地區（白區）。

在紅區及交戰區都是根本無法辦理選舉的，因之由當時掌控了黨中央選舉機器的二陳兄弟遴行指派何人參選與當選。當然黨內其他派系也參與協商，分佔一些名額，不過主體仍為二陳的CC派獨大。

在白區則可分中央區（此為蔣先生主控的區域），以及有些由地方豪強所統治的地區，例如山西（閻錫山）、青海（馬步芳）、雲南（龍雲）、廣西（李宗仁）等等。在中央區雖則是群雄並起，CC既然掌控了黨中央，以及許多地區的黨政位置，當然也佔了很大的優勢。

選舉結果，CC大勝，以立法院為例，在選出來的七百多名立法委員中，CC佔了五百名以上。陳立夫先生也是其中之一，他規劃自己出任立法院副院長。他之所以不自居院長，是因為在黨中央資歷不夠。當時革命元勳所在多有，例如監察院長于右任先生、考試院長戴季陶先生都是他的叔叔陳英

▲一九五三年，寓居美國的國民黨「CC」派領袖陳立夫在新澤西州養雞。

士先生的同輩。

蔣中正先生乃面告陳立夫，他屬意由張羣先生出任行憲後的首任行政院長。陳先生不便當面反對此事，乃建議比照英國制度，由黨籍立法委員同志舉行祕密投票，即假投票，來推舉張岳軍先生組閣。以示憲政時期實行民主，而與以前訓政時期由層峰一人決定的往例之不同也。

蔣先生不疑有他，乃予欣然同意。可是在投票當天的清晨，陳立夫面告蔣先生，ＣＣ無法支持張羣，兩人當面大起衝突。

因之黨籍立委們假投票之結果，大出蔣先生之預料，竟是由何應欽將軍獲得最高票，張羣居次。蔣先生乃表示他行憲的第一任內閣，不要軍人組閣。

張羣在票開出來後，立刻從南京搭飛機回他家鄉四川重慶去了，此是消極表明態度，拒絕出面組閣也。

因之，何應欽做不成，張羣又拒絕接受，一時閣揆人選成了難產的僵局。

陳立夫有過半數的五百多位立委為後盾，給蔣先生來玩軟的，冷處理。蔣先生又不肯讓步，不願意接受何應欽，雙方就僵在那裏。

此時陳布雷先生出來扮演和事老，出面推薦原任行政院副院長的翁文灝先生組閣，蔣先生接受了。

為什麼陳布雷可以做這次政爭的調人呢？一般人不知道，陳布雷也是ＣＣ派的靈魂人物之一。ＣＣ派其實是三陳所領導的，即二陳兄弟加上陳布雷。只是布雷先生不喜歡張揚弄權，又長期隱身在蔣先生身邊，外界不知道他的派系所屬罷了。其實這個派系的英文名字應該叫做ＣＣＣ，即三位陳先生也，一笑。蔣先生當然知道陳布雷是ＣＣ領導者之一，他接受了陳布雷的推薦，就等於是變相與二陳兄弟談和了。

先君與陳布雷先生是好友，在陳先生仰藥自殺前不久，先君自杭州去南京，曾與陳布雷先生長談。據先君晚年賜告，他認為布雷先生的自殺，與先生深自懊悔推介翁文灝組閣一事相關。因為布雷先生雖然長期在蔣先生機要室負責，卻從不干政，未曾推介過如行政院長職位之高的重臣。不料就在翁內閣主政時期，發生了金圓券崩潰之財金大風波。而布雷先生一向奉公守法，在政府發行金圓券之初，他奉行命令，不但把私人的一點黃金美鈔都拿出來換成了金圓券，而且勸說他的一些親友也照著做。等到先君去探訪他時，他的家人與一些親友都已陷入生活困境了。患了嚴重憂鬱症，以及長期失眠的他，在那一次長談中，深自譴責，對先君表示他於公於私，都深感此舉實為愧對黨國與親友也。

在張羣組閣受阻一事，蔣先生嚐過陳立夫控制了立法院多數委員的苦頭，難怪蔣先生到了台灣，在罷去陳先生黨權之後，要把陳先生放逐到美國去，以免陳先生留在國內將來再去興風作浪。

五、陳果夫仗勢欺下——先母參選立委的故事

前面談到的是陳立夫先生在當權時瞞上弄權，阻擋張羣組閣的故事。本節中要舉出的是二陳兄弟仗勢欺下的故事。我相信這種以上凌下之事，政壇上所在多有，倒也不限於當時的國民黨內，更不會只有二陳兄弟會這麼做，只是事隔六十多年，往事多已難考，而我的見聞有限，這件發生在我家的事，我比較知道清楚些，因此在此以之為例子也。自從一九七二年寫作政論以來，三十多年來，我還是第一次以家中事作為寫作題材的，一笑。

先母錢英女士是行憲的第一屆立法委員。

先母在北伐時期左右，畢業於有名的浙江法政學堂本科，此為浙大法學院之前身，後來又與先君

結伴去法國留學。

先君在一九七六年三月（民國六十五年）寫成了自撰年譜及自述第三卷，其中第十九章的題目就是「浙省大選」。

這部年譜及自述，先君只寫到一九四九年自大陸搬到台灣為止。寫成後並未公開發表，雖然用打字印刷，大概只是送給至親好友閱讀，用為參考，既未公開出版，在外界也從未流傳。

在記述與評析先母之參選及當選立法委員一事之經過時，容我先節錄先君有關此事之記載，以供大家參考，再讓我來補充與說明先君當年撰此文時不方便或未明說之處。文中所說的「英妹」，指的是先母，因為先母的名諱是錢英也。先君的記載如下：

> 民國三十六年八月一日，國民政府明令公布各省國民大會代表、立法院立法委員選舉事務所委員名單，每省五人，以省主席兼主任委員，民政廳長兼總幹事。另三人則為中國國民黨、中國民主社會黨、中國青年黨各一人。浙省者為沈鴻烈（省主席）、我、趙見微（國民黨）、徐家齊（民社黨）及葉葦（青年黨），我兼總幹事。

先前先君以擔任了九年的浙江省民政廳長，心生厭倦，因此想辭職參選立法委員，乃以此事向省主席沈鴻烈海軍上將報告，沈答以「兄事必須中央決定」，先君乃致函陳布雷先生，有所陳述，數月

◀阮毅成夫婦

之後陳布雷以親筆回信說：「承示，願活動立委。以兄之資望與鄉評，實屬最為適當。惟現職能否擺脫，而接替者，恐殊難其人，此則必須與京中有關諸友商之。以弟觀察，因選舉監督種種關係，恐兄亦難於在短期內求去。尤其困難者，一經傳出，對兄現職之逐鹿者必多，或反引起得失之糾紛，故亦不能不引為慮也。」

此處須加說明的有下列兩點，即：

㈠沈鴻烈上將是浙江省主席，先君是他的下屬民政廳長，先君向他表達辭職去選立委的意願時，他為什麼不能准許，反而說出：「兄事必須中央決定」呢？那是因為沈將軍不是蔣先生的嫡系，他雖然是湖北人，其事業的發跡卻在東三省。他原先是奉系張作霖大元帥手下的黑龍江巡防艦隊司令，隨著張學良易幟而歸附中央。九一八之後他率領艦隊離開東北，駐節青島，成立了青島海軍官校。他的學生如馬紀壯、劉廣凱等在台灣都曾出任海軍總司令，他們所組成的青島系，是早年國府台灣海軍高層的主力派系。

此時沈先生雖然出任浙江省主席，卻是一位客卿。浙江不但是蔣先生地盤裏的一個重要省分，還是他的家鄉。先君到那年為止，即一九三八年起，已擔任了九年之久的民政廳長，前面八年的省主席是桂系的黃紹竑中將，他也是客卿。也就是說先君是蔣先生派來看守家鄉的本地浙江省人，因此沈先生雖是他的上司，也表示謙虛禮遇之意。

㈡既然先君的進退出處要請示中央，為什麼先君偏偏會選擇陳布雷先生作為投訴的對象呢？由此可見，先君與他的私誼甚深也。而陳先生的回信卻說：「此則必須與京中有關諸友商之。」那些友人又是誰呢？此即二陳兄弟也，此可以在以下文字中證之耳。接著先君敘述他當面與陳果夫、陳立夫兩位兄弟面商此事之經過如下：

民國三十六年四月十日，陳果夫、立夫兩位先生，自吳興原籍掃墓返京，經過杭州。午間，浙江省政府在西湖樓外樓，以簡單的飯菜招待。沈成章（鴻烈）主席與他們談到浙江大選的事，他一再表示，他不是浙江人，應該選出些什麼人，完全聽憑中央安排，絕無意見。我謂現在行憲，將辦理國民大會代表，立法院立法委員，監察院監察委員三種選舉，這在我國民主政治歷史上，是空前的第一次大選。現在選舉法令尚未公布，而社會上已有人從事競選活動，謠言滿天。希望中央早日決定方針，澄清各方面的視聽。立夫先生謂：「平生辦事，有三原則：困難的事，照正道去做；有懷疑的事，公開的去做；不足的事，平均地去做。」當晚十時半，我應果夫先生之約，到眾安橋東南日報社樓上面談。我也將我思辭去現職，競選立委的意思，當面陳述。果夫先生謂十分同情。且在南京時，曾與布雷及立夫兩先生商量，以中央政治學校教育長段書貽（錫朋）兄多病，屢次請辭，思調我繼任，他們二人皆表同意，布雷先生尤為贊成。如到政校，自仍可競選立委。但因大選在即，糾紛必多，恐浙江選務，無人可以勝任。又如沈主席任保一人繼長民廳，准之則中央或認為人地不宜，不准又徒傷中央與沈之感情。故我欲辭職競選，恐難邀准。但他答應我於回京後，再覓取機會，代為陳情。七月二十六日，我因公到南京，至常府街陳宅，謁見果夫先生，他說，他回南京後，曾與有關方面談過，皆認為我是一位很合理想條件的立法委員，且必可日後在立法院中，有所表現。但也皆認為浙江大選，一定只能由我辦，勸我為大家犧牲，放棄己見。我的競選立委原議，至此已告絕望。後來，聽說如中央准我辭職，沈成章（鴻烈）主席曾有意命省政府委員兼省訓練團教育長陳惕廬，接長民廳，辦理大選。但我從未聞沈與我談過，可能也是謠傳。但是，沈某次自京回杭，曾對我說：「在南京時，布雷先生約談，問阮某擬辭職競選立委，君意見如何？」當答以以我亦同時離浙為條件，否則決不同意。

由陳果夫先生的敘述，陳布雷先生在接到先君的私信以後，是曾代向二陳兄弟轉達先君辭職參選立委之意願。而三人之中，陳果夫想調先君出任政大教務長，以繼多病的段錫朋先生之職位，如此則先君可以抽身參選立委。此有兩點可供參考，即：

㈠先君在一九三七年從政之前，就是政大法律系主任，因此有返校出任教務長之資格及人事淵源。

㈡政大校長由蔣中正先生自兼，他並不常到校辦公，因此教務長就是實質上之校長。政大是CC派培養繼起人材之所在，其控制權對CC來說，實為事關重大。在一九三八年，亦即十多年前，陳果夫先生曾自兼此職。而在此之前不久，即一九四五年抗戰勝利，政大復員南京時，蔣中正先生要派他的長公子蔣經國出任此職，竟被政大師生鬧學潮，公開貼大字報而反對掉了。政大在首都，又是國民黨的機關學校，其師生會鬧學潮，當然是由掌控了黨機器的二陳兄弟在幕後安排的。我認為這件事對蔣經國先生來說，他既然受到了公開的羞辱，他雖然從未對之公開表態，當是點滴在心頭，對CC應無好感也。由此事可見，在領導CC的三位陳先生心目中，當時先君不但是他們派系中人，而且是一位核心分子也。

先君辭職競選立委一事既然難以實現，浙省亦有人擬推薦他出來參選國大代表，此因國大可以兼任公職，先君勿庸辭去民政廳長之本職。然而因為民政廳長兼任選委及選委會總幹事，若先君參選國大，自須迴避，而南京方面亦不同意他辭此二兼職，此議遂寢。

在這段過程中，就產生了由先母出馬代夫上陣的構想，我在此引用先君的記述如下：

我的競選事，至此告一段落。惟在我辭職競選立委未成之時，旅京浙省各前輩，已計議由內子競選浙省婦女立委，藉對我表示補償。浙婦女立委額定二人，不分選區，全省計票。當時尚未有人表示參加候選，京中人士以英妹為浙省法校本科第一名女性畢業生，在法國留學，又曾先後在杭縣地方法院，浙江省政府祕書處，立法院任職。且自民國十六年起，即任浙江省婦女協會常務理事。抗戰期中，亦任省婦女會常務理事，戰時省婦女幹部訓練班委員。勝利以後，杭州市設立臨時市參議會，後改為民選之市參議會，均任議員。又由市參議會，選為杭州市銀行監察人。民國三十三年冬，浙江行政學會同人，在浙江雲和，創刊《勝流》半月刊，推其擔任社長，為抗戰後期東南地區之唯一雜誌。勝利後，移杭出版。凡此學歷與經歷，均足為任婦女立委候選人之條件。我最早知道京中的此項計議，是民國三十六年五月四日上午九時，我到西湖西泠飯店訪蕭青萍（錚）兄，他奉中央之命，來杭與省黨部談大選事。蕭在分析各選舉區立委競選情況後，忽然對我提及此事。我以英妹對於競選，平時本無太大興趣。且我日後既為辦理選務人員，亦有不便。蕭謂日後選務，係設委員會辦理，而由省政府主席任主任委員，三黨皆有人參加，任何人不可能左右選票。至選務人員之家屬競選，法無禁止明文。且提名係屬中央之事，亦非地方從政同志所可決定。蕭又謂立委任期，只有三年。三年之後，英妹任期屆滿，中央必可准我辭去現職，競選立委，不會要我長期犧牲。

我自蕭處返家，告知英妹，她果然不贊成。我也知道要每縣有票，至為不易，因此她迄未去辦理黨內的候選人登記。而友人中，則每日皆有人來勸駕。直至九月五日，她才到省黨部填表。九月十一日，我在南京，訪蕭青萍，蕭再三問表已填否？並謂，現在有呂曉道女士擬參加浙江女立委競選，但與英妹，仍共只為二人，並不衝突。我謂：聞徐子梁（浩）夫人劉譜人女士，及陶玄女士，均擬參加，則英妹可以退出。蕭謂徐子梁本人，已決定參加浙省紹區立委競選，不可能夫婦二人皆獲得提名。且聞劉擬競選監察院監察委員，並非立委。陶玄則可由紹興縣選為國大代表，因紹興人口逾五十萬，應可增選國大一名也。我又分訪京中浙省各前輩人士，感謝擬命英妹任浙省婦女立委候選人之德意，並一再聲明，能得提名與否，全憑中央決定，決不敢有必得之心。

九月二十四日下午四時，李君佩先生在省黨部召集會議，於決定可以支持之監察委員候選人同志名單後，開始審議婦女立委候選人同志。劉譜人以其夫徐子梁兄，於候選前在上海以癌症逝世，改競選女立委。女立委候選人在省黨部登記之同志，共只呂曉道、劉譜人、孫多慈、及英妹四人，適符正式當選人與候補當選人各二人之數，遂全部通過，呈報中央。孫為許紹棣兄之夫人，習藝術。其中呂曉道女士原住南京，在爭取中央提名，為近水樓臺。其他三人，均未入都，一聽中央決定。中央以民青兩黨，未提浙省女立委候選人；亦無社會賢達需要支持，乃即以省方呈報之四人，悉予提名公布。後聞倪文亞兄面告，中央舉行浙江省提名會議時，陳果夫先生特抱病到會，陳先生、朱騮先先生與李君佩先生及文亞兄，均在會中發言，支持英之提名。

這段文字我的分析如下：

㈠一九四七年五月蕭錚先生時任地政部次長，是CC派的四小天王之一，他之向先君主動提出由先母代打之建議，當是「旅京浙省各前輩」所授意者。而先君在一九四七年（民國三十六年）九月，亦即四個月後，黨中央決定浙省立委提名人選前夕，赴南京與蕭先生面談之後，又「分訪京中浙省各前輩人士」，商談此事，則是要當面確定這些有力的重要人士支持先母參選之心意。

㈡蕭先生當初向先君作此提議時，浙省尚無人出馬參選婦女立委。此次應選兩名，先母至此為唯一參選者。

到了九月十一日先君去南京時，另有呂曉道女士參選，而應選兩名，則是同額競選，所以「京中浙省各前輩」當時也毫無異議當面表示予以支持。

可是到了九月二十四日浙省黨部報告上去時，則已增加到了四名，即前述的呂女士及先母之外，又增加了劉譜人及孫多慈兩位女士。

依後來的得票數字去分析，劉譜人女士承繼了他近日病逝的丈夫徐浩先生在地方上的政治實力，並不須要省黨部或中央之支持，自可當選。因此應選兩名，提名四人，實際上成為其餘三位三搶一的局面。

在這三位參選人之中，先君此時已擔任了九年的民政廳長，在全省都具有人脈及班底。孫多慈女士則是教育廳長許紹棣先生的夫人，雖然也具實力，可是許先生那一次也參選，夫婦兩人要同時選上兩席，就不容易了。另外的那一位呂曉道女士與我家是餘姚縣的小同鄉，她長年住在省外，從未在浙省任職，是一個空降部隊。照常情說，是實力不夠的，但是她有一個特殊的身分，她是陳果夫先生的密友。

㈢省黨部報去四人，此次應選二人，黨方將要核准的是正式提名兩人，後補兩人。表面上看去是四人皆准，實際上提名次序就大有關係了，在公佈的名單中前兩名是正選，後兩名則是候補。

這一次浙省立委黨中央的提名小組有四名成員，即李君佩、陳果夫、朱家驊與倪文亞。李先生與當時浙江的政治派系之糾葛不大。倪文亞與先君同輩，在四人之中地位及輩分最低，他是代表三青團系統去開會的。朱家驊當時應是教育部長，他與浙江省的淵源極深。一九二〇年代北伐後第一屆省政府，即由張靜江出任省主席者，先祖父荀伯公為司法廳長，朱先生則是民政廳長。後來在一九三〇年代抗戰前夕，他是浙江省主席，先君之開始步入政壇，就是為其延請擔任金華區行政專員，以政大法律學系主任的身分帶領部分師生去推行新縣制也。朱先生從政之初與二陳兄弟合作密切，不過到了一九四七年，他已自成一系了，當時浙江省黨部主任委員樓桐孫先生即屬於朱系。

陳果夫先生則是CC首腦，黨中央的負責人。當時他不但地位崇高，事務繁忙，而且已重病在身，因之他親自出席此會，事非尋常也。此所以先君會說：「中央舉行浙江省提名會議時，陳果夫先生特抱病到會，陳先生、朱騮先先生與李君佩先生及文亞兄，均在會中發言，支時英妹之提名。」

先君撰述前文時，是在一九七五年三月，當時雖然沒有公開發表，卻曾分送至親好友。以陳立夫先生、倪文亞先生、樓桐孫先生、呂曉道女士、孫多慈女士等人均在世，我判斷因此先君在下筆時十分謹慎，並未提起陳果夫先生與呂曉道女士的私誼，以及朱系之暗助先母當選立委之經過也。

在陳果夫先生親自過問之下，提名名單公佈時，先母名列第三，成為後補第一名，而呂曉道女士排名在前面，則是正選。我判斷其他與會者會認為此是CC的家務事，即使有替先母打抱不平、事後大力支持先母以擊敗呂曉道女士的朱家驊先生親自在場，他也不便公開與陳果夫先生為此攤牌也。倪文亞先生是三青團的代表，在會後卻面告先君開會經過，亦足堪玩味。由善意去看，是他顧及雙方多年來的深厚友情。從惡意去看，恐怕亦有挑起CC內鬥之嫌疑。

由後來先君對先母參選一事之立場堅定的反應去看，倪先生告訴先君在此會中各人之發言經過，當非如先君在此文中之輕描淡寫。須知省黨部報請四人，中央亦核准四人，因此各位委員之發言中是否支持其中任何一位之提名與否，並非關鍵，要緊的是四人之排名次序。我判斷此次會議，把省黨部報上來的名單中四個人的次序有了更動，而且是將呂女士挪到先母之前。此與陳果夫先生之抱病出席有關，而倪文亞面告先君者，重點當亦在此，以致先君為此事與二陳兄弟反目也。

㈣這件事至此為止的情形是，黨中央ＣＣ的主事者們，包括二陳兄弟及布雷先生在內，他們當初為了說服先君不要辭職去參選立委，所提出來的由先母代打之承諾變成跳票，不能兌現了。

依我去看這個食言而肥的局面之所以產生，是因為：

㈠劉譜人女士之臨時改選立委。

㈡陳果夫先生顧及他與呂曉道女士的私誼，因而對先君悔諾。

浙省及南京之政界資深人士知道陳果夫先生私事者甚多，陳果夫先生竟然以私害公，為了私誼而對朋友悔諾，因之先君深感不滿。而先母為了先君的仕途，反而願意息事寧人。此時如果二陳兄弟私下託人來致意，先君的反感或可減輕，可是他們毫無道歉的意思。我判斷此是：

㈠他們知道先君也明瞭陳呂之私誼，反而不好意思開口了。

㈡他們認為先君是屬於他們一系的人，先君在浙省的人脈又大多數為政校校友，因之是如孫悟空身在如來佛的掌心中，跳不出去也，這就是仗勢欺人了，一付看你又能拿我們怎麼樣的態度。

㈢先母選的是婦女立委，要在全省各選區活動，如果先君動用他自己的人脈，就不可能瞞住他們的耳目，因此先君如有反擊，他們也還有應對之時間及機會也。

總之，他們對先君採取了冷處理，並未對此事在私下有所表態也。

先君是一個讀書人，文人的氣息很重，「士可殺不可辱」，決定討一個公道，與主持黨中央的二陳兄弟放手一搏了。

當時在浙江省地方上除了ＣＣ之外，國民黨內另有兩個深具實力的派系，即三青團（團派）與朱家驊系。

我不清楚先君與朱系的合作是由雙方之中的那一方面先提出來的，可能是遠在南京的朱先生授意他屬下的浙省黨部主任委員樓桐孫先生，就近在杭州向先君示意的，結果是先母坐在杭州家中從未做過公開的競選活動，因此遠在南京的二陳兄弟，以及近在杭州參選的呂女士都以為先母已放棄參選了。結果票子開出來，先母得了高票。我認為朱家驊先生之大力支持先母，固然可能出於他與我家的兩代公私友誼，而她之落選，也是出於同一理由也。在關鍵性決定四位參選人提名次序的那一次小組會議裏，朱家驊親眼目睹陳果夫力挺呂曉道女士的經過，我認為這是他所以要暗中支持先母去擊敗呂女士的主因。即他存心要給陳果夫難堪，氣陳果夫一氣也。劉譜人女士及先母都不須要利用婦女保障名額而當選，而呂女士乃宣告落選了。我認為朱家驊先生為此大丟面子。也就是說，呂女士之獲得提名，是因為她與陳果夫先生的私誼，而她之落選，也是出於同一理由也。

關於此次選舉之結果，先君的記載如下：

投票結果，劉譜人女士在全省七十七縣市，共得二九九、五七七票。內在第二選舉區，亦即寧紹各縣，即得二五四、五五一票，已佔其得票數十分之九。劉為舊紹興府屬上虞縣人，呂曉道女士為同府屬之餘姚縣人，二人票源相同。但呂在本選舉區所得票數，較劉幾差十萬票，此為其未得當選正式立委之主要原因。英妹在全省各縣市，共得二六〇、八二〇票。在餘姚縣，只得三、一三三票，呂曉道女士得一六二、九八六票，相差甚遠，可見英妹並未在我之故鄉，亦即呂之原籍，積極競選。劉與英妹在浙江全省，得票稍多，乃因抗戰時期，二人始終在省內，與省民久歷艱危，其姓名為省民所熟知。呂曉道女士戰時在重慶，勝利後在南京，平時甚少回至家鄉。但在全省仍共得一八八、五七七票，較英妹只少一七、二四三票。以全省之大，縣市之多，相差可謂極微。亦可見英妹態度，迄在可當選與可不當選之間，並不積極。孫多慈女士在全省只得九五、八八一票，因紹棣兄本人亦競選立委，要夫婦二人，皆得高票，自非易事。南京選舉總所最後核定，以得票較多者二人為當選，次多數二人為候補。

我的分析如下：

餘姚舊屬紹興府，今已劃入寧波市。寧紹二府不但地理上是鄰居，而且風土人情亦是相同，在台灣則合組一個同鄉會。劉譜人、呂曉道及先君的故鄉都在紹興府，由這個選舉結果可以看出來，先君與朱系的合作是採取了換票、相互支持對方候選人的方法。這個方法的妙處在二陳兄弟無從察覺先母的競選活動，以及先君「造反」的意圖。因為朱系的各候選人既是經過黨方的正式提名，他們原來就是CC中人，那麼先君發動他的力量去支持這些候選人，既為符合黨方的要求，亦不會引起各地區黨籍人士之疑心。

兵法有云：「知己知彼，百戰不殆」，又說：「多算者勝」。在先母與呂女士的競爭中，先母這邊是佔了「知己知彼」的優勢的。呂女士雖然有陳果夫先生的支持，在提名次序上比先母佔了優勢，成為正選，而先母只是候補，可是她是一個空降部隊，本人在浙省並無票源，必須仰賴省黨部之配票。然而省黨部主任委員樓桐孫先生隸屬於朱系，是奉朱家驊先生之命來暗助先母者，那麼最後先母以一萬多票的「些微差距」擊敗呂女士就不足為異了。

然而朱系與先君的合作，雙方的作戰目標並不完全相同。先君是要使先母當選，而朱系為了要讓陳果夫先生大失面子，就得使呂女士落選。此次婦女團體應選兩位立委，所以先君只要先母名列在前二名即可，而朱系則得務使呂女士落到第三名也。

以開票結果去看，樓先生與先君的合作，是讓劉譜人女士遙遙領先成為婦女立委的最高票，而先母則以些微差距擊敗呂女士而成為第二名，呂女士則名列第三而落選了。

這個結果當然使得陳果夫先生顏面盡失，二陳兄弟乃由蕭錚先生出面婉勸先母退讓，以不去立法院報到的方法，自動放棄當選，去禮讓呂女士。此時先母為了先君的仕途，願意接受這個建議，而先君則堅不退讓，強使先母去南京報到也。

次年，亦即一九四八年，浙省政府改組，陳儀取代沈鴻烈出任省主席。先君乘機辭去了已任職十年的民政廳長，我判斷此與先母之競選立委一事有關也。然而因之先君在幾個月後中共大軍壓境時，因無官一身輕，方能及時脫身，得以帶領我們全家安然搬到台灣來了。

六、先君與CC的關係甚爲複雜

一九七〇年代末期，有一天我陪著陶百川先生在史丹佛大學校園中散步。那時我在史大的線性物理中心上班。陶先生則有一位女公子是醫生，她也在史大任職，因此先生常來史大小住。而我常在下班後陪他老人家進晚餐，隨後即在校園中散步聊天。我們兩人在走路時，為了做晚輩的禮貌，我總是維持差著先生一肩的距離，不敢與之並肩而行。

那一天，我問先生：「家父究竟屬於黨內的哪一個派系？」

這一句隨口的問話，卻引起了陶先生甚為強烈的反應。只見他停下腳來，半轉過身子，我一時煞不住腳，變成與他站在一排，面對面了。先生用右腳猛烈地連跺著幾下，瞪大著眼，很生氣地看著我，大聲說：「當然是我們CC的人。」

陶先生很少動怒，平日講話都是心平氣和的。即使在「高雄事件」後不久，一九七九年底我去他台北中央新村的府上辭行返美時，曾見過他老人家動了真氣的怒貌，可是他那次講話卻並不大聲，並非疾言厲色的。

由陶先生的口氣裏面，我可以聽得出他是以ＣＣ這個團體為榮的。我想他是在責怪我們父子二人，父親（當時還在世）怎麼會不告訴我，而我又怎麼會問他這麼一個愚蠢的問題。

但是終父親一生，一直到他一九八八年秋天過世為止，老人家始終沒有告訴過我他是不是ＣＣ中人。老人家在政大曾經兩次擔任過法律系主任，第一次是在九一八之後不久，在南京政校。第二次則是政大在台北木柵復校後，他擔任了在台灣的第一任法律系主任。在一九五〇年代先君又曾出任以政大校友為員工主體的中央日報社社長，再加上十年浙省民政廳長，凡此種種，都足以證明先君應是ＣＣ中人。

來美後我在史丹佛大學的胡佛圖書館中找到一些中文資料；如黃紹竑的回憶錄，以及陳儀繼沈鴻烈出任浙江省主席後的一些公開的談話資料。他們兩位在提到先君時，均以ＣＣ分子稱之也。可是先君不但沒有在我們兄弟前談過ＣＣ，而且在我回憶之中，於一九五〇到六〇年代，我還沒出國留學以前在台北家中的私宴裏，也不常見到ＣＣ的要角如張道藩、谷正綱、胡健中、蕭錚等世伯現身的。

現在我判斷此是因為先母參選立委一事，先君與二陳兄弟鬧翻了，而另外一位陳先生——即陳布雷先生，又在大陸失守前夕仰藥自殺，沒來台灣。因此先君到了台灣以後，與ＣＣ的聯繫就減少了。

以我的觀察，先君的國民黨黨性，以及派系的派性，都不堅強，他交朋友是不分省籍與黨派的。中山學術基金會的成立之初，即由先君以總幹事的身分負責會務，一直做到在任上過世。在那漫長的二十多年裏，基金會名目眾多的獎助裏面卻沒有「三民主義」這一個項目。初成立時有人一狀告到蔣中正總裁面前，蔣先生有一次在中常會中詢問此事，當時先君仍在中政會副祕書長任上，按例列席常會，因之在座，乃起身答覆說：「報告總裁，三民主義不是一門學問。」只見蔣先生頻頻點頭，連聲說道：「對，對，對。」先君的意思是說三民主義是跨科系的、綜合性的，本身卻不是自成一門的學問者也。

由這個小故事就可以看出來，先君與他同時代的黨中高幹們的政治性格及行事作風是大不相同的了。

先君在抗戰前夕赴浙江從政，是受到時任浙省主席朱家驊先生的徵召，當時朱先生與二陳兄弟是政治上的盟友，先君是以政大法律系主任的身分去棄教從政。此後在浙江十年的民政廳長任內，先君又廣泛援引了政大校友們擔任浙省的地方公職，因此在大陸失守前，論者皆以先君為CC的一分子。而在前文所引述，在一九四七年，陳果夫先生曾面告先君，陳先生一度考慮任用他做政大教務長，由此可見在陳先生心目中，先君當時是CC的核心分子。

可是在先母競選立委一事上，先君與二陳兄弟決裂了，此時援之以手的是已自成一派的朱家驊先生。朱系是由CC中分出來的一個小派系，非局中人是不知道二陳與朱已告分家。

朱、陳之交惡，起因於朱家驊與陳立夫在抗戰中及其後曾三度相互交替，輪流擔任政府的教育部長及黨中央的組織部長。當時他們這種互換工作的本意，我認為是政治上親密盟友之間的利益互保，要鞏固彼此的政治地盤。可是中國人前後任之間本來就容易因為移交不清楚而互生惡感，更何況在交接工作時，原任者不可能把自己單位中所有的子弟兵都全部帶走，可是接任者總要安插自己人。因此在雙方部屬之中必然都會有人事與權力之更替，那麼雙方都會有人去向各自原來的長官投訴他們所受的委屈。如此三次輪替下來，這些原來是手下人之間的摩擦，就會累積成為陳立夫與朱家驊兩人之間的矛盾了。

朱、陳之間在浙江省的暗鬥，是泛ＣＣ團體的內爭。陶百川先生雖是ＣＣ的重要幹部，可是他從來沒有在浙江省工作過，也未必知道其間之詳情也。

關於先君與ＣＣ之間的關係，我認為在一九四七年立委選舉之前，毫無疑問，先君是ＣＣ的中堅分子。

一九四七年後，先君則與二陳兄弟反目，傾向於泛ＣＣ政團中的朱家驊派，問題是在一九四九年來台以後，先君是不是脫離了ＣＣ了呢？

七、蔣經國整肅先君時，ＣＣ出手救援之經過

先君在遷台以後，並不自認為ＣＣ的一分子，可是在旁人的眼光中，尤其是在ＣＣ派領導層的眼光中又如何了呢？

先君之退出政壇是在一九六七年底，自一九四九年到一九六七年，其間他曾出任過三個重要的黨政職務，即：

㈠中央日報社社長（一九五四年至一九五六年）；
㈡國民黨中央政策會副祕書長（一九六一年至一九六六年）；
㈢總統府國家安全會議副祕書長（一九六六年至一九六七年）。

中央日報的員工是以政大校友為主體，ＣＣ的色彩甚為濃厚。蔣先生之任命先君出任此職，而且先君能久於其位，不像他的前兩任社長蕭自誠先生與陳訓畬先生之分別在任幾個月就下台，與先君曾在南京政校教過幾年書，員工中甚多其門生故舊當為有關也。

至於先君在中政會職位之任命，則是一個特例。先君是該會創設後的第一任副祕書長之一，另一位為王任遠先生（立委）。在國民黨史上，至今四十多年來，中政會的正副主管中間，像先君這樣本人並非中央民意代表者，是很少見的。當然先母是立委，當有助於先君之協調黨政工作也。

那時陳立夫先生雖早已出國，CC在三個國會中勢力猶在，只是遷台後CC成為在野派罷了。如果國民黨是部汽車，遷台後團派在陳誠領導下成為車子的引擎，而CC則是剎車，在國會中制衡陳誠所主導的行政院，蔣中正先生則是車主人及駕駛，作為雙方的領袖及仲裁者。

中政會的任務是做黨政協調，調停於行政院及三個國會之間，做潤滑劑。那麼蔣中正先生之任命先君擔任此職，是不是認為屆至此時為止，先君仍是CC分子，可以與三個國會中最大的反對派說得上話呢？

蔣氏父子兩人對CC的看法與感受當有不同。對蔣中正來說，二陳所創造與領導的CC及個中人，都是他的部下。在陳立夫見逐以後，變成黨中反對派的CC，對他來說，是一群不聽話吵吵鬧鬧個不停的壞孩子，並非敵人。其中當然有幾個例外的，例如雷震先生。他在大陸時代是CC四大天王之一的洪蘭友先生的左右手，負責對黨外人士的「統戰」任務。來台以後，洪先生不久就去世了，而雷先生與國民黨也愈走愈遠，成為蔣先生口中的「有些人以前是同志，後來是朋友，現在不是同志也不是朋友」的敵人了。不過像雷先生這樣的CC分子，變的這麼多，終究是個特別的例子，大多數的CC分子是留在黨內成為在野派也。

可是對蔣經國言之，CC在不能改選的三個國會中長期構成反對勢力，對執掌黨政權者來說，CC是個臥榻旁的大老虎。在陳誠生前，這是陳先生的煩惱。在一九六五年陳先生過世以後，經國先生將來要接班，則CC終必成為他自己的絆腳石了。況且在抗戰勝利之初，政校自四川遷回南京後，蔣中正先生已明令發表蔣經國出任政校教務長，而為政校師生公開貼大字報給反對掉的，我認為經國先生因之對ＣＣ自然會有反感也。

在一九六六年爆發的盜豆案，使蔣經國有機會立下馬威去整肅立、監兩院。政府乃以肅清貪污，懲處官商勾結的名義，由司法行政部長鄭彥棻先生下令，台北地方法院首席檢察官焦沛澍先生出面執行，逮捕了三名立委與三名監委。

可是鄭先生他們犯了一個嚴重的錯誤，就是在國會開會期間，不經國會同意去拘捕並非現行犯的國會議員們，這是違憲之舉。事後鄭先生他們硬拗，把憲法的限制，解釋成為對國會議員不得拘捕的保障是僅限於國會議場之內，只要委員走出立監兩院的大門，政府就可以予以拘捕，這當然是言之不能成理，說不通的硬拗。

此事在政壇掀起了軒然大波，在立監兩院內有一股政治力量要求鄭部長負責下台。此時有人建議用先君代之，而經國先生為了保住鄭先生的部長職位，並且我判斷，先君在他心目中，仍是一個ＣＣ分子，他乃先發制人，以攻止攻，虛構了一個囤積水泥的案子來迫使先君退出政壇也。

此外我判斷鄭部長在國會大門外，公然逮捕立監委之舉動，事先是得到經國先生的允許的，因之經國先生在此政爭中也不得不挺他了。

先君之冤案並非本文之主題，我暫此不提，在此只是要點出來，ＣＣ在當時雪中送炭，挺身而出，對先君所做的強力支持也。

先君當時的上司，即國家安全會議祕書長黃少谷先生，在案發時正代表中華民國政府出國，他去參加加拿大多倫多的世界博覽會之開幕儀式，不在國內，先君是代理祕書長。等到他回國，大勢已去，所以他主張先君辭職，以避其鋒。換句話說，黃先生並未力挺先君，而是主張大事化小，小事化大。

此時有四位國民黨中常委聯手出面，公開以行動支持先君，以迫使蔣經國收手，不再將事態擴大。

事情是這樣的，先君當時有三個職務，即：

㈠國家安全會議副祕書長。

㈡台灣省農工企業公司董事長。

㈢中山學術基金會董事兼總幹事。

此時他已被迫辭去第一個職務。而第三個職務則不受影響，原因是他雖然當初是代表國民黨中政會副祕書長的身分去兼任此職位。可是基金會是一個財團法人，並非黨政單位。此時基金會的董事長是王雲五先生，他力挺先君，並公開表態說「國民黨怎麼可以這樣糟蹋人才？」，所以不成問題。蔣經國再是霸道，也不會去招惹王先生這位無黨籍的國之大老。

因之對先君來說，水泥案既然已不了了之，在毫無人證物證的情況下，是無法再辦下去了。那麼他在政壇的名聲之清白與否，與他能否保住第二個職位有關了。如果他真的是像被誣指的是囤積水泥的要犯，即使能政治解決而倖免牢獄之災，他也不可能繼續再保有任何一個公職的了。

此時國民黨中常會總共有十九名常委，其中的四位，即谷正綱（CC）、胡健中（CC）、袁守謙（陳誠派、團派）加上郭驥（陳誠派）聯袂南下去台中中興新村，去拜訪同是中常委的省主席黃杰將軍。他們向黃主席表示，先君受了蔣經國的誣告而被迫辭去國安會副祕書長的職務。如果黃先生此時一併解除先君台灣省農工企業公司董事長的職務，他們四人就會當場與之絕交。黃先生則表示他深知先君的冤情，請他們放心，他黃達雲絕對不會是一個落井下石的小人，只要有他黃某人在省府一天，無的息事寧人也。

先君的職務一定不會解除。

黃先生果然是守信之人，終其任上，先君一直留任原職，後來在一九七五年，先君自台灣省農工企業公司董事長職位退休，正式告別了公職生涯。一九六七年底，黃先生的力挺先君，保留他的公職，不啻是向外界宣示先君的清白也。

四常委南下會見黃杰將軍一事的政治意義，容我分析如下：

㈠這次的四位訪客與主人黃先生，五位都是中常委，合起來佔了三分之一的中常委人數。他們分別代表了ＣＣ、陳誠派（團派）與軍系，這是連蔣經國先生都不能輕視的政治組合。我認為這不但保住了先君在農工企業公司的職務，也使蔣經國先生對先君的打擊告一段落了。

㈡當時中常會每星期召開兩次，黃杰省主席雖然常住在台中，屆時一定北上開會。因此這四位中常委最多只須要再等三、四天便可以與他在會場中見面。而他們卻一齊坐火車來回八小時的車程去找黃先生。我認為他們是在做給蔣經國先生看的，是公開表態去支持先君，向蔣經國嗆聲。須知此時陳誠先生已過世兩年，蔣經國接班之勢已為明顯，因之他們四位這股仗義執言、膽敢冒犯虎威的勇氣，真不簡單。四位之中，以袁守謙（企止）先生最令我們家人深為感謝。因為先君與企公在政治上並不親近，在此之前，平時往來亦不多，兩位只是詩文之友，作詩論文的君子之交而已。

這四位先生之中，當以袁先生與黃先生的私交最深，他們兩位是黃埔一期同學，又是湖南同鄉，少年即訂交者，而且在一九九二年袁公過世之後，他所遺留下來的黃埔同學會會長一職，即是由黃先生接替的，可見兩位不但系出同源，而且聲氣相應也。

提到袁先生，容我插一句話。在二〇〇八年，他的公子袁旂博士移居舊金山，承項武忠兄的介紹，我們做了朋友。我向袁兄說起四十一年前他父親義助先君的故事，他說那時他早已出國，至今都不知此事。我就用毛筆寫了一本冊頁詳記此事，送給袁兄作為紀念。隨後他則送了一個小條幅，是袁企公手書東晉南朝謝靈運詩，以作回禮。袁企公是上一代台灣有名的書法家，其行書自成一體，風格特出，與常人不同，我特將之裱裝起來，掛在我書房中。中國書法史上書法家的地位並非只看其技巧，而是以人品定其高下的。例如宋四大家蘇黃米蔡之中，蘇東坡排名第一，可是他的行書不如米芾，草書不如黃庭堅，然而東坡不論其人品之高以及政績之好，詩詞文章書畫等等，均稱能手，可以說是中國有史以來，排名第一的全方位文人，因此在宋四家之中排名在黃、米之上也，即是一例。又如目前在海峽兩岸三地非常走紅的王鐸，他是明末清初的大書法家，可是他投降了清朝，因之在清代甚為士林所輕，大家尊敬的是比他只小十多歲的抗清志士傅山。兩位的書風相近，若只以書法技巧來說，王鐸在傅山之上，然而在書法史上的地位卻遠不及之也。王鐸書名近來之日益顯赫，是受了日本人好其書法的影響，日本人當然不會在意他之投降清朝，本來就不會有夷夏之防的觀念的。

我四十二年前出國不久，曾請先君代求其好友葉公超先生，請他惠賜墨寶。先生畫了一幅墨竹斗方，題了上款送我。四十年來我一直把它掛在臥室中，朝夕相對，以示我對葉先生人格與學問的景仰也。

一九八八年秋天先君過世，也就是在一九六七年底袁企公仗義援救先君的二十一年之後，我們家人懇請袁先生為先君靈木覆蓋黨旗，先生亦慨允之，他真是先君的生死之交了。一九九二年袁公過世，我代表尚健在的母親去祭拜，亦是坐在靈堂中一直等到起靈，作為表達感謝袁公在天之靈的心意。

回頭來說四常委搭救先君一事，胡健中、谷正綱二位CC的領導出面營救，是合乎情理的。只是他們二位竟會放下派系的立場而與袁先生及郭先生同行，就是難得之事了。因為在陳誠先生過世之後，袁先生代之領導陳派。而自遷台以來，陳誠在世之時，不論在中常會及三個國會中，CC與陳派（團派）的鬥爭是公開而且白熱化的。

他們四位一齊力挺先君，加上繼之表態的黃杰省主席，不啻是向蔣經國作出一個重大的政治宣示，迫使蔣經國收手，不再將先君的冤案擴大了。

可以說先君與CC之間錯綜複雜的恩怨，在一九四八年二陳兄弟有關先母當選立委一事的所作所為，因之種下的心怨，我認為到了一九六七年底因為谷、胡二常委之仗義力挺先君，相互扯平，一筆勾銷了。

一九八八年秋天先君去世時，經國先生也已作古，當時先君退出政壇已長達二十一年之久，可是喪禮中的來賓竟出乎大家意料之外的有四千人之多。凡是先君曾經服務過的公私單位，以及曾經任教過的學校，聞訊後都主動報名以組團來參加公祭也。

我只能說公道自在人心。在此我選取三位有代表性的黨政人士當我面稱讚先君的話，作為公道自在人心這句話的註腳。

陳立夫先生在一九九〇年代，先君已過世後對我說：「令尊是本黨的一位優秀同志。」

許世賢女士在一九五〇年代，我在高中時，對我說：「他是一個清官。」

郭雨新先生在一九七〇年代，在舊金山對我說：「他是一個好官。」

八、小結

本文由蔣中正先生放逐陳立夫先生說起，談到了先君與CC之間極為複雜的關係。

以我這樣一個關心近代史的人，對國民黨中各派系的真面貌都難說能見全貌的。此因國人在政治有上的拉黨結派，往往帶有幫會色彩的祕密性質。而且這些政團或派系又多半不是訂規章、立文字的有形組織，而是中國史上所謂的「朋黨」。是一群人平時同聲相應，同氣相求，志同道合，而每當遇到危難或政爭時則相濡以沫，群起而鬥者也。以先君與CC之間的關係為例，我認為就有三個階段；即一九四八年以前先君為CC之中堅分子，一九四八到四九年，則傾向其中分裂出來的朱派，四九年來台後則幾近脫離，成了個體戶，到了一九六七年底，先君有難時，CC兩大老則挺身而出，仗義救援。到了一九八〇年代，陶百川先生還堅決認為先君是他們CC中人。可是終先君一生，到一九八八年過世為止，他卻從來沒有對我說過他是CC的一分子。所以其間之錯綜複雜，實非後人僅從檔案資料的書面文字可以看出真相者也。

最後，有關陳立夫先生之見逐一事，我的結論是蔣中正先生在遷台後推行國民黨改造運動時，有不得不迫使陳立夫先生退休的原因，並且他把大陸失守的黨政失敗歸罪於陳立夫先生亦為公平之事。可是蔣先生所使用的手段甚為令人寒心，而且大陸失守，他自身應負的責任當在陳立夫先生之上也，而蔣先生至死都不肯作自我檢討，從不承認丟掉大陸，他應該負起最大的責任，是不對的。

至於蔣先生不能容許陳立夫先生退休後在台定居，要把他放逐出國，是為了預防陳先生領導三個國會中的CC派繼續干政，是在打預防針，也是事出有因，情有可原也。

陳誠先生並非是促使陳立夫先生見逐的動力，卻是此事日後的受益者。

以上的論述，希望能有助讀者了解蔣中正放逐陳立夫一事之真相。

二〇〇八年三月於北美

第二章　蔣中正總統大位傳承問題之研究

● 引言
● 陳誠、嚴家淦脫穎而出之經過
——兼談蔣中正與李登輝政治手法之不同
● 黃少谷先生的風範難以再得
——兼談雷震案使得少老與總統大位擦身而過的經過
● 周至柔之徒勞無功與嚴家淦之漁翁得利
——兼談閻錫山之軼事四則
● 分析一九六三年行政院長陳下嚴上之原因
——陳誠下台是為必然，嚴家淦上台則是偶然
● 教育部長梅上張下之經過
——兼述蔣中正與陳誠為此事攤牌之祕會

引　言

一、兩蔣時代在台的六任總統與副總統之名單

蔣中正（一八八七—一九七五）與蔣經國（一九一〇—一九八八）父子二人先後擔任了中華民國的總統，兩人相差了二十三歲，因此在他們大位傳承之間，須要一位過渡人物，此人即是嚴家淦（一九〇五—一九九三）。

如果把他們三位出任總統之時間做個排列，可得下述之表格：

任別	年分（六年一任）	總統	副總統	備　註
第一任	一九四八—一九五四	蔣中正	李宗仁	在南京選出之李宗仁未來台
第二任	一九五四—一九六〇	蔣中正	陳　誠	此後皆在台北選出
第三任	一九六〇—一九六六	蔣中正	陳　誠	陳誠在一九六五病故
第四任	一九六六—一九七二	蔣中正	嚴家淦	
第五任	一九七二—一九七八	蔣中正	嚴家淦	蔣中正在一九七五病故
	一九七五—一九七八	嚴家淦		嚴家淦補任蔣中正所留下之任期

第六任	一九七八－一九八四	蔣經國	謝東閔	
第七任	一九八四－一九九〇	蔣經國	李登輝	蔣經國於一九八八年病故
	一九八八－一九九〇	李登輝		李登輝補任蔣經國所留下之任期

以上表可知，國府遷台以後，在兩蔣執政時期，即自一九四九至一九八八，大約四十年之間，在蔣中正擔任的四任總統（即由第二任至第五任）期間曾經有過兩位副總統，此即陳誠與嚴家淦。在蔣經國擔任的兩任總統期間，也有過兩位副總統，即謝東閔與李登輝。

其中兩蔣父子與陳誠都是浙江人，嚴家淦是江蘇人，而謝東閔與李登輝則是台灣本省人。

蔣中正主政時期，國府的黨政軍實權掌握在外省人手中，因之正副總統都是外省人。可是後來到了蔣經國主政時期，國府的台灣化已成大勢所趨，所以才會有本省籍的副總統之出現。

本章所收集的四篇拙文是在剖析與研究蔣中正總統大位的接班人問題，又可分成兩個子題，即蔣中正與陳誠之間的悲歡離合，以及為甚麼嚴家淦能夠脫穎而出？

二、蔣中正、陳誠、嚴家淦

中華民國憲法明文規定，總統得連選連任一次。此即在一九六〇年蔣中正做完第二任總統時，他不得連任第三任。因之，包括當時擔任國民黨副總裁、副總統兼行政院長的陳誠本人在內，世人都以為久已坐二望一的陳誠將會出任第三任總統，而蔣中正則會退位以專任國民黨之總裁。

不料蔣中正利用了修訂臨時條款的手法去把憲法有關條款凍結，因之使他得以續任第三任總統，乃使陳誠大失所望。以致蔣與陳之間有了心結。

◀蔣中正連任總統後，與副總統陳誠合影。

陳誠比蔣中正年輕了十一歲，而其健康狀況卻為遠不如之。在一九六〇年蔣中正連任第三任總統時，陳誠仍然繼續兼任了行政院長，可是他卻常常生病請假。此使政壇有心人士對行政院長大位乃生覬覦之心，此時擔任台灣省主席的周至柔表現得最為積極。

以今已公佈之蔣中正日記去看，在一九四九年大陸撤退之前夕，時任空軍總司令的周至柔已經想取代陳誠之台灣省主席的職位，曾派遣多位將領一齊去舟山請見蔣中正，提出由空軍管理台灣之要求。

在國府遷台之後，台灣省主席是政壇位居第三的實力人物，僅次於總統及行政院長。而且前後兩位行政院長，即陳誠與俞鴻鈞，都是在台省主席任上升級的。因此周至柔省主席此時有了取代陳誠以出任行政院長之慾望，也不算是非分之想。

在一九六〇年換屆之前，原來陳內閣的行政院副院長兼外交部長黃少谷之地位實為重要，他不但是蔣中正與陳誠之間的潤滑劑，而且在政壇論資排輩的地位則遠在其他閣員們，包括時任財政部長的嚴家淦之上。可是黃先生因為在雷震案中的態度使得蔣中正心生不快，因而被外放出任駐西班牙大使。所以在一九六三年陳誠辭去行政院長職務時，黃先生乃錯過了接班機會，此事乃是大有利於嚴家淦之脫穎而出的了。

也就是說，嚴先生之能在一九六三年出任行政院長，因而在其後能出任副總統及總統是因為：

㈠黃少谷已被外放，以及

㈡周至柔雖有主觀意願，卻未蒙青睞。

此外根據本人在仔細閱讀了蔣中正一九六三年全年的日記之後，發現此事還有下述兩個原因，此即：

㈠時任陳內閣副院長之王雲五並非國民黨員，因而出局。

㈡時任總統府祕書長的張羣因為恰巧一時對日外交處置失當，乃失歡於蔣中正，遂臨時推薦嚴家淦以自代。

凡此等等，在本章所收之各篇拙文中皆可見之也。

三、蔣中正與李登輝政治手法大不相同

一九九〇年李登輝在競選第八任總統時，選擇了時任總統府祕書長的李元簇為副總統候選人，因而掀起了政壇之大風大浪，造成了國民黨的分裂。

其實在蔣中正前後兩次挑選副總統，即陳誠與嚴家淦時，國民黨高層也產生過雜音。只是蔣先生的行事作風與李先生大不相同，較之遠為圓融與巧妙，乃能化解之於無形，使得相關的政爭得以消彌，乃不為外間所知也。

拙文〈陳誠、嚴家淦脫穎而出之經過——兼談蔣中正與李登輝政治手法之不同〉，即在描述此事。以今日台灣政風之粗暴淺俗，眾人競相以言行無禮為是，此不但與兩蔣時期之政壇行事作風之細膩圓融無法相比，也難以與今日中國大陸之政壇來往矣。

今日我們重溫蔣中正時代之史事，應當溫故知新，鑑往知今，不論在兩黨之爭，或兩岸之間，都有許多可以借鏡之處也。

陳誠、嚴家淦脫穎而出之經過
——兼談蔣中正與李登輝政治手法之不同

一、前言

拙文〈黃少谷先生的風範難以再得〉在台北《傳記文學》月刊第五三四期（民國九十五年十一月號）承蒙刊出時，主編成露茜女士在〈編輯室手記〉中說：「讀者不一定同意阮大仁的看法，甚至質疑他提供的資料，但這的確是一篇很有震撼力的文章，加上阮先生說故事的方式，更引人入勝。」其實引人入勝的是，當年先君告訴我此事之經過的時候，他老人家娓娓道來的描述，我這枝筆能寫出來的不過是其中的十分之一而已。

我在一九七〇年代上期到一九八〇年代上期，大約十年間，在海外寫作政論。當時住在台北的先君對此的態度是既不贊成，也不反對，只是有時會淡淡地說：「懂得的人不寫，寫的人不懂。」

在一九八二年我參加了慶豐集團從商，因而停止寫作政論之後，有幾次因商務需要而回台北小住，先君每每會乘機告訴我一些政壇的祕聞，像另文所寫有關黃少老在雷震案發言的經過即為其中之一例。當時還是在經國先生主政的時期，我注意到先君都是與我兩人在大街小巷散步時告訴我這些事的，當是在防他人之竊聽也。

先君在我擱筆之後告訴我這些祕聞，我判斷是要借我之筆在日後為近代史留下真相。先君與其友人既然是個中人，所處的時代又去之不遠，自為不方便將此等祕史寫出來公之於世。可是他們又擔心久之史實恐將湮沒，真相難以傳世。我既然是他們下一代的一個能文之士，這些先君的朋友們之所以樂於將其親身參預的大事告訴先君與我，或許是希望有借助我們父子二人的兩支健筆，日後使此等史事得以傳世吧？當然他們對我並未明言，而先君在轉告其人其事給我聽時，也從未指示要我寫出來。可以說，一切都是在心領神會、不言之中的了。

先君是在一九八八年秋天過世的，我則是在一九八九年初回台在商界任職的，到我在二〇〇〇年代上期從商界退休，自台北搬回美國定居之間的十一年多內，我在台北也曾有機會向先君的朋友們，如陶百川、余紀忠、張佛千等世伯多所請教一些他們親身經歷的重大事件，不過一直到二〇〇二年我開始在台北的《法令月刊》寫作「如是我聞」的專欄為止，我始終不曾公開寫出我在政治方面的聞見與所思，是有兩個原因。即使在《法令月刊》上發表的每月一篇之專欄中，我也盡量少寫有關政治的文章，這是因為我既然已經擱筆了二十多年，又何必重作馮婦去寫政論，擾亂一池春水，世上本無事，庸人自擾之呢？另一個原因是不論是得之於先君，或是其他的前輩們，我所知道的多是口耳相傳，並無具體的書面資料以為佐證。而且目前我住在美國，又更難去作查證了。因之我也一直猶疑著，要不要將耳聞之事公開發表呢？

只是歲月不居，我如今也是漸入老境的人了，如果我今天不把這些見聞趕緊寫出來，此等史事或將如沙上之痕爪，隨風而逝的了。

在另文〈黃少谷先生的風範難以再得〉一文發表時，成露茜女士的按語說：「中華民國政府遷台後，總統大位由蔣中正、嚴家淦、蔣經國、李登輝而至陳水扁，其中嚴總統被蔣氏父子選中擔任這一重要的過渡角色，一直有各種臆測。」

這使我想起我所知道的，國民黨在台的這幾位總統傳承大位的一些祕聞與其中的曲折經過，尤其是有關兩位副總統，即陳誠與嚴家淦兩位在脫穎而出時，蔣中正先生在幕後所作的一些安撫落榜者的「虛邀」之假動作，甚為有趣也。更由此可以看出，李登輝先生在提名李元簇先生出任副總統時，因為一意孤行，強勢主導，以之與蔣中正的巧妙手法去兩相比照，大家就會明瞭何以會產生如此巨大的風波。這是因為當時初掌黨政大權的李先生，其行事作風與國民黨傳統的習性，實在是相去太遠了。這個重大政爭的成因，從外在的大環境去看，是李登輝先生所主導的「台灣國民黨」與兩蔣留給他的「中國國民黨」之政治文化的差異，從內在去看，是李先生日本式的行為模式與黨內各大老的中國式儒者行為模式的衝突也。

二、陳誠出任副總統時之幕後安排——蔣中正先生如何應付于右任及王寵惠

蔣中正先生是中華民國第一任至第五任的總統，其任期如下表：

第一任	一九四八至一九五四	副總統李宗仁
第二任	一九五四至一九六〇	副總統陳誠
第三任	一九六〇至一九六六	副總統陳誠
第四任	一九六六至一九七二	副總統嚴家淦
第五任	一九七二至一九七八	副總統嚴家淦

蔣中正先生於一九七五年在第五任總統任內病逝，由嚴家淦先生升任總統。

蔣先生的第一任總統是在南京就任的，當時蔣先生雖然支持孫科先生競選副總統，但是由李宗仁

先生勝出。

一九四九年國府遷台時，蔣先生已引退下野，總統職位由副總統李宗仁代理。可是李先生沒來台灣，遠去美國。因此蔣先生乃在一九五〇年三月一日在台復行視事，一直到一九七五年他病逝為止，都是由他擔任歷屆總統。

到了台灣以後，國民黨內已沒有人具有實力可以挑戰蔣中正先生的權威，那麼他的歷任副總統人選是不是由他一個人說了就算呢？並不是的，不論是陳誠或嚴家淦，他們之先後出任副總統時，都是經過甚為曲折的安排，容我慢慢道來。

先說在一九五四年陳誠出任第二任副總統的經過。

當時的五院院長名單如下：

行政院院長　陳誠
立法院院長　黃國書
監察院院長　于右任
司法院院長　王寵惠
考試院院長　莫德惠

考試院院長莫德惠先生是無黨派，代表東北的元老。其他四位國民黨籍的院長中，以個人的黨政軍資歷來說，當以黃國書先生最為資淺。黃先生是黃埔軍校的畢業生，砲兵中將。他是佔了省籍的便宜，因為他是半山——台籍人士，在抗戰前遠赴大陸去讀書從軍的。否則以當時立法院內的論資

▲一九四八年四月廿九日，李宗仁當選副總統後與監察院院長于右任握手。

排輩，就以軍人來說，出身保定或比他黃埔期別要高的上將都所在多有，其他政界元老，比他資深的人更為不在少數，黃先生是沒有資格出任院長的，更不必說去做副總統了。

剩下來的三位院長，以政治與軍事實力來說，當然是陳誠最大，可是以黨內的資歷來說，于、王兩位則遠過之。他們都是孫中山先生的革命盟友，同盟會員，其革命的資歷，比蔣中正先生尚為資深，更不用說陳誠了。因此蔣先生在指定陳誠為副總統時，必須考慮于右任及王寵惠兩位老院長的反應。

於是蔣先生派人去敦請于右老出任副總統。

于先生信以為真，乃召集親朋好友共商此事。先君時任國民黨中央日報社社長，亦在應邀之列。當大家在右老家的客廳中開會，一面討論此事，一面在挑選照片，要挑出一張看上去較為年輕的美髯公之玉照，以便安排次日見報之用時，忽然副官來請右老去書房接聽一個電話。

只見右老回到客廳中，面色甚為難看，告訴大家說：「不用挑了，都是玩假的。」

原來這通電話是王寵惠院長打來的，告訴右老說：「總統請某人來告訴我，要我出任副總統，右老，你的看法如何？」

蔣先生不但一官兩賣，而且連通報的使者都用的是同一人，使得兩位老院長彼此一打招呼，便知道他是在玩假的了。

此事之奧妙在於，如果通報者不是同一個人，那麼兩位老院長可能以為其中有一位是傳錯了話，還是會將信將疑的了。此示蔣先生知道以二老之多年情誼，必然會彼此徵詢對方是否支持自己出任副總統，而在對證之時，發現通報竟然是同一位使者，便能知其為虛情也。

這是什麼意思呢？難道蔣先生在戲弄兩位老人家嗎？不是的，這是在請客時，主人所作的「虛邀」之意。表示蔣先生雖然要用陳誠做副總統，心目中仍然有兩位老人家的，他之用了陳誠，只是礙於政治現實，他也是逼不得已的呀。

一個類似的例子是在一九七二年，嚴家淦先生辭去兼任的行政院長而專任副總統時，內閣勢必改組。

此時蔣中正先生派人去通知黃杰將軍，要他組閣。黃將軍甚為興奮，打電話向張羣先生報告此事，據說兩人之間有了類似於下面的對話。

黃：總統要某人來告訴我，要我擔任行政院長。

張：你的答覆是什麼呢？

黃：我當然說我德薄能鮮，請總統另簡賢明了。

張：很好，很好，我們已經決定由經國做了。

這是什麼意思呢？難道蔣先生在戲弄黃將軍嗎？又何必多此一舉呢？不是的，這是蔣先生在向黃杰表示，他如果不傳子，便是要黃氏出任重責了。大家想想，蔣先生是在說，要不是給自己的兒子，便是給你。這使黃將軍多麼窩心，怎麼不會全心全意地效忠蔣先生呢？

當然，這是蔣中正先生深知黃將軍的為人，一定先作謙辭，不會鬧出假戲真做的誤會，他才會作出此種虛邀的動作，而不是像前一次應付于右老及王亮老兩位老院長的一官兩賣。此即同是「虛邀」，而兩次的手法不同之緣故，即在蔣先生了解到于、王、黃三位先生個性是不同的。

謀政一如用兵，都要做到多算者勝，是知己知彼，百戰不殆的，為政是不能倚杖權力去蠻幹的，否則殺敵一千，自傷八百，其成敗得失實為難以計算的了。即使在遷台以後的國府時代，蔣中正先生已定於一尊的時候，在挑選副總統或行政院長時，他還是要做些安撫人心的假動作，更何況是在兩蔣之後，台灣已經沒有一個使全國官民心服的「強人」呢？

記得在李登輝先生繼任總統及國民黨主席之初，有一天李慶華兄問我對此事之感想如何？我笑著告訴他，此是一頭蠻牛衝進了瓷器店，這是當時美國美林證券公司所拍攝的一支廣告片的內容。我又告訴他，中文的「強人」這個強字，可以有三種解釋，即強大的強，強迫的強與勉強的強。李先生這個新的政壇「強」人，當時這個「強」字真是不知應作何解的了？以後見之明去看，政局的演變當是被我這句玩笑話，不幸而言中了。十多年後的今天去回顧，不知慶華兄今日的感想又為如何了呢？

在李先生執政初期，國民黨中有了所謂的「主流」與「非主流」之爭，引爆點即在李先生之挑選李元簇先生出任副總統，完全是力排眾議，強勢主導，而一意孤行的。以蔣中正先生在台灣挑選副總統，即為先是陳誠，後是嚴家淦兩位的經過去看，我們可以知道此決非總統一人能夠隨心所欲，一意孤行之事也。

前面已經談過挑選陳先生之事，今再來談嚴先生之脫穎而出的故事。

三、嚴家淦出任副總統實爲得之不易

一九五四年陳誠先生出任第二屆副總統時，國府撤退到台灣為時不到五年，大家在喘息未定，亟須休養生息之時，蔣先生只要能在面子上安撫了于右任及王寵惠兩位老院長，便可以在黨內過關了。

到了一九六六年嚴家淦先生出任第四屆副總統時，其政治意義與前述陳誠先生的情形，就是大不相同了。首先遷台已經十七年，驚魂已定，國政已上軌道，政壇的各股勢力已告重新編整形成。其次嚴先生在政治資歷上是比蔣先生晚了一輩，因此他之脫穎而出，是象徵「接班人」與代換時移。當時在台灣與蔣先生同輩的黨政軍大老所在多有，而且立監國大這三個中央級民意機構中比嚴先生資深的人更為比比皆是。即使蔣先生提名嚴先生出任副總統，到時候國大的票不一定開得出來的。

也就是說，此時蔣先生要考慮的不僅是某些老輩的面子而已了。

在提名前夕，我與嚴先生的兒子雋建兄正好在三重埔憲兵學校預官十四期同隊受訓，我倆在晚上一齊在操場上散步，青梅煮酒論英雄。

我倆打賭一場電影，我說明天公布的人選，非令尊莫屬，而他則堅稱難矣。我問其故安在？他說，排名在他父親前面的，至少有五位，即時任考試院長的孫科，總統府祕書長的張羣，光復大陸設計委員會副主委的薛岳，戰略顧問委員會主任委員的何應欽與國大祕書長的谷正綱。

▲一九六六年，蔣中正與嚴家淦宣誓就職。

我則說這五位都年歲已高，總統為六年一任，他們之中任何一位出任副總統，與蔣中正總統相比，誰的命長都是未知之數。副總統的唯一任務是在總統出缺時去遞補其職位，那麼為了國家計，怎麼可以任命一位高齡的元老出任此職位呢？汽車的備胎可不能比正胎先爆掉呀！為私去看，蔣先生一定要找一位個性圓融，能與經國先生相配合的副總統。因此以年齡及個性去看，當以令尊最為相宜。

據先君在多年後賜告，提名前夕，亦即就在我與雋建兄打賭的那一天晚上，張羣先生與蔣中正先生有了類似於下述的對話。這是兩位一對一的交談，先君雖未明言他是從何得知的，我判斷以岳公與先君的私誼甚深，當是張先生在日後告訴先君的。

蔣先生與張先生兩位的官邸是背貼背的鄰居，張先生只要推開不上鎖的後門，便可以從自己的後園走進士林官邸的後園，也就是說張先生不須要事先預約去求見，隨時可以走過去串門子，兩位真是通家之好的結拜兄弟也。

張先生坐定後問說：「明天就要公布副總統的提名人選了，你心裏到底是怎麼個想法？」

蔣先生長嘆一口氣說：「岳軍啊！我們兩個都老了。」

此言甚妙，即在兩位老人家之中，蔣先生既然一定要連任總統，則張先生就不宜擔任副總統了。此理甚明，即當夜我告訴雋建兄的理由——備胎不能比正胎先爆，副總統的年齡不能太高也。

張岳公當然心知肚明他已經出局，如果是他，以他們兩人的私誼，以及每天見面——蔣先生是總統，而張先生則是總統府祕書長，蔣先生不會等到提名前夕的此夜才去告訴他的。

蔣先生接著表示，實在擺不平，要提名三人，即時任行政院長的嚴家淦、考試院長的孫科與戰略顧問委員會主任委員的何應欽。

插一句話，我曾將此故事告訴一些朋友們，其中冷若水兄聽我說後，脫口便說這話不錯。他說那時他是中央社總編輯，提名前夕，中央黨部通知社方準備這三位先生的照片及生平簡歷以備用。

蔣先生所說的三位名字，有下面的奧妙。

㈠不論以資歷、輩分、年齡等任何條件去看，嚴先生理應敬陪末座，可是蔣先生將之列為第一。按照中國官場的不成文規矩，此示嚴先生是蔣先生心目中的正選，另外兩人只是陪榜了。

㈡嚴先生出身於張岳公所領導的政學系，此對岳公來說是退而求其次的次佳方案，僅次於自己之雀屏中選也。

外界不易明瞭政學系的人脈，因其派性不明顯。我在此不多贅言，只是要指出一點，即嚴先生的仕途早期是追隨政學系的要角陳儀先生的。陳氏在抗戰中擔任福建省主席多年，嚴先生是其省府之建設廳長。一九四五年抗戰勝利後，陳氏奉命接收台灣時，嚴氏隨行出任交通處長，此是嚴先生來台出仕之始也。

㈢如果提名此三人，在老國大之中，嚴先生自己的票源最少，完全須要黨中央之支持。可是如果三位都是由黨中央提名之人選，黨方也不能太過明顯地拉偏架，專門幫助嚴先生一人助選也。須知孫科先生一方面是國父孫中山先生的嫡嗣，另一方面又有兩廣及海外僑選國大們的支持。而何應欽將軍在軍界是僅次於蔣中正先生的大家長，又有西南各省國大的支持也。

也就是說，如果提名此三人，而且開放競選，蔣先生屬意的正選嚴先生未必一定選得上，很可能重蹈在一九四七年李宗仁擊敗孫科之覆轍。

在蔣中正先生面告張岳軍先生第二天要公開提名嚴家淦、孫科與何應欽三位為應屆副總統候選人時，張先生當然明瞭選局並不利於嚴先生，便說：「此不妥當，當年在南京時開放副總統之選舉，造成黨的分裂，今天不可以重蹈覆轍。」

蔣先生乃微笑以答：「你看怎麼辦呢？」

此是蔣先生好用的口頭禪，含有考驗之意。蔣先生每每以此對應部屬，有時其心中已有定見，也不會先說出來，而要考考與其對話者，聽取對方的建議的。他的意思是說，我當然明白這個道理，不宜開放選舉，可是實在擺不平呀。

蔣先生的態度很明白，我們兩個都屬意於嚴家淦，你也不能白白坐享清福，總得出點力才行。張岳公不愧是智多星，馬上想出了一條妙計，作了以下的建議：「這樣好了，明天開會時，在你宣稱將提名三人，先唸出嚴靜波的名字時，我在沒有得到你許可的情形下，站起來發言打斷你的話，把我剛才所說的不可重蹈覆轍的這一段話大聲說一遍。我今晚先作安排，到時候大家馬上鼓掌贊成我的話，通過了嚴先生的提名。在散會後，由我負責面告孫、何二位，你本來是要另提他們兩位的。」

也就是說好人由蔣先生做，惡人由張先生做，孫、何二位事後也怪不得蔣先生，只能怪罪張先生也。

這種安排，必須得到蔣先生的首肯；一方面張先生要未經許可去站起來打斷蔣先生的發言，是大不敬。二方面蔣先生不但要默許他無禮的舉動，也得配合，不要急急把孫、何二位的名字接著唸出來。易言之，這必須是蔣、張二位合演的一段套好招的雙簧，才能奏效也。

對蔣先生來說，只要在事後孫、何二位知道他一直心中有他們兩位，他的目的已經達到了。此與提名陳誠出任副總統時，蔣先生使出一官兩賣的「虛邀」手法，以安撫于右任及王寵惠這兩位老院長，是異曲同工的方法。

只是在陳誠那一次時，一方面陳先生自有其三青團團派組織之支持，而且兩位老院長在國大中也不夠力量去唱反調，所以較易過關。而此次嚴先生之出任副總統，雖然用了張岳軍先生之妙計，在提名方面安撫了孫、何二位，可是對整個老國大來說，仍是難以服眾的。

結果那一次選舉，蔣先生自是眾望所歸，以高票當選。而嚴先生只是一人參選，其得票數只比憲法規定的過半票數多出稍許，可謂低空掠過，真是驚險極了，其實此仍有一段祕聞。

在開票快結束時，以所投之廢票太多，中央黨部算出，剩下尚未開出的最後一個票櫃中，即使全數投給嚴先生，一張廢票都沒有，仍然不足法定所須的當選票數，如此則須重新再投一次票，那可怎麼辦呢？

廢票之所以眾多，顯然是掌控了國大的幾個派系對嚴先生之獲得提名，都是實為心中不服，大家商量好了，合作起來要給蔣、嚴二位及黨中央一個難堪。此中操盤者確是個中老手，他們控制的廢票數十分精準，安排到了一直開出最後一個票櫃，嚴先生才會以此微票數不足法定得票數，而須重新再投一次票。否則過早開出太多的廢票，將打草驚蛇，使黨中央看出了端倪。設非黨中央負責輔選者也是久於此道者，才能及時發覺，若是中了此計，嚴先生在第一次開票時未能當選，在只有一位副總統候選人同額競選的情況下，必須要國大們再投一次才能選上，則不但開了憲政史上從未有的先例，而且黨中央的袞袞諸公也無法向蔣、嚴二位交代，當事者勢必下台了。

在開票時監票的，便是這些投廢票的國大各派系所推派出來的代表們，因此黨中央也不可能臨時作票去灌水的。最後想出一個笨方法，乃暫緩開票，四處緊急派人按照名冊到台北市去尋找已報到而未出席投票的國大們，拉他們來補投票。這在選務上自為違規，然而反對嚴先生的人們也就不為已甚，既然已經充分表達了他們抗議的心意，就默許黨方此舉，而嚴先生因之方能在第一輪投票中低空掠過而當選副總統了。當然，黨中央此舉只是為了保存顏面，對嚴先生之當選與否，並無影響，因為到了第二輪投票，他仍然會當選的。

今在此將此次國大選舉蔣中正與嚴家淦出任正、副總統時，兩位的得票數於下，以供讀者參考：

蔣中正：出席投票代表一四二七人，得票一四〇五。

嚴家淦：出席投票代表一四二四人，得票七八二。按：半數應為七一二票，即嚴先生在一四二四票中過半數只多七十票，可謂低空掠過，實為驚險矣。

由嚴先生出任副總統之經過，就可以知道即使以蔣中正先生定於一尊的地位，也是不能在挑選他的副總統時完全一意孤行的。為什麼呢？副總統的唯一任務是在總統出缺或不能視事時，去繼任總統或代行其職務。在此情形下，已過世或引退的總統對其身後事或下野後之政局，已是「身後是非誰管得，滿街笑唱蔡中郎」了，可是對其他人來說，就得接受那位原是副總統者的領導了。

在當時的國民黨中資深人士來說，後輩的嚴先生何德何能，有何資格去領導他們呢？他們認為，你蔣老先生既已高年，很可能會在任上過世。所以你的副總統，將來很可能就是我們的總統。因此你在挑人選時，不能只考慮方便你的兒子經國先生將來可以接任總統，總得要我們在經國先生接班以前，那段過渡時間中，能夠使大家心服口服去接受此人的領導的呀！

由這個角度去看，在一九九〇年反對李元簇先生出任副總統的大老們，一如在一九六六年時反對嚴家淦先生者一樣，除了表達對主事者的總統候選人之提名其副手的過程不滿之外，也有針對此副手本人的資歷而發的批評。可是在李登輝先生的心目中去看，他可能並不熟悉一九六六年的黨史，不知道即使連蔣中正的地位之高，以及嚴先生的人和之好，都曾受到當時黨內如此巨大的反彈。因此他只把一九九〇年的那次政爭看做元老們對他本人所得的領導地位的攻擊，而忽略掉一九九〇年的李元簇先生與一九六六年嚴家淦先生一樣，在黨政界的地位尚不足驟登大位也。李登輝先生顯然並沒有考慮到的一個因素，即萬一他在任上過世，便將是由李元簇先生繼任總統了，那麼就會發生在一九六六年時，反對嚴先生出任副總統者所考慮的一個因素，亦即他們能不能心甘情願接受此人的領導呢？當然，一九六六年的蔣中正先生，與一九九〇年的李登輝先生，兩人的年齡及健康情形並不相同，所以李先生不會考慮到他的副總統有在任期中接任總統大位的可能性，他只要一個「不出聲者」的副手。可是除了李先生之外的其他政界大老們，當然要把這個可能性考慮在內的。

有一件趣事，與此有關，亦記之於下。

一九七五年四月五日蔣中正先生過世後，國民黨召開臨時中常會，由黃少谷中常委擔任主席。蔣經國行政院長雖然身為中常委，以服父喪而迴避，沒有出席。在會中討論選出新任總統時，中常委谷正綱先生忽然發言說：「現在處於非常時期，須要堅強領導。」一時與會之其他十多位中常委們面面相覷，不知如何表態才好。

依照憲法，總統在任上過世，應當由時任副總統的嚴家淦先生繼任，自無疑義。可是嚴先生無論從個性及政治實力去看，當非「堅強領導」者。因此谷先生這句話是他個人的意思，還是在傳達蔣經國先生的心意呢？如果是後者，嚴先生只要表態辭去副總統的職務，依照憲法，時任行政院長的蔣經國便可以順序去代理總統，再召開國大選他繼任總統，如此，則國家當可有「堅強領導」的了。

此時黃少谷先生以主席的身分發言說：「我與蔣院長談過，他的意見是按照憲法辦理。」大家這才知道此為谷先生個人的意見，於是有人乃推舉嚴副總統繼任總統，而大家鼓掌通過。散會時，嚴先生走到各中常委席前一一握手致意，在谷先生面前時，跳過他不與之握手，此示嚴先生修養再佳，脾氣再好，此時也是動了真怒了。一笑。

四、我請教余紀忠先生的兩個問題

在接下來討論李元簇先生出任李登輝總統任上的副總統一事之前，先插句話談一下在兩位蔣總統過世時，主持中常會會議者地位之奧妙何在？

在帝制時代，這是讀遺詔的顧命大臣，當由宰相擔任。

在一九七五年蔣中正先生去世時，主持臨時中常會的是黃少谷中常委。已如前述，因為他的發言而確定了嚴家淦副總統之繼任總統大位。

在一九八八年一月蔣經國先生去世時，主持臨時中常會的是俞國華中常委，那一次俞先生是臨時插隊去擔任主席的。

經國先生晚年因為健康不好，久已不出席中常會，而他在主席任內又沒有設置副主席，因此中常會是由中常委們以排名次序去輪流擔任主席的。

在蔣中正先生擔任總裁的時代，國民黨有十多名中常委。到一九六五年底前為十五位，之後則為十九位。到了蔣經國先生擔任主席時，因為他不能逼退元老們，又要掌控中常會，乃大幅增加名額，以量變引起質變，增至三十多人，至今猶為如此。

因此同樣是由中常委輪流做主席，在經國先生時代便要久久才能輪到一次了。

在經國先生過世時所召開的臨時中常會中，秦孝儀先生提議以時任行政院長的俞國華中常委去插隊擔任主席。

如果依照黨內倫理，前總統嚴家淦先生是首席中常委，不過他當時已健康不佳，體力容或不能勝任。再以政壇地位去看，座中還有前副總統謝東閔中常委，與現任副總統李登輝中常委，兩位體格均為強健，足以當此繁劇。再退一步說，五院院長中時任司法院長的黃少谷中常委也比俞先生資深，因此臨時要推選一人插隊，論資排輩是怎麼樣也輪不到俞先生去做此次常會的主席的。

可是經過秦先生的運作，俞先生乃得主持此次會議，成為類似於古代讀遺詔的顧命大臣，因而突顯出了他的政治地位了。

這一次插隊，使得往後主持中常委的人選均順序延後一次，此事之影響極為巨大而且深遠，至今尚無人看出此端倪也。

一九八九年春天，我回台北定居後不久，即曾去拜訪余紀忠世伯。在我們一對一的長談時，他老人家很得意地詳細告訴我，由他主持的那次中常會中推選李登輝先生繼任黨主席一事的前後之經過。因為此事今已為世人之所周知，我也無庸在此記述他所說的開會經過了。不過在他說完之後，我向他請教了兩個問題：

㈠那一次中常會的下一次，是由何人擔任主席的呢？

㈡列席的宋楚瑜副祕書長在起立發言、慷慨陳辭擁戴李先生之前，有沒有向李錫公與他先打個招呼，作個說明呢？

余先生當即表示：

㈠下一次常會的主席是洪壽南中常委，還是黃尊秋中常委，他已記不清楚了。他問我為何要問這個問題呢？

㈡宋楚瑜先生絕對沒有與李錫公或他本人就此事先打過招呼，他倆事先絕不知情。

我的答覆是：

㈠此真乃冥冥中自有定數也。如果不是秦孝儀先生力主俞國華先生在那次臨時中常會插隊擔任一次主席，那麼在這次討論李登輝先生繼任黨主席的中常會中擔任主席的，就不是余先生，而是洪、黃兩位中間的一位了。試想在提案人俞國華先生與黨祕書長李煥先生兩位都已決定遵照蔣夫人的要求，不在此次會議中提出李登輝先生繼任黨主席一案時，以洪、黃二公之個性，會像余先生一樣以主席身分，在宋楚瑜先生發言後，臨時逕自提出此案嗎？如此，則不但黨史要改寫了，以後的台灣政局之發展，或有變數亦為不一定也。

余先生聽我此言，默不作聲，呆了半晌，說：「呀！沒有人想到這一點。」

㈡我說，如果宋先生確實在事先沒有與你們兩位打過招呼。那就糟了，此人將來定必亂政。

▲一九九四年台灣省省長選舉，李登輝為宋楚瑜助選。

余先生驚問我其故安在？

我說，以宋先生的地位，敢在此時此會中作此豪賭，其膽量之大，是非常人也。余先生聞言又默不作聲甚久了。

因為先父在一九六〇年代曾在中央黨部擔任過六年多的中政會副祕書長，我少年時得拜見過的黨政前輩實為多矣。在那個時代，做到了部院級的國民黨高層人士，都是慎言謹行，喜怒不露形色，城府甚深的，怎麼會像宋先生在那次中常會中未經事先商量與安排，而個人作出如此強烈表態的公開言行呢？

我至今不曾拜識宋先生，只有一次在加州矽谷的華人聚會中，因為共同的朋友徐大麟兄之介紹，與之握過一次手，不能算是認識的了。

一九七〇年代我還在寫作政論時，有一次陶百川先生與我閒談，他說：「你們這一代，將來是宋楚瑜和關中兩人會互爭中央黨部的祕書長。一個是才勝於德，另一個是德勝於才。」說也有趣，至今我還與宋、關二位先生並不相識。

我又問及另一位同輩中的外交才子，陶公說：「他是做簡報的一流人才。」前輩識人之明，料事之遠，按之其後數十年的局勢發展，果然如陶公之所言，實為令人拜服也。

五、我家與兩位李先生的世誼

說也巧，我至今不曾拜識李登輝前總統與李元簇前副總統，可是我的家庭卻與之各有淵源，世誼頗深，順記於此。

先說李前總統，先岳父張乃高先生是在戰前留學日本北海道帝國大學的水產專家，在退休前長期擔任農復會的技正，因此與李先生是老同事。

那個時代公家單位的交通車不多，因此他們五位同階級的技正乃共乘一車上下班；亦即公家在上班前派車到一家一家去接，下班時又一家一家去送。所以，先岳父與李先生雖然不同組，先岳父在漁業組，李先生在農經組，但是同車上下班許多年，當然也算是甚為熟識的了。只是先岳父比李先生年長許多，又同為留日的，可以說是他的前輩吧。

在李先生擔任台北市長時，曾率團訪美，我去聽了他的演講，回家與先岳父談起了李市長，那天先岳父對李先生的評語是：「他是一位虔誠的基督徒，是個好公務員，但是有兩個缺點。一個是省籍意識十分濃厚，另一個是李先生凡事不論大小鉅細，一旦作了決定，絕對不會更改的。例如已事先決定某一天去看某一部電影，到了那天風雨再大，還是會去看的。至於省籍觀念濃厚，由一事可以看出來，在李先生繼任楊基銓先生的組長職務時，把組裏所有的外省人都更替為本省人了。」

先岳雖沒有明言，我當然了解此點，因為農復會是一個接受美援經費的組織，其職工的薪水是比政府的其他單位要高出許多的。易言之，李先生組裏的外省籍職員自願離職的當為不多也。

先岳曾告訴我一件趣事，即有一天李先生在交通車上告訴大家說，有人算命說他將來會做總統。當時還是蔣中正先生主政的時代，此不啻是個天方夜譚式的笑話。一時車上五位同人，加上一位司機，包括李先生在內六個人，都不約而同地哈哈大笑。

我在一九八九年回台長住時，在慶豐集團剛接辦的國泰信託公司（後已改名為慶豐銀行）任職。很湊巧，我們公司的楊基銓副董事長就是當時在車上聽到這個故事的六人之一。我向楊公求證此事，他說有的，這位算命先生姓雷，是個外省人，李先生後來不論去何處做事，都會把雷先生帶在身邊任職。一九八九年楊公說此話時，李先生時任總統，雷先生則擔任總統府之參議。

談到楊基銓先生，在此插一句話，他是我非常敬佩的一位長輩與長者，一位真正的紳士。吾友譚木盛兄，同輩尊之為譚公，就曾告訴我說，他最欽佩的人就是楊先生。他說，因為楊公在日據時代，擔任宜蘭郡守時，楊先生的一位部屬日籍刑警，欺壓台灣人，楊先生竟敢公然怒摑此人一個大巴掌，將之調離宜蘭。我曾向楊公求證此事，他老人家笑笑說，沒有打那個日本人一個大巴掌，只是輕輕用手拍了拍他的臉，是在大庭廣眾做的，隨後是將這個日本人刑警調走了。

慶豐集團的大老闆黃世惠先生，是一位著名的腦神經外科專家，比我年長十多歲，我雖然在他手下做事，兩人私下是平輩論交的。可是我向黃先生報備，對楊先生我是以世伯之禮待之的。因為他是岳父（當時還在世）的老同事兼好友，而黃先生與楊先生他們兩位之間則又是平輩相稱呼，所以我們三人之間，只有各叫各的了。

回過頭來談李元簇先生，他是我的表姊夫。他的岳父徐世賢先生是我的表叔，與先君不但是表兄弟，而且同是學習法律的，又同在政界，因此他們兩老過從頗多，只是到了我們這一代，兩家就少有往來罷了。

六、李登輝與國民黨的政治文化不合

關於李登輝先生在一九九〇年提名李元簇先生出任副總統一事，因為時日尚近，而且當事人之回憶錄也多已問世，其詳細經過已為世人所周知，因此我也不予贅言了。在本文中我只是要提出我對此次政爭的看法與分析。

李登輝先生在蔣經國先生去世後，接任了中華民國總統及國民黨主席，一時成為政治上的強人。在政府言之，他依憲法繼任總統，無可置議，但是就國民黨主席這個職位來說，並無規章明文規定李先生接任者也。

如果拿民間的公司行號去打個比方，李先生雖然擔任了國民黨這間公司的董事長，卻是個小股東，是接受了去世的大股東之故董事長的提拔，收集了委託書而入主這家公司的，一開始，頂多算是個法人代表吧。

此時李先生要安排新的董事會之人事，要選拔副董事長或常董們，能不能以挑夥計的方式逕自去指定呢？如果李先生能確實掌握了股東大會，或收購了股權，成為名符其實的大股東，當然是可以的。他本人之繼位，不就是老董事長一手提拔，逕予指定的嗎？

但是這位故世的老董事長與他的父親、父子二代經過近乎五、六十年的經之營之，與黨外黨內的各種勢力明爭暗鬥，才成為這家老字號的經營者與絕對的控股者，把公司變成了家族企業。這種歷史上長期努力的成果，即使父死子繼，都不一定能順利接班，更何況是傳給無親無故的外人呢？

拿政黨來說，李先生入主了中國國民黨，卻一心想要把它改成台灣國民黨。

國民黨在蔣家兩代長期掌控之下，已發展出一套精緻的政治成規，是屬於江浙人的習性。而李先生卻要用日本人劍道的手法去改造它，怎麼不會像我當年告訴李慶華兄所說的，成為一頭蠻牛闖進了磁器店。他再是自認為小心翼翼，卻動輒得咎，把那些精美的磁器打得個七零八落，稀巴爛呢？

在挑選李元簇先生一事上，李先生與當時國民黨中的資深人士有了認知上的不同。

李先生認為他是總統兼黨主席，又是下任總統的候選人，因此誰做副總統候選人，是他在挑競選夥伴，當然是由他作主，說了就算。

就像我在本文中已經說明的，即使在所謂的威權時代，以蔣中正總統在遷台後已經定於一尊的地位，也不能用威權去壓制黨內的意見，由他一個人隨心所欲地蠻幹，不顧黨的眾議，而去逕自挑選他的副總統人選的。

很可能沒有人告訴過李先生這些黨史上的祕聞，使他誤以為兩蔣父子可以任意挑選副總統人選，我為什麼不可以？這豈不是你們外省人在欺負我這個本省人總統嗎？

從當時黨內的一些資深人士，即世稱的「非主流派」人士去看，副總統人選既然是要挑一個外省人，此人應當是他們公推的代表。也就是說蔣經國先生要把國民黨台灣化，把政權及黨權交給以李先生為首的本省人政團，他們中即使有人心中並不贊成，但此時也只得默認此為既成的事實了。可是代表外省人的副總統人選，在他們心目中，並非可以由你李先生隨心所欲的挑一個人就算，總得與被此人所代表的他們打個商量呀！

李元簇先生與李登輝先生無親無故，又毫無淵源，在黨內如此巨大的抗拒之下，你李登輝先生又何須厚愛之到如此之深的地步呢？竟會不惜以個人的政治生命為賭注去挺他呢？

須知那一屆的總統副總統選舉，仍然是由老國大們去投票選出來的，因此使得「非主流」派認為猶有可以一戰的餘地，最後才會造成國民黨公開的分裂，一時出現了兩組正副總統的候選人來了。

可惜當時非主流的大老們，無人能夠像先岳父這樣深深了解李登輝先生的個性，知道他是一個事無大小，一但作了決定就絕不更改，寧折勿曲的人呀。因為李先生不熟悉國民黨內推選歷屆副總統人選的幕後運作方法，而黨內的資深人士又不熟悉李先生的個性，因之造成了雙方的決裂了。

其實政治就是要妥協，即使拿美國歷史來說，甘迺迪與詹森本來是在民主黨內互爭總統候選人提名的兩位參議員，最後妥協，雙方合作，甘與詹去合作競選而出任美國的正副總統。後來共和黨的雷根州長與老布希大使亦為如之。換句話說，政治上的敵友關係是可以因人時地而改變的，像李先生這種寧折勿曲，絕不妥協的行事作風，即使能取勝於一時，國民黨也受了內傷甚重。此因每一次風浪，每一次黨內鬥爭，就會造成黨的分裂。例如在新國民黨連線（關中派）被李主席及宋楚瑜黨祕書長聯手逐出黨外，成立新黨之後，又有宋系因廢省而出走，成立了親民黨。再加上郝、林、許等大老之相繼出走，國民黨終因四分五裂而失去了執政權，而李先生也隨後立刻黯然交出了黨權了。

曾國藩說，做大事第一是要找替手。

蔣中正先生熟讀曾氏家書及語錄，蔣經國先生卻在挑替手時選了李登輝先生，此對國民黨之功過利害，成敗得失真的是要留待史家作評辭了，並非我這篇短文所能涵蓋者也。

本文的重點是在談談國民黨籍的蔣中正總統挑選他的兩位副總統，即陳誠與嚴家淦之經過，並用以比照了李登輝總統之選擇李元簇先生之所以引起的軒然大波，就可以看出李氏手法與國民黨黨內的政治文化不合之所在了。此不過是以芥子之小，以觀世界之大，舉一個例子來點出國民黨何以在李氏主理之下，會鬧成四分五裂的原因來了。

二〇〇六年十一月於北美

黃少谷先生的風範難以再得

——兼談雷震案使得少老與總統大位擦身而過的經過

一、少老沒做成總統是時運不濟

前司法院長黃少谷先生晚年人稱少老，是先君的老友。在一九六〇年代少老擔任國家安全會議祕書長時，先君是他的副手，並且在任上公職退休。二十多年後，先君在一九八八年過世，葬禮中少老是四位覆蓋國旗的覆旗官之一，真可以說是先君的生死之交了。

少老是新聞界及政論界的前輩，又長久擔任黨政的要職。他一生官運亨通，是蔣中正、嚴家淦、蔣經國與李登輝四位總統在位時的四朝元老。如果把一九四九年以前在大陸的國府計算在內，在蔣中正先生引退、李宗仁先生代理總統的時期，少老出任閻錫山內閣的行政院祕書長，那麼他可以說是五朝元老了。

蔣中正先生的為人剛毅，需要濟之以柔。他一生重要的幕僚之中，以張羣先生與少老最為圓通。然而他們兩位都不及中共的周恩來先生之能剛柔並濟。蔣先生左右唯一差可以與周氏相比擬的，是江西剿共的南昌行營時代的楊永泰先生，可惜他英年早逝，在湖北省主席任上遇刺而死。

少老一生雖然官運亨通，可是沒有做到行政院長，實在是時運不濟。在要緊關頭，發生了雷震案，使他受到連累，從行政院副院長兼外交部長的職位上退下來，外放為駐西班牙大使，時為一九六〇年，亦即民國四十九年。

此時擔任副總統兼行政院長的陳誠先生，身體健康已經漸漸不行了，而少老的遺缺，副院長由無黨籍的王雲五先生出任，外交部長則由沈昌煥先生繼任。

一九六三年十二月，陳辭公因病辭去行政院長的兼職，專任副總統。當時的副院長王雲五是無黨籍，不宜繼任。因此嚴家淦先生以財政部長的身分，在眾多閣員之中脫穎而出，受命組閣，出任行政院長。因而他後來在一九六六年才有資格出任副總統，以及在蔣中正先生逝世時，繼位出任了總統大位。

易言之，如果黃少老在一九六〇年不被外放，而且在一九六三年底仍是行政院副院長，那麼不但由少老繼任行政院長是順理成章之事，日後的副總統及總統職位也是他應份的囊中物了。

嚴先生在一九五五年，亦即民國四十四年，由財政部長調任台灣省主席，仕途本已看好。不料在他任內，因為省府自台北搬遷至台中的中興新村，發生了舞弊案，省府的總務科長陳奮克因而判刑入獄，嚴先生也在一九五七年因之交卸了省主席職務，回到行政院任政務委員，第二年再任財政部長。依中國官場的慣例，這是嚴先生仕途不順的訊號，當時誰又會想到先生日後竟能做到總統呢？

在陳辭公辭職時，與嚴先生角逐閣揆大位的，是時任台灣省主席的周至柔將軍，周下嚴上，甚為曲折，不過這已是題外話了，暫且不提。

唐人詩：「衛青不敗因天幸，李廣無功數亦奇。」如果把總統大位的得失當做個人政治事業的成敗，那麼把衛青與李廣兩位漢朝名將換成嚴先生與黃先生的字號，可以說是「靜公不敗因天幸，少老無功數亦奇」了，一笑。

二、四個有關黃少老的小故事

黃少老與總統大位擦身而過，是當時黨政高層中心知肚明之事。因之日後他的聲望之高，地位之尊，並不因他官只做到司法院長而稍有降低，在我記述的下列四個小故事中，可以見一斑。

一九七九年底高雄事件發生的時候，國民黨正好在陽明山中山樓開中全會，消息傳到會場，一時群情激動，議論紛紛。余紀忠先生是「中國時報」的董事長兼發行人，以中常委的身分參加了會議。他利用休息的時刻，要求臨時晉見黨主席蔣經國總統。當他走進一間小房間去見經國先生時，裏面已經坐了嚴家淦先生及黃少老，正在休息。

余先生建議，這件事要「擴大爭取面，縮小打擊面」承告，經國先生回答說：「這也是我的意思。」

此事，過了幾天，承余先生告訴了我，當余先生提起房間中有三位在休息時，並未向我多作解釋。為什麼嚴先生與少老會與經國先生一齊坐在小房間裏，而我則深知少老的身分地位，也沒多問他。

試想當時中山樓裏面真可以說是群賢畢至，少長咸集。在這冠蓋雲集的時候，大家只能在會場裏的椅子上打個盹，養精神，上至副總統及其他的五院院長與各中常委都並未受邀去那小房間休息。經國先生是黨主席兼總統，當然不會與大家擠在一起，自應有專室以供小憩。他邀請了嚴前總統同室，亦為合理，然而為什麼會另外邀請了黃少老呢？

第二個故事如下：

在經國先生第一任總統任期將滿時，他向嚴前總統請教，他應否再做一任。嚴先生說：「我去請教一下少老。」

據說，少老的建議是，請經國先生在到任的那一年元旦，自己估量一下身體狀況，才做決定。

第三個故事更有趣了。

經國先生晚年身體已經不好了，但是他在七海官邸與總統府往返的路上，幾乎每天都有一次，會繞道彎到少老在中山北路附近的寓所去坐坐。

開始的時候，少老以為是總統有事不恥下問，有時也會進言，有所建議。久之，發覺經國先生只是來寒暄敘舊，有點像坊間一般的老人家打哈哈的味道，就不再與之談國事，大家只是敬茶如儀了。日日如是，少老也頗為所苦。更有甚者，那時少老已在敦化南路安排了新的寓所，為此不能搬家，以免造成經國先生的不方便。

當袁世凱要做皇帝的時候，他的兒子袁克文做了一首詩諷勸他，有句云：「莫到瓊樓最上層。」東坡詞云：「又恐瓊樓玉宇，高處不勝寒。起舞弄清影，何似在人間。」

身為一國元首的人，是不容易交到知心、又可信任的朋友的。

第四個故事是有關前總統李登輝先生的。

李先生在選擇了李元簇先生出任副總統候選人的時候，告訴了少老，徵詢他的意見。少老的答覆是：「總統，你的意思，就是我的意思。」用英文說，就是：「Your wish is my command.」

李先生也去徵詢了前副總統謝東閔先生的意見，據

▲黃少谷

說謝求公的回答是：「啊？這是唯一的人選嗎？有沒有第二位？」

在周玉蔻女士所寫的《李登輝的一千天》中，李前總統說過大概是如下的話，我問了三位，他們都沒有反對，為什麼會鬧出那麼大的風波呢？除了少老與求公之外，第三位是誰，我不清楚。可是少老與求公的回答，是贊成、反對還是不置可否，就得要看聽者李先生對中國式的政治語言，以及對答覆者，亦即少老與求公的個性，以及他們與李元簇先生之間的恩怨利害交情等，了解到多少程度來決定了。

有人說少老是油缸裏撈起來的水晶猴子——滑不溜手，因之他是不會正面反對李元簇先生的提名的。

然而依我看來，少老在大原則上也並不全是一個唯唯諾諾、輕易妥協的人。今以少老對雷震案的態度為例說明之。

三、五二四事件的影響甚大

一九四九年大陸易手之後，來台的國民黨人痛定思痛，紛紛檢討失敗的原因，妙的是得出了截然相反的兩種結論出來。

開明的一派認為，是因為推行民主自由太晚太少，做的不夠，因之失去了民心。

保守的一派認為，是控制的不夠嚴格，所以被中共的學運及統戰得手，因之失去了民心。

這本來就是因為每一個人的職務、經驗、所學、所事等不同而得的結論，自難一致。

保守的一派站在反共抗俄、保密防諜的旗幟下，理直氣壯，是看得出來有組織的一批人。

開明的一派就是甚為低調，只做不說，以時間爭取空間。許多這樣子的人都從政壇第一線退下來，在教育界、文化界，或在立、監、國大內做事。

在二十世紀五〇年代與六〇年代前期，這兩派漸漸分別結合在兩個人的身邊；保守派以蔣經國先生為中心，而開明派則依附在陳誠先生的庇蔭之下。

當時對台灣局勢舉足輕重的美國，在二人之中，是偏好陳誠先生的。這一方面是因為經國先生留俄的共黨背景；另一方面也是因為一九五七年劉自然案，台北的群眾衝擊美國大使館及其他美國機關，經國先生被美方認為是幕後的黑手。

周宏濤先生晚年發表了口述回憶錄《蔣公與我》，在第四二三頁有句云：「蔣公在國民黨八全大會中，把陳誠提升為副總裁，是有原因的。因為他顧慮經國先生尚不足以擔當領導國家的重任，一般認為這和『五二四事件』有關。」

「五二四事件」即劉自然案。

在同書四二九頁，周先生說：「這會是蔣公認為經國先生尚不足以擔當大任嗎？似乎不無可能。經國先生實際負責安全局，而安全局在『五二四事件』中脫離不了關係。事件發生後，他有整整兩個月的時間未曾活動。」

其實經國先生牽涉到此事件中，有兩件難以洗脫的證據：

▲五二四事件示威者搗毀美國駐華大使館

㈠在群眾事件當天，即五月二十四日，受了總政治部事先命令，衛戍台北市的兩個師，同時到新店去做渡河演習，因此事件發生時，台北市唱了空城計。

蔣中正先生在事後調查時甚為震怒，說總政治部怎麼可以下達軍令？而經國先生雖是前任總政治部主任，卻實際上是這個單位的幕後主控者。

㈡在群眾搗毀美國大使館的時候，有一批人翻箱倒櫃，有組織地搜集翻閱美方的文件，為美方的監視照相機照了相。美方因此認為此並非單純的群眾暴動事件。聽說，此是台方的特工在尋找美國中央情報局（ＣＩＡ）在台灣布建的中國人間諜名字及相關資料。

一九五七年的「五二四事件」對台灣政局的最大影響，是陳誠副總統在黨內升任了副總裁，在政府方面則再度組閣，取俞鴻鈞先生而代之，成了黨政界一把抓的第二把手，名正言順的接班人，也因之使得陳先生與蔣中正先生之間的關係變得十分微妙。

蔣中正先生是在民國三十七年（一九四八）在南京出任第一任總統的，當時制定的憲法規定是總統六年一任，連選得連任一次。因此在一九六〇年，第二任總統任期屆滿時，陳先生認為依照憲法，蔣先生不能連任第三次，那麼自己將要繼任總統的大位了。

蔣先生在任期屆滿之前，派時任考試院副院長的王雲五先生去美國，公開的任務是考察美國的文官制度，暗中卻要研究一下，美國的小羅斯福總統為什麼可以破例連任四屆？

美國的開國總統華盛頓只做了兩任總統，每一任四年，兩任一共八年，便自動引退。美國政壇在傳統上尊敬華盛頓創下的先例，因之歷任總統不論是連任，還是中間間斷過，都最多只做八年。但是在小羅斯福總統破此例之前，這只是一個不成文的規矩，並未立法明文規定之。

小羅斯福總統二任屆滿之時，美國已參加了二次大戰。一方面因為他個人的聲望隆高；二方面在戰時不宜臨陣易帥，所以在戰爭中又選上了兩次，前後一共做了四屆。在二次大戰結束之後，美國政界深感此非國家之福，才修憲明文規定一個人一生只能做兩任八年總統。

因此當王雲老去美國研究此事時，美國憲法已有明文規定，可是在小羅斯福在世之時，卻無此規定。

王雲老向蔣先生報告時，省略掉此點，只說小羅斯福總統是因為身在戰爭之中，美國人才破例選他做了四屆總統。蔣先生一聽，便引以自況；國府當時還在與中共作戰的戡亂時期，因之大可援例，美國人也不應厚此薄彼，他只是仿照美國人自己的小羅斯福總統的先例罷了。

正在這個極為微妙的關頭，雷震先生主辦的《自由中國》月刊出了個祝壽專號，強力主張蔣先生不再連任。如果蔣先生不連任，就是陳先生接班，不論陳先生與雷震是否有所勾結，這也是犯了蔣先生心中的大忌。更何況那時陳先生與胡適、梅貽琦、蔣夢麟、王世杰等人，所謂的「商山四皓」，在蔣先生的眼中，走的很近，而這些人與雷震先生之間自有蛛絲馬跡可尋的。因為雷先生是北大校友，而胡適、陳雪屏、蔣夢麟都是北大的教授出身者。

蔣先生好旅遊，在台灣南北各地的風景區修蓋了許多行館。以今天的水準去看，都是些簡陋的水泥房子，然而在二十世紀的五○、六○年代，那些算是好房子了。

陳先生也是軍人出身，與蔣先生一樣也自奉甚簡，但是他並沒有自用專屬的行館。他與「商山四皓」那樣的學者們出遊時，每每借住蔣先生的行館。當時政壇傳言，只要他們用過的地方，蔣先生就很少再蒞臨其地了，也是趣事。

陳先生當時是黨的副總裁，政府的副總統兼行政院長，更重要的是國軍的元老，遷台後實力最強的軍人。

黃少老則是陳內閣的行政院副院長兼外交部長。他所扮演的角色之一，便是充當在蔣先生與陳先生這兩個脾氣剛強的軍人之間的潤滑劑。

蔣中正先生與蔣經國先生因為年齡上的差異，在父子傳承權力的過程中，中間必須要有一個承先啟後的過渡人物，即類似西漢史上大將軍霍光的角色。

這個人物以當時的政治地位去看，本來應該是陳誠先生，然而他的個性不宜，而且也死的早。如果沒有雷震案，使得黃少老仕途不順，那麼他應該是蔣先生原來安排好的陳先生的備胎。黃先生在一九六〇年外放出任西班牙大使後，繼任行政院副院長的王雲五先生，不論在年齡及黨籍上都不可能做為陳先生的備胎，因此使得有志於此的實力人物們躍躍欲動。其中以時任台灣省主席的周至柔將軍最為突出。然而最後卻是由仕途已為不順的嚴家淦先生雀屏中選，在一九六三年繼陳先生出任行政院長。

四、黃少老因雷震案在中常會中的發言

雷震先生在大陸時代是國民黨「統戰」方面的重臣，曾經擔任過國大副祕書長，行政院政務委員等職務。一九四九年國府遷台之後，初期雷先生曾以蔣中正先生私人代表的身分去香港，邀請滯留在當地的立、監委員及國大代表去台灣共赴國難。

後來雷先生與國府日益疏遠，漸漸變成了「異議分子」。

當時蔣中正先生曾說過：「有的人本來是同志，後來是朋友，現在既不是同志，也不是朋友。」蔣先生雖然沒有指名道姓，聞此言者多認為他所指的便是雷先生了。

黃少老為什麼會受到雷震案的連累呢？原因之一，可能是雷先生要創辦《自由中國》月刊時，便是黃先生做的保人，才得到蔣中正先生的允許。

其實少老當時幫助過的人很多，也不限於雷先生一人。例如成舍我先生之世界新聞專科學校能在台復校，也得力於少老之處甚多。

雷先生與成先生都不是蔣先生喜歡的人，當初在遷台以後，國府法禁甚嚴的時代，如果沒有像少老這樣的重臣代為美言，《自由中國》月刊及世新都是難以獲准設立的了。

雷震案之發生，世人多以雷先生與本省籍的在野人士如李萬居先生、高玉樹先生等籌組新的反對黨為主因，我不認為如此。這件事當然不為蔣先生所心喜，但是以當時的政局言之，這樣子的一個新成立的小黨，不成氣候，不是燃眉之急，犯不著冒天下之大不韙，用此霹靂手段去處置雷先生，因而失去台美知識分子的人心，是得不償失的。我認為雷案之發生，是蔣先生要連任第三屆總統。查禁雷先生的《自由

▲一九六〇年九月一日雷震因案步入法庭應訊

中國》月刊，辦雷案，一在消除雜音，二來敲山震虎去做給接班人陳誠先生看的。

依照當時某些國府保守派人士的理論去看，有一個集團，是由美國人支持，而由國內外的「異議分子」組成的，他們反對蔣先生連任第三任總統，要讓陳先生接班。在這些保守人士心目中，陳先生即使沒有參加這個團體，他本人應當是樂觀其成的。而他一些來往密切的朋友們，如胡適、蔣夢麟、梅貽琦諸位先生等等與那些國內外的異議分子們也走的很近，雷先生的《自由中國》月刊只不過是這個集團的喉舌而已。所以依此理論，逮捕雷先生，查禁《自由中國》雜誌，一方面可以消除雜音，二

方面可以剪去陳先生的羽翼。

從雷案的引發到拘捕雷先生不過二十四小時不到，可見國府早已胸有成竹。不過情治機關長期監控雷先生的行動，自然是手到擒來，不費吹灰之力。倒是在決策層次，要辦如此大案，竟然草草決定，實在是值得仔細玩味的。其間設法予以阻延的，只有陳誠先生及黃少老二人，而且他們也沒有表示反對，只是要想拖延一下，希望能事緩則圓而已。

事情是這樣的。

國府警備總部是在民國四十九年九月四日星期日上午拘捕雷先生。前一天，也就是星期六的上午，國民黨按照慣例召開中央常務會議，由周至柔先生輪值當主席，因為當天到場的常委不足法定人數，乃改為談話會。

開中常會如此重要的場合，怎麼會出席人數不足呢？原來當時國民黨中常會依例是每星期兩次。一在星期三上午，一在星期六上午。因為行政院院會是在星期四開會，所以星期三的常會按例討論第二天行政院院會要討論的案子，由陳副總裁（副總統兼行政院長）擔任主席，而蔣總裁是照例不出席的。因之星期六上午由蔣總裁擔任主席的中常會，本來是重要的決策性會議，而星期三那一次乃成為次要的會議。

在雷案發生之前，蔣中正先生健康出了問題，久已不出席中常會。這就使得陳誠先生非常尷尬；如果他出席星期六的中常會，他自然會擔任主席，就會使人有了取蔣先生而代之的誤會。因之在蔣先生長期缺席的情況下，陳先生為了避嫌，也不再出席星期六的中常會了。每星期六的常會就由各中常委以排名次序輪流擔任主席，至於每星期三的中常會則照例仍然由陳先生擔任主席的。

久而久之，因為正副總裁都不出席，星期六的那次常會就變的形同虛設了。許多常委也意興索然，大家本來就是忙人，出席率就不高了。往往因為人數不足法定，開不成正式的會議。雷案引發的那一天，即是如此。

在討論完事，先經過祕書處準備好的議程之後，主席周至柔先生按例詢問出席的常務委員有沒有其他的提案，亦即臨時動議。這時陶希聖常委及谷正綱常委提出了一個案子，由陶先生以中央宣傳督導小組負責人的身分報告，內容即是雷案。

陶先生報告說我方情報人員，在香港中共的單位中偷取了三封信，雖然寫信人沒有簽名，但是酷似雷先生的字跡，內容是要共方運送武器到台灣給寫信人。

這神祕的三封信，是用毛筆寫的，每一個字都用鋼筆描了邊。

書法上有雙鉤廓填，是摹寫他人書跡的一種技巧。唐太宗在取得王右軍的「蘭亭序」真跡後，命令當時八個善書者去臨摹。其中三位書法家——歐陽詢、虞世南、褚遂良是臨寫，即是一面用眼睛看，一面自己寫的。而另外五位則是用摹寫，即是用雙鉤廓填的技巧去複製下來的，現在還存留下來的馮承素本，亦即世稱的神龍本，就是用這種方法。

雙鉤廓填是先把字跡的邊框描下來，騰寫到另一張紙上，再將墨填進去。這種方法保持了原書者的字形，卻無法顯示出運筆的方法。因為填進去的墨色是一致的，看不出濃淡輕重與內含的筆鋒轉折之處。

用毛筆寫字，因為毛筆是柔軟的，所以運筆各有特點，使得書字者的字跡各有特性。臨摹旁人的書法，字形可以照著描，運筆法則難以神似的。像那三封信是用了毛筆書字，卻用鋼筆描邊，這有兩種可能：一是寫字者要遮蓋其書字的特點，以防旁人識破其身分；二是偽造者要遮去學的不像原書者特點之處。

這正與雙鉤廓填相反，是先用毛筆寫了字，再用鋼筆描邊去遮掩毛筆寫的運筆特點，而雙鉤廓填是先描邊再在中間填墨成字。

當時陶先生將這三封信傳閱一遍，在場者不乏與雷先生相當熟悉者，認得出很像他的字跡，然而一時也無從確定其真偽。

接著黃少谷常務委員發言說，今日只是談話會，法定人數不足，不宜做決議，不如交由下次常會討論本案。

此話合情合理，然而下次常會是在星期三召開，按例由陳誠副總裁擔任主席。這顯然不合乎設計引爆雷案者的想法，因之主席周至柔先生裁決，請陶常務委員及谷常務委員赴總裁官邸報告。

周至柔先生這個裁示有二點重大的影響：

㈠把案子上升到蔣先生親裁的層次，避開了中常會，也使陳誠副總裁沒有插手的機會與餘地。

㈡如果蔣先生是最終審的法官，那麼只有陶先生及谷先生兩位原告在場，而被告雷先生固然不在，連同情雷先生可能替他緩頰的黃先生也不獲邀請。

我認為陶先生等策劃發動雷案的人士是經過精心設計的，他們選擇在那一天發難，就是要：

㈠趁著陳誠副總裁不會出席，以及

㈡利用會與之充分配合，甚至可能是同謀的周至柔先生擔任主席，要趁大家事先沒有準備，以臨時動議的方式在常會中突襲通過拘捕雷先生的案子。

但是他們沒有想到那一天的出席人數不足，只能開談話會，法理上不能作決議案。可是他們不能錯失此一機會，因為中常會只有在星期六那一次是陳誠先生不來參加的。而星期六的常會是中常委輪流擔任主席的，十五位輪下來，錯過那一次，可能要等好幾個月才有下一次的機會。

這也是我判斷籌組新黨一事並非雷案主因的緣故，因為此事並非燃眉之急，雷案的發難者不必霸王硬上弓，迫不及待地在那個週末一定就動手的。

陶先生是法學名家，當然知道談話會不能通過常會的決議案，他們因為不宜錯過周先生擔任主席的這一次常會，所以照著原來的計劃提出了雷案，原先想取得與會者的共識，把案子通過，我判斷是他們沒有預料到平日為人圓融的黃少老會點破此點。但是案子既然提出來了，已打草驚蛇，況且按照少老的主張，改到下一次常會討論，不但讓雷先生與他們的同情者有三天的時間來作補救，而且風聲外傳，也可能會引起雷先生的美國朋友們的干涉的，案情的變化就會更為不可測了。更何況下一次星期三的常會是由陳誠副總裁作主席，案子不一定通得過。

因之，他們只有利用周至柔先生擔任主席的權力，作出由陶先生及谷先生去士林官邸向蔣總裁面報請示的裁決。

這當然不是設計雷案者所樂見的，試想如果還是要蔣先生一人出面，獨自裁決去抓不抓雷震，事先又何需大費周章，由陶先生與谷先生兩人在中常會中提案，提出了那三封信來做畫蛇添足的事情來呢？

這三封匿名信是拿不出來以公之於眾的，在法庭上也難以獲取採證的。它們的功用是要在中常會中間取信於熟悉雷先生字跡的政要們，使大家同意拘捕雷先生。不料因為黃少老點破了出席常委人數不足，不能議決，這三封信的功用也就沒有了，日後再也無人提起了。

當天，也就是那一個星期六晚上，已過了晚飯的時間，谷先生及陶先生到陳誠副總統官邸求見。陳先生顯然已知道他們的來意，傳話已經休息，請兩位在星期一上午到行政院辦公室再見面。兩位拒絕離去，說是剛從士林官邸過來，有總裁口諭，陳先生乃予接見。兩位表示蔣先生下令要拘捕雷震先生，陳先生問他們有手令嗎？兩位表示只是口頭命令，不過以身家性命擔保，絕無假傳命令。陳先生乃當他們的面打電話給時任警備總司令的黃杰將軍，下令抓雷先生。黃先生在電話裏問：「手令呢？」陳先生說：「星期一早上進了辦公室會補辦一個給你。」於是黃先生依令在第二天早上，亦即星期日早上逮捕了雷先生，而震驚中外的雷震案於焉爆發。

我認為黃少老也因為在此次中常會中的發言表態，而被下放出國去擔任駐西班牙大使了。

五、少老是柔中帶剛

由雷案之引爆到警總拘捕雷先生，前後不到二十四小時，而由原來設計的中常會通過改為蔣總裁乾綱獨決，可見國府決策層在此案上並非意見完全一致的。況且以事先並未與少老這樣重量級的中常委打過招呼，我判斷除了周至柔先生、谷正綱先生及陶希聖先生三位之外，其他的中常委事先知情者並不多，因此才會出現人數不足，不能正式開會的窘況。蔣先生既然已經發動了，不能遷延不決，以免夜長夢多而生變化，只有改變計劃，不再經過中常會，而以迅雷不及掩耳的手法在週末就把雷先生抓起來再說。至於後來定雷先生罪的包庇「匪諜」劉子英先生一案，在那一次中常委談話會中根本提都沒有提出來過。而在會中提出來的那三封匿名信，從此無人再談起，數十年來討論雷案的文章雖然很多，卻沒有一篇提起此事來過。

以黃少老的身分地位與閱歷，當然會了解谷先生及陶先生只是檯面上的人物，他們的提案自然背後有蔣先生父子的支持。就是那三封號稱由我方特工在中共手中取回的匿名信，更不會是谷先生及陶先生所能偽造、或所願偽造的了。況且不論他們兩位於公於私與雷先生有多少恩怨，要掀起這樣一個轟動中外的大案，又豈是他們能力之所及者？然而雖然兩位在提案之前並未與少老打過招呼，而在事出突然之時，少老提出來的擋一擋的建議，即使並無二心，只是為了事緩則圓的謀國之忠，可是在蔣先生父子眼中卻成了少老不願意充分配合，私心偏向陳誠先生的表態了。

我認為這是黃少老失去了作為陳先生備胎，而後來由嚴家淦先生取而代之的原因。從蔣先生父子的角度去看，這個父子相傳中間的替代角色，必須百分之一百與他們配合，在蔣老先生過世後，繼任了總統大位，不能有絲毫自作主張的可能。而少老在處理雷案上的表態，即使沒有明確表示反對，而只是要緩辦幾天，也會使得蔣氏父子心生疑慮的。

由雷案去看，黃少老並不是一個唯唯諾諾、滑不溜手的政客，而是柔中有剛，自有其原則的。

在少老外放之前，他的女婿胡伺清先生參預的航空公司，有一架飛行馬祖與台北之間的水上飛機失蹤了。當時坊間盛傳是機員劫機投共，機上有位乘客是時任連江縣長（馬祖）的一位上校。外傳此是少老仕途失利的原因，我想這只是一個藉口。以少老的地位，如果不是失去了蔣先生的信任，這種與他間接又再是間接的事情，是不致於造成他的下台，因而打亂了蔣先生所安排的接班佈局的了。

自從經國先生去世，李登輝先生出任總統，領導國民黨以來，台灣政界競以言行粗魯為炫耀。像兩蔣時代那種行事周密，作風細膩的政治手法已不可再得了。而中國大陸的統治層尚有此風，這是目前兩岸政治方面的一種文化差異。在台灣的海基會董事長辜振甫先生病逝之後，目前台灣政界要找一個能繼承他的位子，能與大陸高層從容周旋的政治人物，真是不易得之。此時此地，回想像張羣先生、黃少谷先生這種國之大老，豈能不感慨係之呢？古人云：「聞鼙鼓而思良將。」兩岸之間的折衝，也是談笑用兵的另一種戰爭，只是在會議桌上的舌戰，非兵戎相見而已。如少老這般的柔中有剛的高才，台灣今日能再找得到一個人嗎？

二〇〇六年六月於北美

周至柔之徒勞無功與嚴家淦之漁翁得利

——兼談閻錫山之軼事四則

一、前言

我在拙作〈黃少谷先生的風範難以再得〉一文中，曾說：「在陳辭公辭職時，與嚴先生角逐閣揆大位的，是時任台灣省主席的周至柔將軍，周下嚴上，甚為曲折，不過這已是題外話了，暫且不提。」

本文的重點在記述與評析嚴家淦先生在一九六三年奉命組閣時，周至柔將軍在台灣政壇上盛極而衰的經過。

圍繞著嚴先生的前後出任行政院長、副總統與總統大位，包括本文在內，我寫了一系列的三篇文章，亦即：

㈠〈陳誠、嚴家淦脫穎而出之經過〉。

此文中有關嚴先生者，重點是記述其獲得提名與當選副總統之經過。

㈡〈黃少谷先生的風範難以再得〉。

主題是在指出嚴先生之得以傳承大位，是因為黃少谷先生之因雷震案，由行政院副院長兼外交部長之職位，被外放為駐西班牙大使，時在一九六〇年。

而本文重點是在記述與評析一九六三年十二月，行政院改組，閣揆一職由嚴家淦出任，而周至柔事先雖然作了多種之努力，終致徒勞無功之經過也。

二、陳誠與周至柔之間的複雜關係

周至柔先生在軍政方面的事業，可分四段：

㈠陸軍：自一九二〇年初入保定軍校第八期與陳誠同學，至北伐後升任軍長為止，周先生都是亦步亦趨，跟著陳誠的仕途前進。每次陳誠升級，都是由周氏接任他所遺留下來的原職，兩人的關係十分密切，而且陳都是周的上司。

㈡空軍：當國府在抗戰前要建設國防，建立空軍之時，先成立了一個航空委員會，以蔣夫人宋美齡為首，周先生則出任委員會之祕書長，是負責實務的第二把手。從此時起，到一九五〇年代中期，周先生在大陸經歷了抗戰及國共內戰，國府遷台之前，已升至三星上將級的空軍總司令，來台後又曾出任四星上將級的參謀總長、國防部長。

在這一段時期內，周、陳兩位分道揚鑣，工作上的關係不大，陳誠將軍也已升至陸軍一級上將。

此處插一句話，周先生長期追隨蔣夫人工作的這一段經

▲省府主席周至柔向總統蔣介石簡報開發計劃

歷，對他的軍政生涯是助力還是阻力，這得要看蔣夫人的勢力在政壇的興衰而定了。周先生及時隱退的早，當時在一九六〇年代中期，此時蔣中正先生的健康猶為不差，因此蔣夫人對周先生來說應當是個助力也。到了蔣老先生晚年，不論在美國或台灣，一時都有一股力量暗中支持蔣夫人分掌蔣先生死後之黨權。此時經國先生乃下重手以剪除蔣夫人之羽翼，整肅了政壇上夫人派的重臣如徐柏園、王正誼等人，此已是本文之題外話，在此暫且不提了。不過由此點去看，周先生及早隱退，是明哲保身之上策也。

㈢政壇：一九五七年至一九六三年十二月，周先生出任台灣省主席。成為政壇的第三號實力人物。此時陳誠先生是副總統兼行政院長，則為政壇之第二號實力人物。因此兩位成為既合作又競爭的工作關係。在一九六二及六三年間，雙方暗鬥甚為劇烈，是周攻陳守的局面，此即本文之重點。

㈣退隱：一九六三年十二月周先生交卸省主席職務後，又連受打擊，乃自引退，杜門不出。從此不論在黨方所任之中常委，或政府方面之國安會國家建設委員會主任委員等職務，周先生都是消極待之，隨班畫卯而已了。

一九六五年陳誠先生去世，周、陳二位四十五年之恩怨情仇的複雜關係乃劃下句點也。

即使在一九六二、六三年間，周先生之居三望二的企圖，也並不是要在陳誠生前全面取而代之，只是在卡位，坐等陳誠過世之後，以成為蔣氏父子間傳承總統大位之過渡人物也。然而以後見之明去看，以經國先生與其繼母蔣夫人之間的複雜關係，他當然不會放心讓周先生扮演這個角色的了。

三、台灣省主席升任行政院長是一個慣例

在九〇年代廢省之前，台灣省主席本來就是台灣政壇的第三號掌有實權的職位。更何況在一九六

〇年代，周先生擔任台灣省主席時，台北及高雄兩市仍是省轄市，還沒有升格成為特別市呢。易言之，在那個時代，行政院與台灣省政府的管轄區只差了金門與馬祖兩個離島群，當時馬祖屬於浙江省政府，金門屬於福建省政府，不過這兩個省政府都是小到外界無人知道的程度罷了。

一九四九年國府遷台前後，在周先生之前的歷任台灣省主席的出路如下：

㈠陳誠：在省主席任上升任行政院長。

㈡俞鴻鈞：在省主席任上升任行政院長。

㈢嚴家淦：因事回任行政院政務委員、財政部長。

其間只有吳國楨先生出走，離開台灣去美國定居，並且在美大力攻擊蔣氏父子，算是例外。因之周先生比照歷任台灣省主席的先例，而有了繼陳誠組閣的願望，並非過分。此為以公言之，至於以私言之，則是蔣氏父子私下給了他許多憧憬。

周氏失勢之後，閉門幽居，避不見客，只有極為少數的私人友好才能見到他，其中一位便是傅朝樞先生。

一九八〇年代傅先生自台灣到香港去創辦《中報》時，吾友胡菊人兄自《明報月刊》總編輯之職務，轉移陣地，去《中報》及《中報月刊》擔任總編輯。我當時已為《明報月刊》寫稿多年，也被胡兄邀請替《中報月刊》寫稿，因之認識了傅先生。

在台灣時，傅先生是律師，又接辦過台中的《台灣日報》，是司法界及新聞界的名人，不過他也是一位頗具爭議性的人物。

先君是學法律的，在一九五〇年代又曾擔任過《中央日報》社長，傅先生應當是他的後輩，以年齡及論資排輩去算，他應該是介於我們父子之間，彼此各差半輩。我們相交往之後，傅先生堅持與我平輩相稱呼，他算是客氣的了。我倆來往了大約十年，因為我在一九八九年初回台長住，而他當時又不見容於國府，回不了台灣，所以就少見面了。

我們兩人都是健談之士，傅先生之見聞極廣，承他賜告了我許多近代史、現代史之祕聞，其中以有關閻錫山與周至柔兩位的為多，容我在寫完周先生之事以後，於本文之末再記其所述之四則閻錫山先生之軼事，甚為有趣也。

周先生在失勢以後告訴傅先生說，他之所以上了蔣氏父子的大當，去擔任打陳之急先鋒，是因為自從遷台以後，至一九六三年，十多年中，凡是只有他們三人在場，並無一個外人的時候，蔣老先生每次都會對經國先生說：「以後你要多向周叔叔學習」，這一類近乎易子而教的話。這使得周先生以為他們父子之間傳總統大位的過渡人物，非己莫屬，而有了坐三望二之心也。

陳誠先生因健康原因辭去行政院長的時候，繼任的嚴先生也曾擔任過台灣省主席，是周先生的前任，這使得上了大當的周先生啞吧吃黃連，有苦說不出了。

周先生在官場上當然是嚴先生的前輩，在一九四九年國府遷台之前，周先生已是空軍上將總司令，如果比照政界，至少是省主席這一階級。而嚴先生只先後做過福建省建設廳長、台灣省交通處長與財政廳長，十多年裏，一直

▶蔣中正、陳誠、周至柔三人合影

在省府的廳處長這一階層打轉。在古今的中國官場中，即使以今日的海峽兩岸去看，省長（省主席）與廳處長這一階之差，實為遠矣。

可是古今的中國官場有一個不成文的規矩，即是先後有序。也就是說當陳誠先生辭去行政院長時，按照慣例，要在曾經擔任過台灣省主席職位，而且還沒有擔任過行政院長者中間去挑選一位繼任者。當時活著的只有四個人，即住在國外的魏道明與吳國楨，以及住在台灣的嚴家淦與周至柔。而吳、魏皆為不宜，只剩下嚴、周兩位。那麼按照官場前後的倫理，蔣先生挑了雖為後輩、卻是先做省主席的嚴先生，是以周先生至少在檯面上也就無話可說了。

四、嚴家淦先生坐收漁翁之利

當時的圈內高層人士們則心知肚明，周先生是受到了排擠，因為：

㈠嚴先生在一九五四年由財政部長出任台灣省主席，仕途本已看好。可是在一九五七年，任期未滿時，因為其屬下的總務科長在省府自台北遷移至台中中興新村時，涉案舞弊，判刑入獄。嚴先生也因而辭職，出任行政院政務委員，過一年回鍋擔任財政部長。

此事可大可小，嚴先生也因此可以被判出局，不得繼任閣揆的了。

㈡更重要的是，陳誠先生健康快速的惡化，是被氣出重病來的。他的身體不好，是有肝病的人，極易動怒，加上他的脾氣本來就很剛硬，就更容易中了激將之計，控制不了脾氣而傷身體了。當時使他常常生氣的原因很多，主要有兩方面。一個是立監國大中的CC派與行政院的對立，時加掣肘。另一個則是他麾下的台籍政界人士老出亂子。在一九六二年中一連爆發了幾起刑案，都牽涉到了陳派的地方首長。其中比較輕微的是謝貫一、謝掙強兩位先生的情形，詳情我已不記得了，大約是或在北投喝花酒、或在旅館中打麻將這種可以辦、可以不辦的有辱官箴的小案子。我認為此兩個近乎吹毛求疵的案子之所以發生，是時任省主席的周先生在拔除陳派的地方首長，因為依法，周先生可以派出省府人員去代理這些因案停職的地方首長，此實有利於周先生日後組閣之佈局也。可是另外兩件案子卻是案情重大的了，即基隆市議長蔡火炮先生的漁船走私案，以及台北市市長黃啟瑞先生涉及中央市場舞弊案，這兩個案子都是情節重大，尤其是黃案的影響深遠，因之使國民黨在應屆台北市長選舉中失利，使得黨外的高玉樹先生得以勝出。上述這四個刑案偵辦起訴的對象都是陳派的台籍地方首長，分別在基隆市、台北市、台中市與高雄市，而且在一年之內接連發生，都是由台灣省保安司令部承辦偵破，時任省主席的周至柔將軍則是在幕後充當了推手。

我不認為在一九六三年蔣經國先生已有實力及地位去挑戰陳誠先生的第二把手的地位。當時蔣中正先生與陳誠先生之間的矛盾，可分通性及特例去看，亦即：

㈠中外古今常見的第一把手與第二把手為了何時該交棒子而起的矛盾。這可以叫作「皇太子」症狀的通例吧。中國史上的明君如唐太宗的玄武門之變、康熙時代的諸皇子爭位皆是一例。而近代史上中共的毛澤東主席之誅殺劉少奇、逼死林彪，皆可作如是觀也。

㈡在一九六〇年蔣氏在《戡亂時期臨時條款》中增加了一條，讓自己可以不受憲法原有總統只能連任兩次之規定，孔子說：「口惠而實不至，怨菑及其身。」此對原本一心以為將要出任第三任總統的陳誠來說，當然是大失所望了。這是前述皇太子症通例之外的蔣、陳二位之間的特例。

易言之，蔣、陳之間的心結，是老蔣先生與陳誠之間的，是因為老先生不肯交出總統大位來而引起的，此時小蔣先生只是其父之代打者，而周先生這個急先鋒，又只是被蔣氏父子利用的工具，是如來佛手中跳來跳去的孫猴子吧了。

大家試想，周先生在一九六二年到一九六三年之間的一年多之中，利用他所掌控的台灣省保安司令部，北起基隆市，南到高雄市，至少一口氣法辦了陳派的四個地方首長，這當然是為了自己組閣去佈局，可真的也把陳誠先生的身體給氣的更壞了。可是到頭來，卻是原本已因案出局的嚴先生得了漁翁之利。而嚴先生在政途上的瑕疵並不為世人所周知，此時蔣先生任用了比周先生更早出任省主席的嚴先生去組閣，合乎政壇排班的原則，因此周先生不但徒勞無功，而且真是有苦說不出了。

五、周至柔之屢受打擊

嚴先生組閣之時，亦即在一九六三年十二月中，周先生已交卸了台灣省主席的職務。他雖已失勢，餘威猶在。外界也不容易察覺到周先生政治行情之已告崩盤，我判斷可能當時一開始周先生也不知道他已面臨鳥盡弓藏的政治滅頂之災難了。

於是他受到了下述三個重大的打擊：

㈠在不久之後的一次中常委選舉時，蔣中正先生忽然宣佈全面自由開放選舉，不再循例有一半為其指定之人選。

結果是十多名常委全體連任，但是名次大不相同。而其中最為顯著的，便是周先生的席次，他在前一屆本是排名第三，此次卻成為掛車尾了。這種在小圈子裏關起門來的選舉，黨方名義上是全面開放，自有可以在私下操縱的餘地。政壇老手的周先生自然是瞎子吃湯圓——心中有數的了，因之他此後再也不去參加中常會了。

有一次在常會散會前，主席蔣中正總裁忽然說：「最近很少見到周常務委員的面。」中央黨部祕書長谷鳳翔先生是周先生的後輩，另請一位夠分量的黨國先進代去周府登門請駕，希望他無論如何總得來開一次常會，以慰總裁之望也。據說周先生告訴那位訪客說：「老兄呀，我們兩個都是在大街上的一塊石頭，擋了別人的路了。自己不搬開，等別人家來搬，就會搞的很難堪了。」

可惜在先君告訴我這個故事的時候，我沒有乘機問清楚那位勸駕者的名字，因為以周先生的說詞去看，此公定必也是當時政壇上的一位重量級人物也。不知此公與周先生當時相比，一顯一隱，兩人進退有別，在日後經國先生主政之時，兩人之榮辱際遇又是如何不同的了呢？

㈡一時坊間流傳許多有關周家的不堪聞問之流言，無中生有地去抹黑周氏父、子、媳等人之名譽。

㈢爆發了李荊蓀先生之冤獄。此案容我在後文中談之，此處只是要先指出來，法辦李荊蓀，是在敲山震虎，去做給周先生看的。

以上所記之三件事，時隔四十多年，詳細的時間及過程已不可復記，這些事前後發生之次序也記不清了，這些只是舉例以說明周先生所受之打擊，使大家能明白他何以會幽居而終也。

至此，經過了這些打擊之後，周先生乃告引退，閉門謝客，從此再也不問世事了。

六、陳誠在台灣歷任之黨政要職

一九四八年一月，陳誠將軍自東北行轅主任職位上退下來，五月在上海開刀割治胃部，十月自上海移居台灣台北草山（陽明山）療養，這是陳先生來台之始。

當時陳將軍身負東北戰敗之重責，一時黨政軍各界都頗有「殺陳誠以謝天下」之呼聲，所以蔣先生把他送到台灣去養病，是在政治上的「避風頭」，讓他躲一躲這場政治風暴。那知道陳先生因禍得福，因為比大家早來了台灣一年多，先馳得點，反而奠定了他日後在台灣的黨政軍一人之下、萬人之上的地位了。

從陳先生於一九四八年底來台，到一九六五年三月五日病逝為止，十六年間，他在台灣歷任的黨政要職如下表：

㈠**國府遷台之前**：

台灣省主席：一九四九年一月五日至同年十二月二十一日。

東南行政長官：當時國府仍據有大陸東南沿海地區，此職位之管區包括此等地區以及台灣省，陳先生在一九四九年七月十九日出任此職，至國府遷台，東南沿海地區易手後，此職位撤銷為止。

▲一九五四年陳誠被提名為副總統候選人，圖為記者會情形。

㈡**國府遷台以後**：

行政院長：第一次組閣，一九五〇年三月一日至一九五四年三月。

副總統：第二屆副總統，一九五四年三月至一九六〇年三月。連任第三屆，至一九六五年三月五日在任上病逝。

行政院長：第二次組閣，一九五八年八月至一九六〇年三月。因總統改選而內閣總辭。在一九六〇年三月蔣中正連任總統後，再度第三次組閣，至一九六三年十二月因病辭職，改由嚴家淦繼任。

稍前台灣省政府改組，周至柔之省主席職位交由黃杰繼任。

由上可知，從一九四九年起到一九六五年陳誠先生逝世，十六年間，他在台灣擔任過一任台灣省主席、一任東南行政長官、三度組閣、兩任副總統，又升任了國民黨的副總裁。

他不但長期掌控政治實權，而且因為在國府遷台以前就來台任職，所以與全台各地的紳士們能及早建立起深厚而且長期的友誼。

這些本來是在日據時代成長的本省籍人士，對中國及國民黨的政情並不熟悉，在與先來台灣的陳誠建立了私人友誼之後，他們怎麼料到日後竟會因此被捲入了遷台後國民黨內的派系鬥爭呢？

今舉高雄市為例。

在日據時代，高雄市的本省人仕紳階層自以全台五大家族之一的陳中和家族為首。因此在光復之初，這個家族的當家兩兄弟：陳啟川及陳啟清兩位先生與陳誠先生就成了莫逆之交。

當時政壇盛傳陳誠先生拜了兩位的母親，即陳太夫人為乾媽，此說實為難以查證。可是在陳誠先生前，每逢陳太夫人過生日時，陳誠先生必會在百忙之中，抽空專程南下去拜壽。這在當時單程就是八小時的火車車程，一來一往，至少要兩個整天，這對身為閣揆者如陳誠先生來說，是並非容易抽出如許時間來的，他可以說是給足了高雄陳家面子了。

當蔣經國先生要在高雄市發展地方關係的時候，只有在新生的社會力量中去培植樁腳，因之造成了王玉雲家族的崛起。

▲蔣經國視察高雄建設，王玉雲（左一）在旁解說

在高雄，陳、王兩家的角力，早期也可以被看成陳派與蔣派的代理人之爭。當時台灣政壇戲稱之為「紳士與流氓」之爭，此雖為誇張而且過分的戲謔之談，卻也可以反映出當年民間對台灣社會上新舊地方勢力之角力的看法，此並非限於高雄一隅也。

七、蔡火炮漁船走私案

下面要談到的是蔡火炮與黃啟瑞兩位先生的案子，便是因為周至柔省主席與陳誠行政院長兩股政治力量較勁而引發的。

我們先談蔡案。

蔡火炮先生當時是基隆市漁會理事長，也長期擔任了基隆市議長，是陳派的要角。他長期利用漁船走私進口一些外國的高級民生日用品，如化妝品、玻璃絲襪、衣料、成衣等，在基隆此已是公開的祕密。

各治安單位對此的態度一向都是睜一隻眼、閉一隻眼，不予細究。而蔡先生的膽子愈來愈大，其私貨上岸的地點，竟然選擇在港警所與海軍軍區之間的碼頭。這兩個單位與之近在咫尺，衛兵在崗哨上都可以看到其走私的活動。

在治安單位動手抓人的那一夜，蔡先生循例把整個基隆地區有權抓走私的各情治單位的首長，一齊請到北投去喝花酒。

以往通常是全體到齊的盛宴，那晚有兩位缺席。就在大家酒酣耳熱、酒色盡歡之時，那兩位缺席的治安單位首長乃各自率員聯合動手去抓貨抓人。不過大家到底與蔡先生是交情深厚的熟人，他們兩位替蔡先生留下了一條活路。

原來基隆市屬於港口要塞地區，是二十四小時戒嚴的，而台北縣市則為宵禁地區，天明以後就不是戒嚴地區了。所以動手抓人者算好時間，等到運送私貨的大卡車通過了麥帥公路上的山洞，離開了基隆市，在天明以後才予以攔捕。因此蔡先生就沒有觸犯了戒嚴法，他的案子就交由地方法院審理，並非由軍事法庭去審理的了，而蔡先生也因之逃過了一次生死大劫，留下了一條性命。

那晚在北投接受蔡先生夜宴的許多住基隆地區的情治單位首長，在案發後一齊被免職。

蔡先生在長期服刑期滿後，東山再起，又當選了基隆市議長，不過這已經是在陳水扁先生主政之時，去一九六二年已為三、四十年之久了。

八、黃啓瑞案之影響極爲巨大

蔡火炮先生的走私案是查有實據的，可是此種並非煙毒的走私行為，只是為了逃稅的經濟犯罪，是可抓可不抓，辦的可大可小的了。

若非捲入了高層的政爭，以蔡先生上下打點之多且深，他用漁船走私已積有年矣，應該不致於使他以議長之尊而身陷羅網，以致全軍覆沒的。此案頂多是辦到以他的一些手下人出來頂罪，讓治安單位對上級有個交代而已，就應該可以過關的了。

比蔡案更為轟動，而且影響極為深遠的黃啟瑞案，事後回顧，我認為黃先生是冤枉的，他是高層權力鬥爭的犧牲品。

容我慢慢道來。

台灣的地方選舉花費甚大，不論當選與否，參選者每每為之財務吃緊。以台灣省議會為例，自光復至廢省，歷屆省議員中，不少人因參政而致破產的。這些地方上的地主們，每選一次就得賣掉一些房屋土地以籌措經費，多年來一選再選，終致無以為繼了。

在參選時，候選人必須多方尋求有力者之出錢出力的支持。在當選後，一般人通常會把屬下的「肥缺」用以酬謝這些大樁腳以為報也，這就使得當選地方首長的人很容易就被捲入弊案之中了。試想這些出錢出力去幫別人抬轎助選的人，貪圖的又是什麼呢？參選人可能為了政治前途在打拚，是著眼於他個人長期的政治事業，而這些抬轎的人又所為何來呢？

黃啟瑞先生在當選了台北市長以後，也按照當時的政壇成規，把市政府屬下的一些職務分派給他的助選功臣們。其中有一位出任台北市中央市場主任的人士，我今已忘其姓名，此人有了中飽私囊之行為，黃市長也就因之受了牽連。

此案在調查期間，已被國民黨地方黨部壓了下去，不料當時保安司令部的一位上校將全案資料交給了《聯合報》，因而乃公諸於世。

一時謠言四起，有說是該上校收了報館的錢，也有說是省府周主席在幕後主使，以打擊陳派要角的黃市長。

黃市長被地檢署起訴之後，依法應予停職。當時台北市還是省轄市，乃由省府指派省府委員周百鍊先生出任代理市長。周先生世居台北萬華區，是一位執業醫生。

黃案的爆發是否為周主席之設謀，固然是難以認定的，可是周代市長在台北市府的一切作為，卻是令人起疑的。

周先生完全是要取黃市長而代之，全力準備自己參加即將來臨的下屆台北市長之改選，在台北市乃全面布樁，片面大幅更動黃市長原先所部署的市府及各區、里的人事。

這當然使陳誠先生及其同派的黃市長都為之心中不快了。

說也巧，就在市長任期屆滿三個多月之前，台北地方法院宣判黃啟瑞先生為無罪。如此則依法黃先生可以申請復職，周先生就應交卸其代理的市長職務。

可是周先生已全力投入下屆市長選舉，如果去職，將會打亂了黨方的佈局，因之此時乃成騎虎難下之勢。國民黨中央遂出面向黃氏疏通，要求他自動放棄復任，並承多次許諾各種職務，包括了曾邀其出任中央黨部副祕書長一職。

原來當時的國民黨中央黨部，設置了中委會祕書長一人，副祕書長三人。此三位副祕書長的分工如下：首席副祕書長例由曾任黨部一級主管者出任，此是真正替祕書長看家的管家婆，此時是由郭驥先生擔任的。另一位則負責黨部與士林官邸之間的聯繫，以求下情上達，以及傳達蔣總裁之指令。此職位例由官邸出身者擔任，當時是那一位，我一時也記不清楚了，不過歷年來曾任此職有周宏濤、秦孝儀等各位先生。至於第三位，則例由台籍人士出任，此為負責黨方與台籍黨外的社會賢達溝通政情之責，包括在此之前的黃啟瑞先生在內，曾出任過此職的歷年來還有陳水逢先生等人。

此時黃先生對黨方為他安排的各種職務都是一概予拒絕，堅決要求依法恢復其市長職務，中央亦只得同意了。

黃先生復任之後，不過三個多月，其市長任期就告屆滿。可是在此短期間內，他全面拔除周代市長所部署的樁腳，弄得雙方成為玉石俱焚之勢。

當時政壇盛傳，高玉樹與黃啟瑞兩位私下結盟，合力擊敗了國民黨提名的周百鍊先生，此事並無確實證據。但是黃先生在回任台北市長之後，全面改易周代市長所派任的區、里長人事，則是市府有案可查之事也。

也就是說，在那一次台北市長選舉中，國民黨並非執政黨，黃啟瑞市長至少是作壁上觀，並沒有出力幫助同為國民黨籍的周百鍊先生也。

因之從此之後，黃啟瑞先生在台灣政壇之銷聲匿跡，也不是無因的了。此是黃先生決心報一箭之仇，為洗刷自己的污名而戰，乃與黨方決裂，他自己選擇的道路也。

關於那一次台北市長選舉，可記之事猶多，然而此非本文之主題，是題外話，暫且不多談，等將來有機會再另寫一文好了。

研究台灣政治史者，會注意到綠軍之勝出，往往是因為藍軍之分裂。

陳水扁先生之崛起，不論是當選台北市長及中華民國總統，都是得力於此現象。世人多以之歸罪於李登輝總統兼黨主席領導國民黨之作風過於強悍，因此造成了藍軍在那兩次選舉中的分裂，而使民進黨坐收漁翁之利。

其實在兩蔣時代，這種因為國民黨內派系鬥爭，而使得黨外在地方選舉中獲勝的史例早已有之。例如此次台北市長選舉，黨外的高玉樹先生之獲勝，即因陳派的黃啟瑞市長之拒絕支持周派的周百鍊先生也。只是在兩蔣時代，這種黨內的鬥爭是暗鬥，而不像在李登輝先生主政時之成為明爭，所以不容易為外人所察覺而已。

高玉樹先生之脫穎而出，對台灣日後的黨外運動之影響極大。黃信介、康寧祥等黨外運動的早期領袖，都是出於高先生的幕中，在高先生擔任市長的時期，他們都是台北市議員。

黃啟瑞與周百鍊兩位的角力，只是陳誠行政院長與周至柔省主席兩位的代理人之爭。而周先生之充任急先鋒去打擊陳派，又只是被兩蔣父子所利用的工具。我相信這些國民黨的高層人士在規劃陳、周之爭時，大概做夢也沒有想到因之所造成的長遠影響。在高玉樹當選台北市長的巨大影響之下，使得黨外運動種下種子，而在四十年後開花結果，竟造成了政黨輪替。

行為科學有蝴蝶效應的理論，此可為其一個例證也。而當時造成此蝴蝶效應的第一人，即周至柔將軍，他不但上了兩蔣父子的當，徒勞而無功，更且也不能預見他所造成了此效應之長遠的影響也。

九、蔣經國先生之兼容並蓄

一九六五年春天，陳誠先生病危，一時各政要紛紛前往探病，周至柔將軍亦在其列。此時周先生在一年三個月前早就交卸了省主席，已經失勢久矣。陳先生在病榻上握住周先生的雙手說：「你真傻，我們兩個是同穿一隻草鞋出身的，沒有了我，那還會有你呢？」陳先生指的是他們兩人少年結交，在保定軍官學校第八期，是睡上下鋪的同學。此真是人之將死，其言也善。兩位自一九二〇年軍校入伍生初相結交起，至此時已有四十五年之久，各自出將入相；陳先生已是陸軍一級上將，而周先生則是空軍一級上將，此時即將一生一死之訣別也。兩人回顧此四十五年之生命歷程，尤其是兩三年前雙方的角力，豈能不深有感慨呢？此時周先生也只有泫然泣下，無言以對陳先生這段既憐且惜的指責了。

我至今還記得傅朝樞先生轉述周先生面告此事時，傅先生那股黯然失色的神情，就好像在模仿周先生當時應有的心境。

傅先生雖未明言，但他一直時常自言與蔣經國先生有仇，我認為他心中應當是同情小蔣先生的政敵如陳、周二位的了。

陳先生過世之夜，亦即一九六五年三月五日，先君時任國民黨中政會副祕書長，參加了中央黨部連夜召開的緊急會議，先君多年後賜告下述二點：

㈠陳先生臨終遺言之一是：「天下不是父子二人的。」

㈡當晚會議中，陳派人士因為辭公英年早逝，他生於一八九八年，歿於一九六五年，享年六十八歲，自不能謂之高壽了。因之大家心中悲憤，乃與其他的與會人士為了悼辭中的兩句文字而大起爭論，一直吵到凌晨四時。《中央日報》預留版面等待黨中央的定稿，幾乎要延遲出報時間了。大家爭執的是那兩句話呢？黨方的原稿中有句曰：「遵照黨的決策，在總裁領導之下，實行三七五減租，耕者有其田。」陳派人士認為當初倡議土地改革之時，包括總裁在內，高層一致反對，是陳先生力排眾議，方得推行。現在土改成功，大家要來分功勞，實為過分，必須刪去「遵照黨的決策，在總裁領導之下」這兩句話，還原史實真相，方可以告慰陳先生在天之靈也。

包括了蔣派在內的其他與會人士卻一致認此為萬萬不可，因為即使在倡議之時，確是陳先生一人之主張，可是終究要通過中常會之決議，以及在總裁領導之下，土改方能全面推行而竟其功也。

最後，陳派讓步，仍以原來之文句定稿也。

此等四十餘年前之往事，所牽涉到的個中高層黨務人物，今已無一人在世了。事後去看，我必須說經國先生對陳派人士確是包容兼收，武將如高魁元等人，文人如徐鼐、謝然之、王民等人，均蒙其重用，他的心胸是寬厚

▲陳誠副總統關心農民，與其夫人、胡適博士下鄉視察。

的。據我所知，只有三位先生未歸入其麾下。其中兩位，即郭驥先生與袁守謙將軍，一文一武，是他們拒絕向經國先生靠攏，而終其生站在核心權力的外緣，以中常委的身分參政，再也未掌實權。郭先生是陳辭公的舊部，久任中央黨部的首席副祕書長。有兩次黨部的祕書長易人，蔣氏父子都利用中政會祕書長來調中委會祕書長的手法把他給擱在一旁了。第一次是谷鳳翔先生繼唐縱先生，第二次則是張寶樹先生繼谷鳳翔先生。而且第二次，即張寶樹先生的升級，斧鑿之痕跡極為明顯。因為在唐縱任內，張先生是郭副祕書長屬下的一個組的組主任，在谷鳳翔由中政會祕書長調任中委會祕書長時，先是由郭澄先生繼之，後來郭澄出任中常委，則改由張先生繼任，此時張先生之名位雖然一時高過於郭氏，可是兩人並無上下級關係，而且郭先生的中委會首席副祕書長是一個有行政實權的職位（Line Position），比張先生這個中政會祕書長之幕僚性質的職位（Staff Position）實權要大的多，郭先生還不一定願意去高就此虛位的。可是第二次的谷去張繼，就使郭、張二位先生的上司與下屬關係一下子顛倒了過來了，此在政治倫理上是極為不妥當的，因之郭先生也只得外調去光復大陸設計委員會做祕書長了。

至於蔣經國先生主政後並未重用的第三個陳派大老，是曾任陳內閣祕書長的陳雪屏先生，這可能是因為蔣中正先生討厭陳雪公，而等到蔣經國先生親政時，雪公又已年紀太大了。又如屬於陳派的葉公超先生，情形與陳雪公也是相似的。可是經國先生對葉先生甚為敬重，也常與之親近往來，雖未在外交上再予起用他，可是在私誼上是甚為念舊的了。

總之，在陳誠先生過世之後，蔣經國先生對陳派人士是兼容並蓄，並不只以派系出身而定親疏敵友的了。

十、李荊蓀案是個天大的冤獄

李荊蓀先生出身於南京中央政校新聞系，在國民黨言，是個根正苗紅的子弟兵。他久在國民黨的文宣系統服務，曾任《中央日報》、《大華晚報》的高級職務。他被捕時是國民黨所屬的中央廣播公司之副總經理，罪名是附匪分子。這對知李先生者來說，真是一個令人難以置信的罪名。

李先生是其同輩中的頂尖才子，他在《大華晚報》上所寫的專欄甚為膾炙人口，極受歡迎。文壇盛傳李先生才高八斗，文思敏捷，一心二用的故事頗多。我所聽到最為奇妙的是先生能一面打麻將，一面寫專欄文章，四圈打完，一篇文章也寫好了，這真是一個匪夷所思的神話。

在嚴上周下的政壇風波之中，雖然發生了如蔡火炮案、黃啟瑞案等大案，我認為以李荊蓀案最為令人為之叫屈。李先生唯一的罪行，是因為他作為周先生的文膽，與之十分親近，因此蔣氏父子用此案以敲山震虎，做給周至柔將軍看，要他知趣引退。

此因陳誠先生既然已辭去行政院長，周先生這個打陳急先鋒也就失去了作用。在此乃鳥盡弓藏之時，周先生一時猶不自知，蔣氏父子乃拘捕周先生的親信文膽李荊蓀先生作為警告也，亂世文人之遭遇如此，真是令人憤怒與為李先生悲哀也。

十一、小記閻錫山先生四則軼事

傳朝樞先生告訴我的近代史祕聞中，除了有關周至柔先生者，以閻錫山先生之軼事為多，今擇取其中四條，以饗讀者。

㈠一九四五年日本投降後，蔣中正先生在重慶發表廣播演說，宣稱對日本人採取「以德報怨」的寬大政策。閻錫山是在山西聽到此演講的，當時正好坐在行進的汽車中。他聞之大怒，沒聽完演說，就下令司機關掉車上的收音機，怒道：「婦人之仁！」

在此順便插一句話，先君亦頗不以為然。他自言後來曾問過其好友陳布雷先生，此講稿是否出於其手筆？陳先生堅決否認。先君認為以蔣先生的中文程度，他自己是寫不出這篇講稿的，而陳布雷先生也不會欺騙先君。因之先君判斷此文應是出於張羣或王世杰兩人之中的一位了。順記於此，以備來者之查考也。

㈡韓戰爆發之初，蔣先生在陽明山召開軍政聯席會議以商討對策，時閻錫山先生雖然已經解除了行政院長的職務，賦閒在家，仍被邀請與會。傅先生時任閻先生的私人祕書，乃隨車赴會。閻先生一人下車進入會場，傅先生則與司機在停車場中坐候。

散會後，閻先生上了車，與之同車下山。閻先生在車上長嘆一口氣對他說：「朝樞呀，我們回不了大陸了。」

原來在會議中，閻先生建議國軍將戰鬥機偽裝，改成中共之號誌，去轟炸攻擊美軍之軍艦，以挑起大戰。只見蔣先生聞言面色大變，連連說道：「胡言亂語，胡言亂語。」

閻先生的解讀是蔣先生已失去了鬥志，只求自保，偏安台灣了。閻先生以打麻將為例，說蔣先生這個大輸家，在北風北最後一把牌時，即使拿到了一副好牌，也不敢去做大牌，去搏一下以求翻本，把輸掉的都一次贏回來，此時蔣先生只求速胡，是要少輸為贏的了。

此為一九五〇年之事，按之後來的台局發展，果然如閻錫山先生之預言也。

㈢西安事變成因之一，是閻錫山在背後鼓動張學良動手的。

大約在一九八〇年代，海外放映了一部大陸拍攝的張學良故事之影片，傅先生與我分別去看了。有一天，他對我說，大陸拍的影片，資料真是完備。他說，閻先生晚年在台北閒居時，曾告訴他一個大祕密。在西安事變前夕，即一九三六年十月底，蔣先生到洛陽歡度五十歲生日，閻錫山及張學良各自從山西太原及陝西西安去洛陽祝壽。他們兩人正好被分派同住在一個小院子裏。有一天晚上兩人在院子裏，月光下散步，張向他大吐苦水，希望他兩人聯手向蔣先生進言，要求蔣先生停止剿共，全國一致抗日。閻說他告訴張，蔣是吃硬不吃軟，去求他是沒有用的，只有給他來硬的，給他一點顏色看看，才能奏效，這不啻是在力勸張學良起來搞兵諫了。傅先生說他本來以為此是天大的祕密，不料那部中共拍攝的電影裏，竟然有此一幕。雖然拍的是兩個穿軍裝者的背影，在月光下一個小院子裏散步，也沒有指明與張談話者的身分，可是那人講的話，竟然就是閻先生的說辭。

在此插一句話，我認為張學良是中了閻錫山的挑撥離間之計。在閻先生搧火之後不過兩個月，就發生了西安事變。當時中央軍要攻擊東北軍，必須通過山西與陝西交界的潼關。此時如果閻錫山起而支持東北軍，替張學良擋住中央軍，那麼張學良就一時無兵臨城下之威脅了。可是閻錫山表面上通電反對張學良，實際上卻按兵不動，坐觀虎鬥，等到事變將要結束之時，閻先生乃派徐永昌上將專機飛西安，要求釋放蔣中正先生，此電影最後一幕，是周恩來先生趕到西安機場去勸阻張學良，要他別隨蔣先生上飛機，晚了一些，只見蔣氏專機已經起飛後，另一架飛機正在下降，此即徐永昌之座機也，只是電影上並未說明。

㈣閻錫山先生臨終遺命，不許他在國外的兩個兒子回台奔喪，時在遷台初期，一九五〇年代。

十二、小結

本文中所提到的幾位主角，如閻錫山、陳誠、周至柔等都曾經是國民黨黨政軍界的重要人物，他們在民國史上各佔有一席之地，但是在晚年臨終之時，心情皆不愉快。

其實蔣中正先生在退居台灣之後，又哪能會是晚境歡愉呢？他所失去的並不只是一生的許多功名事業，更且是青史上的令名，使他成了興廢何其速，及身而敗的悲劇人物。可是現在這一代的台灣政壇人物，本來就沒有那份大家當，反而只要能在此島上有一席之地，就已經顧盼自雄，怡然自得了，他們的心情與前一、兩代者當然大為不同也。

一千多年前，當中國經過了五胡亂華、南北朝的三四百年之久的大分裂之後，隋唐完成了大一統，唐太宗乃命令高士廉重修氏族誌，高氏以北方的崔盧李鄭四姓為首，而以南方的王謝朱張四姓緊接於其後。唐太宗看了，大不滿意，乃將南方的王謝兩姓改列於後面的二十幾名，而朱張則更無論矣。唐太宗乃評之曰：「偏方下國。」

中華民國在退居台灣之後，已自原來的世界五大強國之一而猝降為偏方下國。此是國力使然，其土地、人口等必已大幅縮小，這不是任何一個人的主觀意願所能改變之事實也。蔣氏父子與其同輩對此等強烈之比照，當是有切膚之痛也，其心境當與今人不同矣。

因之從一九四九年以後到今天，台灣這個島上發生的大事，對世界史及中國史來說，不論是當時，或在長遠的將來，其影響皆有限，只能算是個茶壺裏的風波而已了。

可是我們今日對此等前代往事之所以饒感興趣，並不在於其事在歷史中地位之大小，而是因為此乃白頭宮娥言天寶舊事，大家當時作為局外人，不能知其真相，今日如可稍知其中之些許奧妙，能釋多年之稍許迷惑，便是為心中之一大快事也。所以不論其事之為大小，亦仍有一窺真相之趣味也。

唐朝的白居易在杭州做太守（市長）時，每好出遊西湖，與民同樂，常在山水寺廟之間題詩作文以記其時事。與之相差八九百年的明末之倪元璐遊西湖時，作一首七律詩以諷之，有句曰：「野老偶然同一醉，山樓何必更留題。」

我們今日去談數十年前之往事，本來應當也作如是觀，可於笑談中一醉而忘了也。只是鑑往所以知今，我們在觀察分析前一代的政事之時，也可以用為當代台灣政局之借鏡。我在有關嚴先生出任總統之同一系列的三篇文章中，之所以大費唇舌去評析說明嚴先生出任總統之原因及經過，除了使大家能解其祕事，還原真相之外，也是基於先君當年對我寫作政論的重要指導，用此事為範例去說明大家在論古談今時，應有之切入方法也。

先君認為世事可分下述兩類：

㈠理所當然之事：即應該發生而發生了，或不應該發生而沒有發生之事。

此類事再是重大，可予記述，然而勿庸多加分析與評論也。

如果拿蔣中正、嚴家淦、蔣經國三位總統傳承大位之過程一事為例去看，我認為蔣氏父子之間實權之繼承與名位之隔代相傳，皆屬此類也。

㈡事出非常或純為因緣際會之巧合者：此即不應該發生而發生了，或是應該發生卻沒有發生之事。

如以嚴先生登上大位一事去看，此因前有黃少谷先生之外放，後有周至柔將軍之徒勞無功，盛極而衰，兩者相加所造成之事也，而這兩件事與嚴先生的仕途是息息相關的。這三件事都屬此類，因此我乃細加評析，不過是用之為討論史事之範例而已。

其實國家雖有大小，事理則為一也，並無分別。在台灣發生的事情，可以用上述兩種類別去加以區分與評析，那麼在其他地方，不分其國力之大小或強弱，其史事又何嘗不是如此的呢？

今以一九八九年北京的天安門事件為例；在鎮壓之前夕，中共政治局的常委會在鄧小平先生的私宅開會，出席者是五位常委，外加列席的鄧先生與楊尚昆將軍兩人，共有七人在場。

此既然是政治局常委會如此重要的會議，五位常委全員到齊出席是理所當然的事；在鄧宅開會亦是合理，因此鄧先生在場也是必然的。可是那個既非常委又不是東道主的楊尚昆將軍為什麼會到場列席呢？而他雖然在場，卻一來在此會中，自始至終未曾發言，二來又未參加投票，那麼他來了又是幹什麼的呢？

此是本文的題外話，暫且不提，將來大家如果有興趣，我再另寫一文加以討論與評析好了。在此只是要大家想一想，可以各抒己見也。

我在此提起此事的意思是，史事就好像一個大西瓜，乍看上去，是密不透風的，我們要探索內局的真相，就得考慮到如何切入去作分析。而以前述兩類分法去看，即「理所當然」與「事出非常」，我們如果能找出一件事的不合常情，由不合常理之處去切入，只要切的夠細夠深，應當多少可以看出一些此事內部祕不示人之隱情也。

請大家注意到拙作這三篇文章在探討嚴家淦先生之得以登上總統大位一事時，便是用找出「不合常情」之處去作切入點者。順記於此，以為小結也。

二〇〇七年一月於北美

分析一九六三年行政院長陳下嚴上之原因

——陳誠下台是為必然，嚴家淦上台則是偶然

一、前言

㈠本文之宗旨

民國五十二年（一九六三）十二月四日，國民黨中常會通過決議，批准了陳誠先生辭去其行政院長之兼職，改由嚴家淦先生繼任。

這是台灣政治史上的一件大事。兩年後陳先生在第三任副總統任上病故，嚴先生乃在一九六六年繼之出任第四任副總統，並兼任行政院長。又在一九七二年專任第五任副總統，並於一九七五年蔣中正總統逝世時繼任總統。

本文之宗旨在研究一九六三年行政院改組時，陳下嚴上之原因。資料取材於：

1. 蔣中正日記，在本文中所引用而未註明年分者，都是取材於其一九六三年之日記者。
2. 先父的《中央工作日記》，此即目前正在《傳記文學》月刊連載者。
3. 某些前輩的口述資料。
4. 在本文第二章第一節所述者，即遷台初期陳誠先生在國軍陸軍中的實力之相關資料，承吾友周

珞兄提供。周兄是武漢大學創辦人周鯁生先生之令孫，是朋輩中軍事史的專家，其本行則是土木工程專家，容我在此向周兄致謝。

到目前為止，我沒有見到陳誠先生有關此事之資料，如果將來能夠取得，如有必要我將再予參酌更改本文之分析與推論。

因為資料之逐漸解密或問世，許多近代史或現代史之研究必須隨之更新，這是無可奈何之事。舉一個例子來說，因為近五年來蔣中正日記之被公佈，對中國近代史之研究來說，可以說是開了一個新的紀元。

那麼大家為什麼不能等到充分或必要的資料問世之後，才去研究問題呢？這是一個利弊互見之事，等的愈久，所見之資料可能愈多，但是參與其事之見證者則可能死亡殆盡了。

孔子說：「杞宋文獻不足徵。」文是指書面資料，獻則是指耆老故舊。宋人歐陽修寫《新唐書》，引用及參考薛居正的《舊唐書》，以及為數眾多的唐人與五代人之私家著作。史稱歐書一出，諸書俱廢。我們寫作近代與現代史事之人，都是在寫這種可能終究會被廢棄的私家著作，但是將來修史者仍然必須參考某些人的私人著錄，否則數百年後之來者，又怎樣能知道今日之世事？總不能只靠官樣文章的公家檔案文書吧？

本文可分七部分，即：

一、前言

二、蔣中正與陳誠在台灣的悲歡離合

三、陳誠與王雲五在一九六三年內各自兩次辭職之經過

四、國民黨九全大會所造成的蔣、陳決裂

五、副總裁選舉辦法所引起的蔣、陳正面衝突
六、嚴家淦出面組閣之經過
七、感言

㈡緣起

在撰寫拙作〈蔣經國整肅先父阮毅成的經過〉時（發表於《傳記文學》第九十四卷第一、二期），我曾到史丹福大學胡佛研究所，去查閱蔣中正日記，目的是想看一下蔣先生對此事有關的記載。在董世芳收到經國先生指令，率眾去搜索父親在國安會的副祕書長辦公室時，他曾向父親出示蔣中正總統的親筆手令。

須知道情治人員在辦公時間進入總統府搜索，是政治及法制史上的一件大事。因此我認為蔣中正先生應當知道父親的事。可是在查閱了一九六七年十月與十一月的蔣先生日記，他對水泥案、搜查總統府裏國安會的辦公室，以及父親之向他辭去國安會副祕書長一事，都隻字不提，省略掉了。不過我卻意外地發現了一條記載，是蔣先生對嚴家淦（靜波）先生一段極為嚴厲的批評。嚴先生時任副總統兼行政院長，是蔣先生名義上的接班人，政府中排名第二號的人物。今抄錄蔣先生這條日記如下：

一九六七年十一月九日　星期四

靜波在黨在政，皆不知責任，且不知體統，殊難望其有為也。固執疲玩，墨守成規，心無主宰，得過且過者，必難為政也。

我讀了為之大吃一驚，此時歷史學家呂芳上兄正好在場，我就拿給他看，呂兄笑道：「罵他，不

一定不用他。」

過了幾天，我把抄文拿給劉永寧兄看，他說：「說不定這正是重用他的原因。」劉兄的意思說，因為蔣先生覺得嚴先生不足以擔當大任，作為他們父子之間的過渡人物，嚴先生才不會擋住蔣先生的兒子蔣經國先生之承繼大位。

這引起了我的興趣，想要找出來為什麼蔣先生在罷黜其接班人陳誠先生時，會用嚴先生代之而為行政院長，難道真的是像劉兄說的原因嗎？所以我才會去研究「一九六三年陳下嚴上之原因」這個命題。

在仔細閱讀了一九六三年全年的蔣先生日記之後，我的結論是，當時蔣先生是必定要陳誠院長下台的，可是嚴家淦先生的上台則純是偶然之事，是臨時決定的，並不是蔣中正先生久有此意。這簡直是一個令人不能相信的事情，如此重大之人事任命，怎麼會是幾近兒戲，有點像俗語說的「無魚，蝦也好」。且聽我細細道來，詳加分析可也。

㈢陳下嚴上大出情理之外

在一九七〇年代我在國外寫作政論時，父親住在國內，他在讀到我的文章之後，從未對我的作品，或我所評論的個案，表示過臧否的意見。但是父親曾指導我研究政治或歷史的原則，他說世事可分成四種，此即

1. 應該發生而發生了的。
2. 應該發生而沒有發生了的。
3. 不應該發生而發生了的。
4. 不應該發生而沒有發生了的。

其中第一種及第四種都是合乎情理的，事屬必然或尋常，不須多費心力於其間。至於第二種及第三種則是不合情理之事，乃是事出非常，值得研究。

今容我以一九六三年之內閣改組為例，當時陳誠先生久已坐二望一，他從一九四九年國府遷台以後，在十三年內兩任副總統、三任行政院長、兩任國民黨副總裁，此時他當然是蔣中正先生的接班人。那麼他之失去行政院長兼職，就是一個「不應該發生而發生了」的事情。

嚴家淦先生之出任行政院長，在當時的政壇是一匹黑馬，大出眾人意料之外。不說別的，嚴先生是在那一年十二月四日被任命的，可是在此十多天之前，即十一月二十三日國民黨九全大會閉幕時召開的一中全會裏，所選出的十五位新任中常委裏面，竟然沒有他的名字。如果說蔣先生腹稿中嚴先生是新任行政院長的人選，怎麼會沒把他列入中常委名單之中呢？如果是因為名額不夠，排不進去，還勉強可以有話說。可是在九全大會裏雖然修改了規則，把中常委總額從原有的十五位增到十九位。然而在一中全會裏，蔣先生只提出了十五位。而且這一次並沒有如以往之交由中委們圈選，而是全數由蔣先生指定任命的，也就是說有四個空額。因之嚴家淦先生既然沒有獲選為被指定的十五名中常委之一，此足可證明在十二月四日之前的十天，他還不是蔣先生心目中的新任行政院長人選也。

更且如下文可知，從一月一日起到十二月初為止，嚴家淦先生的名字從來沒有一次出現在一九六三年蔣中正先生的日記中。蔣先生第一次提到他，便是要他做行政院長，而且連著三天把他的名字都錯寫成了「嚴金波」（嚴靜波）。

蔣先生在日記中是有時會把別人姓名寫錯的，尤其是「王」與「黃」，那是因為我們江浙口音中「王」「黃」、「胡」「吳」不分，例如黃少谷與黃啟瑞，蔣先生都曾寫成了「王」少谷與「王」啟瑞。

嚴靜波與嚴「金」波之筆誤，也可能是因為在蔣先生奉化鄉音中這兩個字聲音相近。不過由此亦可見蔣先生與嚴先生並不太熟也。

凡此種種，顯示嚴先生在一九六三年十二月之奉命出任行政院長，純然是蔣先生臨時起意的想法。

嚴先生的仕途，在一九五〇年以前，只是省級的廳處長官員。自一九五〇到一九六三年，先生除了短期出任台灣省主席之外（一九五五至五七年），則長期擔任行政院部長級職位，因之他的脫穎而出，是始自他之出任行政院長。

㈣張羣臨時推薦嚴家淦以自代

由蔣中正日記去看，一九六三年十二月陳誠之辭去行政院長一事，經過甚為曲折離奇，並且在過程中有下列令人大出意外之事，即：

1. 陳誠初步表示辭意，是在六月初，可是一直拖到十一月二十三日，國民黨九中全會閉幕後，他寫了第二封辭職信給蔣先生，才造成事實。

2. 從六月到十月，蔣先生在日記中從未考慮過內閣改組之事。這是因為從一月起到九月中旬，蔣先生全心全意在籌劃軍事上之反攻大陸，無暇顧及國內之政局發展，只想以安定為重。到了九月中旬，時任國防部副部長的經國先生訪問美國，與甘迺迪總統在白宮密談之後，帶回來美國明確反對國府反攻大陸之舉的消息，蔣先生才死了心，回過頭來注意到內閣改組之事。

3. 蔣與陳之決裂是為了在十一月裏召開的國民黨九次全國代表大會中之爭執，詳見後文。

4. 蔣經國主張慰留陳誠，反而是蔣中正堅持讓陳誠走人。

5. 其間推波助瀾使蔣先生下此決心的是時任總統府祕書長的張羣先生。

6.嚴家淦先生之繼任行政院長，是臨時起意的急就之章。

以上是我閱讀蔣先生一九六三年日記之心得，以下則是由此再加上其他資料所得者，即：

1.嚴家淦先生之出線，是由張羣臨時向蔣先生推薦的。

2.在定案之前，當時躍躍欲試，有主觀意願想出面組閣的有下列三位：

⑴時任總統府祕書長的張羣。

⑵時任行政院副院長的王雲五。

⑶不久前剛卸任台灣省主席的周至柔。

在此三人中，周至柔的名字在一九六三年的蔣先生日記中很少出現過，當為早已出局。只是周先生自己並不知道，在省主席任內他還是替兩蔣父子去鬥爭陳誠的。（請見拙文〈周至柔之徒勞無功與嚴家淦之漁翁得利〉）

王雲五則一度被蔣先生考慮過，詳見後文。

至於張岳公，他是蔣先生有關行政院改組事宜唯一的徵詢對象，我判斷他本來應該是新閣揆的首選，只是他運氣不好，正好遇上了日本池田首相的親中外交，加上發生了周鴻慶案，而岳公在處理日本大野特使來台一事上大拂蔣先生之心意，因之落選了。

也就是說張羣之組閣，是一個應該發生而沒有發生之事。張先生乃作次佳選擇，推薦嚴先生以自代了。此使得嚴先生之組閣，成了不應該發生而發生之事了。

二、蔣中正與陳誠在台灣的悲歡離合

㈠遷台初期到一九六〇年代陳誠在陸軍中力量之變化

陳誠將軍在大陸的部隊，世稱土木系，其王牌部隊是由第十一師（即合成土字）擴編而成之第十八軍（合成木字）。在內戰時期，第十八軍又擴編成第十二兵團，隨後在一九四九年初的徐蚌會戰（即淮海戰役）結束時覆滅於雙堆集。

此時陳系之大將方天將軍擔任江西省主席，十二兵團副司令官胡璉將軍在雙堆集突圍後，奉蔣先生之命去江西招募新軍，重新編訓而成立了第十八軍及第十九軍，這也是稍後撤退到金門造成了古寧頭大捷的主力部隊。

一九四九年國府遷台時，以番號去計算，陸軍一共撤來了十二個軍，其中的派系分屬如下列：

1. 何應欽系兩個軍（五及五十二）。

2. 孫立人系一個軍（八十）。

3. 青年軍系一個軍（八十七）。

4. 東北軍系一個軍（九十六）。

5. 陳誠系七個軍（六、十八、十九、五十、五十四、六十七、七十五）。

不過這些多為敗軍，戰鬥力並不完整，其中較強的是何系的五十二軍（軍長劉玉章）與陳系的五十四軍（軍長闕漢騫）。

此後國府整治軍隊，共分兩大步驟，即：

1. 在一九五四年至五七年，將上述十二個軍縮編成六個軍，陳系則由七個軍改編成三個軍，即佔了一半，其中被裁撤的四個軍為六、十八、十九與五十四。此外何系的五軍亦被裁撤。所謂裁撤是取消了軍級與師級之番號與編制，而將團營級之單位併入存活的各軍師之中。

請注意此時把陳系戰力較強的五十四軍給裁撤掉，打散編入其他戰力較弱的部隊中，用心良苦，亦為不合情理之事也。

此時剩下的六個軍之番號如下，其中的第八軍（由原五十二軍改成），最值得注意，此即俗稱的台北軍，負責防衛首都。

第一軍（由陳系之五十軍改成）。

第二軍（由陳系之六十七軍改成）。

第九軍（由陳系之七十五軍改成）。

此外三個軍則為：

第八軍（由原何系之五十二軍改成）。

第三軍（由原青年軍系之八十七軍改成）。

第十軍（由原孫立人系之八十軍改成）。

因此在一九五〇年代中期，陳誠升任副總統時，他在陸軍還擁有了二分之一的實力。

2. 國府第二波的改變軍制，發生在一九六〇年代初期。此因接受美援，乃改用美軍制度。即以師級為作戰單位，軍級之防區固定，其屬下之師級單位則因任務需要而作機動調整。如此則軍與師之關係並非固定，各師在各軍之間調來調去，軍中山頭乃被打破。再加上軍官的任期制度，以及政工之監軍，此使各軍頭（包括陳誠在內）都失去了控制自己嫡系部隊之能力，國軍乃成為徹底的國有化了。

㈡遷台前夕蔣陳之間的一個心結

由以上可知，在遷台之初，陳誠將軍在陸軍中的實力雄厚，在十二個軍中他竟控制了七個軍。其實因為陳將軍在內戰時期即已先到台灣，後又主持台省政務，因之先馳得點，一時是頗有可能據地自雄的局面。

▲長期以來，陳誠為蔣中正左右手。

在大陸時期，陳誠有左右兩臂之戰將，即胡璉與方天兩位將軍。一九四九年國府遷台之前，方將軍已出任江西省主席，其官位猶在胡將軍之上。可是來台後，胡將軍在金門立下兩次戰功，即古寧頭大捷與八二三金門砲戰，名揚中外。然而方將軍始終投閒置散，終生未得重用，為什麼呢？

台北政壇多年來流傳一個故事，此或與方將軍之長才未得見用有關，也是蔣先生遷台前夕與陳誠先生的一個大心結，順記於此。

即在一九四九年國府將遷台前不久，有一次蔣中正先生在舟山群島致電駐節台灣的陳誠將軍，說他即將赴台，陳將軍居然沒有回電表示歡迎，反而是默不表態。據說這是方天將軍向陳誠所作的建議，因之此後他就終生不被蔣先生重用了。

關於此事，還有下述兩個小故事可記。

蔣先生那次是乘海軍太康艦到高雄的左營軍港，當時在台灣南部的兩個將領前往迎接，即時在鳳山的陸軍訓練司令孫立人中將，以及在台北的台灣防禦副總司令彭孟緝中將。

此時南台灣的駐軍為孫立人系的唐守治軍（八十軍），而北台灣則由陳系的一個軍駐守。因此蔣先生在沒有得到陳誠將軍的回電後，不就近飛往台北，而改去左營，當是以策安全的了。

在座車中，蔣先生問孫、彭兩位將軍說：「我這次來，安全有沒有問題？」

孫中將說：「有我們兩個在，還會有什麼問題。」

彭中將接著說：「以校長您的德望，怎麼會有問題。」

孫將軍採取的是西方人的說法，而彭將軍則為東方人的說法。

他們兩位此時的不同心態，多少也可以用為後來兩位將軍仕途一榮一枯之背景參考也。

這是一個比較為世人所知的小故事。

下面的另一則小故事，是張佛千世伯在一九九〇年代告訴我的，則從未公之於世。

張先生時任孫立人將軍司令部的政工部副主任兼新聞處處長，少將官階，政工部主任則為蔣堅忍中將。

張先生說孫將軍回到鳳山以後，津津得意地告訴他說，在轎車後座，蔣先生坐在中間，彭孟緝與孫將軍則分坐兩旁，三人並排坐著。因為彭將軍體肥，把蔣先生擠了過來，此時體格清瘦的孫將軍之座位雖然距離車門尚有空間，可是他拒絕移身退讓，反而用力把蔣先生頂了回去。孫將軍說：

「三個人並排坐著，每個人應該佔有三分之一的座位，憑什麼要我退讓？應該是彭孟緝側過身子去坐著，免得他把蔣先生擠到我這邊來。」

張先生告訴我此事時，已是在事隔四十多年之久的一九九〇年代，他長嘆一口氣說：

「孫立人不但不退讓，而是事後還洋洋自得，自以為有理。這種個性，怎麼會不得罪人呢！」

張佛老另外告訴我一個有關孫立人將軍的故事，順此記之，也可以由此看出孫將軍個性之高傲處也。

佛老說，有一次蔣夫人來鳳山參觀，孫將軍陪著蔣夫人在操場裏散步，佛老及一大批將校們跟隨在後。只聽到他們兩位用英語交談，狀甚愉快，而後面跟隨者卻是鴨子聽雷，聽不懂他們說的英語。

等到蔣夫人離去以後，佛老借了個機會向孫立人將軍進言，勸他以後還是說中文為宜，以免大家聽不懂而心生不快。

那知道孫將軍大不以為然說：

「夫人用英語對我說話，她知道我會說英語，如果我不用英語回答她，是對她不禮貌的了。」

佛老在告訴我這個故事時，苦笑著說：

「他仍然可以用中文的，夫人是聽的懂中文的呀！」

㈢「五二四事件」使陳誠成為蔣中正的接班人

一九五〇年，陳誠先生由台灣省主席升任行政院長，一九五四年當選副總統，乃辭去行政院長，改由時任台灣省主席的俞鴻鈞先生出面組閣。

此時陳先生實為明升暗降，專任備位的副總統，大權旁落。

一九五七年五月二十四日，台北發生了群眾衝擊台北市警察局、美國大使館及其他美方駐台機構之暴動事件，史稱「五二四事件」，俞內閣因此總辭，由陳副總統兼任行政院長，東山再起，第二度組閣。

▲孫立人將軍向蔣總統伉儷報告戴斗笠的新軍訓練情形。

周宏濤先生晚年發表的口述回憶錄《蔣公與我》，對「五二四事件」頗有著墨，其重點如下述：

1.此次暴動之幕後策劃者是蔣經國先生。

2.蔣中正先生因此認為經國先生還不足以擔當大任，隨後乃拔擢陳誠先生出任國民黨之副總裁，因而確定了他作為蔣先生接班人的地位。

3.因為中華民國憲法明文規定，總統得連任一次，亦即在一九六〇年蔣先生第二任總統任滿時，不能再做第三任，此時理應由陳先生繼任。所以陳先生在周先生面前曾說，蔣先生何不仿效中共的毛澤東之專任黨主席，把國家主席讓給劉少奇去擔任。

周宏濤先生敘述此事時說，當時有四人在場，即陳、周、黃少谷與另一人。按黃少谷當時為陳院長的副手，即行政院副院長，周先生則為閣員。陳誠先生此舉實為大膽，因為周先生是蔣中正總統的心腹，他隸籍浙江奉化溪口鎮，是蔣先生的小同鄉。他的祖父是蔣先生的小學老師，而周先生本人則由蔣先生培養成材，曾經長期在蔣先生的官邸任職。那麼陳先生這次開玩笑式的放話，不啻是要借周先生的口，去轉述給蔣中正先生聽的了。周先生說，陳先生說完後，在場四人一齊放聲大笑。

拙作〈教育部長梅上張下之經過——兼述蔣中正與陳誠為此事攤牌之祕會〉，亦曾引用陶希聖先生與葉公超先生分別告訴父親的兩個故事，以證明蔣經國先生是此次暴動的幕後策劃者，此即：

1.國防部總政治部在事先下令，把台北市僅有的兩個衛戍師同時調到新店去作渡河演習。

2.美國人依據監視器之照相，證明「暴徒」中有群人有組織地搜取及翻閱美方之文件，足證此為我方特工之行為。

按經國先生是前任總政治主任，也是我方之特工首腦。

總之，一九五八年的「五二四事件」，是造成陳誠先生取得蔣先生接班人地位的關鍵。

㈣歷史上國民黨副總裁只有過兩個人——汪精衛與陳誠

中國國民黨在孫中山先生晚年，是由他一個人以總理身分去領導全黨的。

在北伐前孫先生去世後，國民黨即改為集體領導制，其最高之權力機構是「中央政治會議」。到一九三八年改為總裁制之前，是由汪精衛先生長期擔任此會之主席，也就是說多年來汪先生是國民黨名義上的領導人。

蔣中正先生則長期擔任國民政府的軍事委員會委員長，掌握了軍權。

自清末的革命時代起，到一九二七年的北伐之前，國民黨一直是黨領導槍，因之文人身分的孫中山先生是黨的領袖，而自革命元勳黃興以下的各級軍人並沒有掌握過黨權。

北伐成功之後，黨內各派閥的軍頭紛起內爭，粵、湘、桂、晉與東北、西北軍等派系先後對「中央」的蔣中正挑戰，到了一九三六年十二月的西安事變之後，總算干戈稍息，可是不久即發生了一九三七年的七七事變，展開了全面抗戰。

也就是說在北伐之後，雖然槍桿子的政治力量上漲，可是因為軍權並未歸於一尊，各派軍頭分別要拉攏黨內的文人政客，所以國民黨乃能維持了十三年的集體領導制度。

在抗戰第二年，因為戰時的需要，槍桿子乃壓倒了筆桿子，槍乃指揮黨，因此一九三八年四月由蔣中正先生出面領導，在武漢召開的那一次臨時全國代表大會中，國民黨乃改採領袖式的總裁制，中止了從孫總理逝世後已實行了十三年的集體領導制，而把黨權定於一尊。由蔣先生出任總裁，汪精衛先生則任副總裁。

當時汪先生堅決拒絕出任副總裁，他不要屈居蔣先生之下，而在選舉前汪先生已得到蔣先生面允的了。四月一日選舉總裁與副總裁那天的黨代表大會中，蔣先生本人迴避，沒有出席，由汪先生擔任大會主席。而先父則以汪先生的「特務祕書」（即今之機要祕書）之身分，陪同他坐在主席台上，此即台上只坐了他們兩人。

此時台下坐在第一排的吳稚暉先生提案，把「推舉蔣中正同志為總裁、汪兆銘（精衛）同志為副總裁」併成一案提出，全場千餘人隨即起立鼓掌，歡聲雷動，一致通過。

汪先生在主席台上也只得起立鼓掌，他如果表示反對之意，就變成了他反對蔣先生做總裁，而不是他自己不要做副總裁了。

這明明是蔣先生食言而肥，把汪先生鴨子硬上架，逼他出任副總裁的了。

父親站在汪先生的側旁後面約一步的距離，他在晚年告訴我說，當時汪先生的臉色鐵青，極為難看。

《陳布雷回憶錄》說汪的臉色不太自然，《張發奎回憶錄》說汪先生兩眼浮露淚光。張將軍是擁汪先生的，在台下鼓掌的他，誤以為汪先生能位在一人之下，萬人之上，喜極而感動中流淚。殊不知汪先生是因為受了蔣先生的戲弄與侮辱，羞憤至極的含淚也。

父親認為汪先生在此事之後幾個月即出走，與蔣先生決裂，分道揚鑣去和日本人組織南京「偽政權」，應當與此事有關也。

汪出走後不久，國民黨乃開會決議將其驅逐出黨，他的副總裁職位也就隨之失去了。

從一九三八年汪先生在武漢曾短暫地出任國民黨副總裁起，到一九五〇年代陳誠先生在台灣出任此職為止，二十年來國民黨的副總裁一職始終是空懸著的，再也沒有旁人擔任過。

我在此之所以要敘述汪精衛先生在一九三八年出任國民黨副總裁之經過，便是要請讀者明白，在後文敘述中，陳誠之所以會與蔣中正先生為了新增添的「副總裁選舉辦法」而翻臉，大起爭執的原故，便是在這新方法中，要陳誠先選中委，再選副總裁，並不是黨史上的慣例，此容我在後文中再加評析也。

㈤蔣中正連任第三任總統所造成的巨大影響

陳誠先生自北伐起，一直是蔣中正先生的愛將。蔣先生對他欣賞之至，甚至替他向革命元勳譚延闓先生家作伐，娶了譚家的小姐為妻。

這不論從門第或個人聲望來說，陳先生此時都是高攀的。譚家在清朝出了兩代總督，第三代的譚先生本人以滿清進士之身分而投身革命，在民國曾開府湖南，後官至國府主席。

當時陳先生則是一位軍長，保定軍校的畢業生，與譚府相比較，自然遜色多矣。這也是蔣先生對他麾下將領中唯一如此推愛的例子，之後數十年中，再也沒有類似的情形發生過的了，以上是於私的方面。至於在公的方面，從一九五〇年到雙方決裂的一九六三年冬天，陳先生兩任副總統，三度組閣，又出任了國民黨史上第二個副總裁，填補了二十多年的真空。那麼蔣先生待之不能謂之不為深厚的了，可是為什麼在一九六三年行政院改組時，由後文所引蔣先生日記去看，蔣先生竟然非要解除陳誠的行政院長職務而後快呢？

我認為雙方友好關係的結束，其關鍵是在一九六〇年蔣先生利用修改臨時條款，凍結了憲法對總統連選得連任一次的限制，「違憲」而出任了第三任總統，以致陳先生大失所望所引起的後果。此即孔子所說的：「口惠而實不至，怨菑及其身。」

我已步入老年，能充分了解老年人的心態。

一九六〇年時蔣先生已經七十四歲，他有戀棧之心，不肯交棒，是老人家常有之事，古今中外皆然，而且也並非限於黨政軍界，連商界及教育界亦然。人到老了只相信自己的家人如兒女、妻子，甚至情婦，而不信任外人，也是常情。

蔣、陳之間為了交棒而起心結，我稱此為「皇太子情結」。是第一把手與第二把手之間因為結構性角色而起的衝突，在西方的管理學中稱之"Conflict of the Organizational Role"，此與個人無關，是舉世皆為如此者，也就是說換了另外兩個人，也容易大起衝突的。

在蔣、陳之間使雙方關係變得比常人更為僵化的，是他們兩位都是脾氣剛強的軍人，而且氣度都不寬宏。由蔣中正日記去看，他常常批評陳誠「氣量偏狹」。其實在我看來，蔣先生也有這個毛病。本來在他們之間，有了個性圓融的張羣先生可充作調人，去作這兩塊鋼鐵之間的潤滑劑，但是在一九六三年行政院長易人這事上，我認為張先生或許自己也有問鼎之意，因此張岳公就難以在他們兩位之間去做個公正的調人了。

以本文所錄之蔣中正日記有關此事之記載去看，張羣先生告訴蔣先生的陳誠先生之言行，都是負面的。此不但不能調停二人之心結，反而火上加油，使得蔣先生更為決心去陳而後快了。

出人意料的反而是蔣經國先生，在此關鍵時刻，出面力挺陳誠，請見後文。

蔣與陳兩人之心結，固然是起因於蔣先生之出人意外地連任第三任總統，「口惠而實不至」，使得陳先生坐二而不能望一。此乃蔣先生不肯交棒，是事非得已的。可是我認為蔣先生在處理此事的過程中，對陳先生的態度亦有可議之處，今舉兩則：

1. 蔣先生通知陳先生他自己要連任第三任總統，是採取下面的方式，即在一對一的情形下，他當面告訴陳先生說：「下一任行政院長仍是由你兼任。」

2. 他要陳先生負責出面安排佈置他自己連任的事宜。

這對陳先生來說，都是不夠尊重與體諒的舉動。我認為蔣先生在此事方面，對陳先生的態度如果不同，或能有助於改善雙方的關係。

總之，蔣先生之破格連任第三任總統，是造成陳先生與他之間關係破裂的起點。在一九六〇到六三年之間，兩人間的分歧日益加深。到了一九六三年十一月的國民黨九全大會，終於成為兩位當面爭吵與衝突，因而使得陳誠先生必然得要辭去行政院長的兼職了。

也就是說從一九四九年到一九六三年底，在台灣的蔣、陳關係終於由合家歡而走上分離的道路了，此即二位在台灣悲歡離合經過之大要也。

在一九六三年十二月辭去行政院長之後，陳誠先生與蔣家的關係一直不太愉快，因為此非本文之主題，我在此只點到為止，舉例如下：

1. 陳家的侍衛與僕從，原來都是陳先生自己挑選的浙江青田同鄉，此後全都被蔣先生改派其官邸系統的奉化人去擔任了。

2. 政壇盛傳一個流言，說專任副總統之後，陳先生看不到公文，乃向張岳公抱怨自己是無所事事。蔣先生聽到此言後，對岳公說：「你去告訴他，等我死了，都交給他看好了。」

3. 一九六五年辭公去世之時，遺言之一是「天下不是父子二人的」。

4. 辭公過世後，陳家拒絕繼續住在位於信義路口的副總統官邸裏，要搬出去租民宅住，此使蔣家大為尷尬。後來由大同公司的林挺生先生捐贈一塊土地，陳家出錢蓋了今天仁愛路上的一棟住宅。因為陳家拒絕接受土地，所以這塊土地乃就近登記在對街的空軍總部名下，成了國有土地。

凡此種種，已是題外話，不再多寫，就此打住。

三、陳誠與王雲五在一九六三年內各自兩次辭職之經過

㈠一九六三年上半年蔣、陳關係已有隔閡

細讀蔣中正先生的日記，在一九六三年中，自一月一日起，到九月下旬蔣經國先生訪美回台，蔣先生一直在忙著整軍經武，全心全意在準備反攻大陸，其日記中通篇累牘談的多為此事。其間美國駐台官員則大為反對蔣先生準備軍事反攻之舉，蔣先生乃在九月五日派遣時任國防部副部長的經國先生去美國華府，在白宮與甘迺迪總統面商此事。而在九月十九日經國先生回台面報，帶來了美方明確反對國府動兵之意，蔣先生才死了心，停止相關的活動，把注意力移轉到國內的政局發展方面。

在此九個多月的備戰其間，軍人出身的百戰名將陳誠先生，身為國民黨副總裁、政府的副總統兼行政院長，卻絲毫沒有參預此事。

陳先生在此期間唯一有關軍事的任務，竟是在六月二十日的第十屆軍事會議中，奉蔣先生之命發表了一篇他對戰史研究的報告，是有關「江西五次圍剿成功之因果」者，這真是一件令人覺得非常奇怪的事情。

我手上沒有相關此事的資料，我判斷情形大致如下，即：

1.陳先生是當家的行政院長，必須量入為出，不會贊成把大量的人力、物力、財力去用在渺茫的計劃反攻大陸之空想中。

2.如果陳先生是個文人，蔣先生容或將他這個行政院長納入準備反攻計劃的智囊團中。可是陳先生是個作戰經驗豐富的軍人，在擬定反攻作戰計劃時可能有他自己的看法，屆時反而礙事了。也就是

說，一支軍隊不能同時有兩個統帥。

3.陳先生至此已三度擔任了行政院長，加起來有十年之久，當然深知美方的態度是堅決反對此舉的。因之他知道蔣先生這次總歸又會是白忙一場，他也樂得置身事外，專心於治國的日常事務了。

總之，在一九六三年一月到十月，蔣先生忙於準備反攻時，陳先生這位排名第二的人物在蔣先生日記中是甚少露面的。而稍有提及處，蔣先生多是在指陳先生健康不佳，須要休養。而且陳先生在政治上的一些大動作，例如明言要辭去行政院長一職，蔣先生都是用「聞辭修……」的語句，此示他們兩位之間已缺少當面溝通的了。

因為在七、八、九三個月中，陳先生是在請病假中，所以我以四、五、六三個月中雙方往來的紀錄去作分析。

今以蔣先生日記之記載為憑如下：

1.四月十六日日記：

與辭修談二次，總覺其胸襟太狹，成見太深，說話重複，言行不一之病，頗足憂慮。

2.四月二十日（星期六）日記：

九時半主持中央常會，辭修對曉峰主觀與偏見太深，時作無意義之爭辯，其胸襟狹小，令人憂悶不置。

3.五月十三日日記：

上午主持軍事會報後，與辭修談對日借款問題，辭修以旱災嚴重為憂。觀其情緒與言行，又不安寧，勸其移地休養為要。

4.五月十八日（星期六）之上星期反省錄：

六、辭修多言無序，余催其速作效〔郊〕外休養。

5.六月十二日日記：

上午……入府與岳軍商談時局與辭修情緒之褊急憤忿不安，近狀可慮。

6.六月十三日（星期四）日記：

聞辭修在其政務會議指示各部準備六月底辭職交代之議案，頗感嘆如此褊急狹小，毫無容忍之心情，何以能領導黨政軍民復國治國耶？

7.六月十四日日記：

上午入府……與岳軍談辭修病態，無以慰藉為歉。

8.六月十六日（星期日）日記：

一、約辭修談話。

9.六月十七日（星期一）日記：

上午召見乃建，聽取黨務與辭修之言行。

下面三條記載是與陳誠先生在軍事會議上所作有關「江西剿匪」戰史的報告者，也是蔣先生這段時期的日記中比較少見的對陳先生正面肯定的紀錄。

10.六月十八日（星期二）日記：

辭修所謂立不敗之地，策必勝之謀，存戒慎之心，犯難之舉，「行冒險之實」，此最後一語，似有誤也。

11.六月二十日日記：（仁按：此時在第十屆軍事會議期間）

辭修報告江西五次圍剿經過要領，以及政略大要，甚為重要，彼之神情近似轉佳矣。

12.上星期反省錄欄：

一、乙、辭修報告其在江西五次圍剿成功之因果，亦有重大效益，彼之神態，近日且已轉佳矣。

13.本星期預定工作課目欄：

2.辭修准假一月休養。

14. 六月二十日（星期一）日記：

脯（晡），見岳軍，聞辭修心神又不正常，表示決心辭職云，不勝憂慮。

15. 六月二十六日日記：

回廬，寫辭修函，慰留其辭職也。

16. 六月二十七日（星期四）日記：

聞辭修在其院會正式宣佈辭職，發表公報。……

晚，訪辭修病。

17. 上星期反省錄欄：

二、辭修身心皆病，尤其心神不定，急燥（躁）不耐之情緒，甚是害事，故准假一月休養也。

㈡前述蔣先生對陳先生的批評可是屬實？

在前述記載中可知，從一九六三年四月十六日到六月底，大約三個月之間，蔣先生日記中提到陳誠先生處共有十七條，此外另有一條是談到葉公超先生的，今在此暫不錄示。今將前述十七條分類統計如下：

▲一九六三年後蔣中正總覺陳誠胸襟太狹，成見太深。

1.與陳先生單獨面對面談話者：共有四條，即1.、3.、8.、16.條。

2.在大型會議中與陳先生同席後才與之談話者：共有兩條即第2.、11.條。

3.與第三者談及陳先生者，共有四條，即第5.、7.、9.、14.。其中除了第9.條為蔣先生召見時任中央黨部祕書長的唐縱先生問及陳先生之言行外，其他三次都是與時任總統府祕書長的張羣先生商談陳先生的病情，而在第14.條中則是張羣向蔣先生會報陳先生的言行。

4.其他則是蔣先生記述他對陳先生病情的關懷，與陳先生對軍事史的研究報告之評語。

當然，並非每一次蔣、陳兩位見了面，蔣先生都會寫在日記中。例如國民黨中常會當時每週召開兩次，在星期三的那一次，主要是討論第二天星期四行政院會將要研討的案件，所以照例由陳兼院長以副總裁的身分作主席，而蔣總裁則不出席。可是每週星期六召開的中委會，照例由蔣先生擔任主席，陳先生通常是會參加的。因此他們兩位在每星期六的中常會裏應該見了面的。可是在前述三個月中間，蔣先生只在四月二十日星期六的日記中提起陳先生在那天的中常會裏與張其昀中常委的爭辯，其他日子的中常會則都沒有寫出他與陳先生見過面的情況。

在前述十七條取材於蔣中正日記中有關陳先生的記載裏，不乏蔣先生對陳先生的批評之處，我手上並無資料足以證實或反對蔣先生的說法，只有原文照抄。不過其中的第2條，亦即一九六三年四月二十日的那次中常會之紀錄，可由先父的遺著《中央工作日記》中得之，今將相關的全文紀錄如下，請讀者自己判斷陳先生當時是否像蔣先生所說的：「辭修對曉峰（張其昀）主觀與偏見太深，時作無意義之爭辯，其胸襟狹小，令人憂悶不置。」

四月二十日　星期六

上午九時半，列席中央常會，總裁主席。……

次由第五組主任張寶樹報告本黨推行土地改革工作之檢討。總裁謂：

㈠土地重劃，省府辦理情形如何？此事甚重要。

㈡關於土地與人口問題，應由中央設計考核委員會作專案研究。

張其昀起立謂總理對土地問題，主張耕地農有，山地國有，今日台灣須照總理遺教，盡量開發山地資源，如森林，如礦產，如畜牧，均可大量進行。又海洋亦係國家領土，船舶即係漁民之住屋，亦應積極發展。

陳副總裁起立謂：我等今日做事，最忌好大喜功。張同志所言理論均甚妥，但事實上甚多困難。即以畜牧言，台灣草地，即不適合牛食，食之腹漲。現在各試驗所正將各國不同草種予以試植，將來擬畜牛五十萬頭。美國大使館近發表十年來之中美合作一文，指出中華民國今日之沉重負擔為軍事費用太多與人口增加太速。足見並非政府不知努力，但亦無法不分緩急，百廢待舉。

張其昀又起立謂，頃見美國《生活》雜誌，載有各國國民所得調查，台灣固較大陸為多，但在世界上究係落後，甚至遜於非洲國家。蓋非洲各國雖工業並不發達，但能力行開發地下礦產，為數巨大，以與並不太多之人口平均，乃顯出每人所得甚高。台灣對於地下資源，開發不足，是為一大缺點。

陳副總裁亦又起立謂，台灣地下並無太多資源，石油尚在探測中，煤礦已形滯銷。為籌設大規模之煉鋼廠，政府曾先後覓取與日本、菲律賓、西德、美國合作途徑，事皆未成。政府自知努力不夠，但不能謂政府不知努力。舉一例言，台灣已有大專院校二十五所，研究所二十八所，畢業生無業可就，問題已甚嚴重，乃尚有人再欲增設，即屬不顧實際情形。本席再度到行政院服務，又已四年有餘，早思擺脫，如認為政府不行，可以改組。本人現在別無他念，常思擺脫一切職務，專追隨總裁反攻大陸。

總裁聞陳言至此，即揮手打斷其語，謂：「今日所談係農地問題，各方面應作進一步調查研究，此為在台灣要重要之一事。」陳乃坐下。

按陳誠先生之厭惡張其昀（曉峰）先生，在他於一九五八年第二度組閣時，力拒蔣中正先生留任張先生為教育部長一事，即可明證，此可見於拙作〈教育部長梅上張下之經過〉。

㈢陳誠前後兩次書面辭職之經過

在一九六三年三月中旬到六月底，蔣中正總統與陳誠兼行政院長只談過六七次話，他們兩位的往來可真不多。連陳先生兩次在行政院會中宣佈要準備辭職，蔣先生事先都不知道，在發生了以後，說「聞辭修……」，表示是間接聽說到的，可真是令人覺得奇怪。

在比對了雙方的記載與說詞以後，我發現了二個疑問，就是在陳先生六月二十七日於行政院會中公開宣佈辭職之後，蔣與陳的說法不同，即：

1. 陳先生有沒有打個書面報告，向蔣先生遞出辭呈？陳先生說有，蔣先生日記則沒有提起收到他送的書面辭呈。

2. 六月二十七日夜，蔣先生去探病，當面予以慰留並給假一個月之後，陳先生的辭職之心是否仍為堅定？是否仍要辭職？據陳先生的心腹，時任行政院祕書長的陳雪屏先生在十月初告訴父親，陳先生對辭職事已在重新考慮（詳見後文有關王雲五先生辭去行政院副院長之一節）。可是蔣先生卻正在此時開始考慮行政院改組事宜。

那麼，一九六三年十二月的那次行政院改組，陳下嚴上，在蔣、陳之間究竟是那一方面下了決心主動造成的呢？容我在後文中再加分析。

在本節中容我先予分析前述的第一點。

先君《中央工作日記》有文記如下：

六月二十九日　星期六

上午九時半，列席中央常會。……

首由唐祕書長乃建報告，端午節晚間，接陳副總裁信，謂近年健康情形不佳，日間恃興奮劑，晚間恃安眠藥，已由張祕書長岳軍將其請辭行政院兼院長呈文轉報總統，並奉批准給假一月，院務由王副院長雲五代理。茲請向中央常會報告，同時請假，務祈勿再相強，為個人之幸，亦黨國之幸。

由此可見，在六月二十七日於行政院會中公開宣佈辭職後，陳兼院長曾經「呈文」給蔣中正總統表示辭職。

可是蔣先生日記並沒有提起收到此呈文。

如果陳誠先生說的是實話，蔣先生對此呈文的批示是准假一月，也就是說這一次陳先生是辭職未准，也就是辭職一事已成過去，等於沒有發生過的。

按在一個月假期屆止時，蔣先生又准予續假二個月，所以此次一共給假三個月。陳先生到十月裏才因葛樂禮颱風來襲，造成台灣特大水災而提前幾天銷假回到行政院上班。

在蔣經國先生訪美回台，也就是九月下旬，蔣先生因為美方白宮已表態堅決反對他反攻大陸的軍事行動之後，蔣先生才把注意力轉回到國內的政局，第一次在他的日記中提到行政院改組之事，是在十月二十六日，這不但是已在陳兼院長上了第一次辭呈的四個月之後，而且是在陳誠請病假三個月銷假上班之後，陳先生並無再度辭意之時。

在十月二十六日星期六的日記之後，蔣先生寫道：

本星期預定工作項目：

中央黨部祕書長與行政院長人選之研究。

陳雪屏可派為使節。

行政院改組計劃。

在十月二十六日，國民黨已在籌劃召開第九次全國代表大會，會期預定在十一月十二日開幕，誠如後文中所寫的，當時張羣告訴王雲五副院長，王的辭職一事須得九全大會閉幕後才會有分曉，此即行政院之改組必須等到九全大會開完了才說的了。

在九全大會中，蔣、陳兩位起了正面衝突，陳先生乃在大會閉幕後的十一月二十三日又寫了第二封辭職信，遂造成了這一次陳下嚴上的內閣改組。

㈣王雲五與先君關係密切

父親在一九六七年退出政壇之後，一直到王雲五先生去世，多年來都是雲老的助手，即：

1. 中山文化學術基金會：雲老是董事長，父親則是董事兼總幹事。
2. 台灣商務印書館：此為雲老個人的事業，父親獲聘為董事。

3.東方雜誌社：此月刊是在民前八年（一九〇三年）創辦於上海，由商務印書館出版。一九六七年後，雲老以該雜誌發行人之身分聘請父親擔任其主編，父親任此職長達十一年之久。

也就是說在台灣，父親與雲老走的很近。可是從我手上的資料去看，他們兩位共事之始，應該是在一九四九年大陸撤守之後，兩位都住在港九時，一齊參預了《自由人》三日刊的創辦活動。此刊於一九五一年初在香港創刊的，在幾十位發起人中間不乏後來在港台之名人，例如：

董事長：左舜生（先任）、王雲五（繼任）。

董事九人，父親列名其間。

社長兼總編輯：成舍我。

總經理：卜少夫。

發起人中另有程滄波、陶百川、雷嘯岑、雷震等人。

㈤王雲五一度可能出面組閣

在一九六〇年陳誠先生的第三次內閣中，王雲五先生出任行政院副院長，到一九六三年冬天，已長達三年之久。其間因陳院長多病，雲老曾兩次長期代理

▲一九六一年行政院副院長王雲五（右二）、財政部部長嚴家淦（右一）、行政院美援運用委員會祕書長李國鼎（左二）參加會議合影

院務。

陳誠先生在一九六三年六月第一次辭職未准，請假三個月時，雲老代理其院長職務。當時雲老曾一度有了取而代之的想法。

父親晚年曾告訴我，有一次雲老與他談到組閣之意，當時父親是國民黨中政會副祕書長。雲老表示如果奉命組閣，他義不容辭，或者是由張岳公組閣，則他為了幫助老友，願意留任副院長以助其一臂之力。父親則當場勸雲老不宜出面組閣。

此時陳院長正在病假中，他既然已經表示辭意，雖蒙慰留，並給病假，可是去留未定，因之雲老及張岳公之躍躍欲試，亦為人情之常也。

那麼蔣中正先生此時有沒有起用王雲老組閣之意呢？我認為曾經是有過的，此可見於其日記中，在八月三十日之「下週工作表」有文曰：

3. 勸王雲五入黨乎？

試想以王雲老之高齡，與行政院副院長之地位，蔣先生要勸他入黨，當是要任命他去擔任一個非得黨員才能做的職位——行政院長的了。

不過在蔣先生心目中，這只是一個曇花一現的念頭，後來在十月、十一月與十二月的日記中，蔣先生所考慮的王雲老之出路，都是出任不同的駐外使節，而顯然此非雲老之所願，最終就未予實現的了。

按父親的《中央工作日記》在十二月三日有一條記載說：

晨，王雲老來電話約談，即趨訪之。雲老謂張岳軍氏昨來訪，謂……，以往常有人向總統建議爭取王入黨，恐王不允，未曾啟口，否則此次陳辭修堅辭，可請王繼任，而不必命嚴家淦組閣。

由此可證，蔣先生是一度曾考慮任命王雲五出面組閣的，時間大約在九月初，我判斷此事幕後的推手當是張羣先生的了。

㈥王雲五兩次請辭之遭遇大不相同

當陳誠院長在一九六三年六月初表露辭職意願之時，王副院長也與之不謀而合，自動表示辭意。這是雲老第一次辭職，被行政院祕書長陳雪屏先生勸阻了，並沒有向陳院長正式提出。

十月初，當陳院長銷假上班之後，王副院長又口頭表露辭意，陳誠也拒不接受，父親的《中央工作日記》相關之記載如下：

十月七日　星期一

下午三時，至行政院樓下會議室，參加黨政關係談話會……

散會後，我問行政院祕書長陳雪屏，前聞王雲老言，將辭行政院副院長，亦有可能否？陳謂陳兼院長聞知此事後，曾謂其本人究竟是否再堅持兼院長職務，尚未確定，因此對雲老事，不願提及。其次雲老曾向陳兼院長面辭，陳聞言乃即顧左右而言他。雲老近又曾請總統府張祕書長向總統代達辭意，張亦未允辦。

此即：

1.截至十月七日為止，也就是陳院長方才銷假上班後幾天，陳先生並不願意放王雲老走人。

2.父親上文最後那句話，即「雲老又曾……」以下之文字，其文意並不清楚。是包括在陳雪屏先生的談話中呢？還是父親在陳先生話說完後，再行加上之按語。我判斷此段話應該不是包括在陳雪屏先生的談話中的，因為以王雲老與張岳公的交往，雲老告訴父親的可能性較高於告訴陳雪屏先生的。

可是在十六日之後，即在十月二十三日王雲老再次向陳兼院長表達辭意時，不但為陳先生迅於接受，並且在第二天強邀雲老出席行政院會時，陳先生竟會當著雲老的面，在會中公開表示已勉於同意雲老之辭職。這個政治突擊，不但使得雲老覺得意外，連事先並不知情的蔣中正總統也大為震驚，乃在十一月八日親自出面召見雲老，予以慰留。今分析如下：

1.在十月二十四日公開批准雲老辭職時，陳兼院長事先並未向蔣中正總統報備此事。

2.在法律上陳兼院長有權逕予批准雲老的辭職，可是在政治上卻是擅專的了。

3.蔣先生在十一月八日慰留雲老，不啻是打了陳兼院長一個耳光，否決了他已做的公開決定。

4.不過蔣先生在十一月八日並未向雲老表態，他將要改組整個內閣。而張岳公則私下告訴雲老，他的去留須待九全大會閉幕後才能知道分曉。

5.九全大會的會期是十一月十一日至二十二日。

6.果如張岳公之預測，陳兼院長在十一月二十三日夜，九全大會閉幕後，上了第二次的書面辭呈，內閣乃因之全面改組矣。

也就是說從十月七日到二十三日之間，短短的十六天裏，行政院長陳誠先生對副院長王雲五先生辭職一事，態度有了明顯的改變，其間之原因為何？我手上沒有資料，在此只是點出此點，請有興趣研究此事者注意及此。

當然，有一個可能是，即在八月底、九月初蔣先生有意「勸王雲五入黨乎？」之事，此時已消息走漏，給陳先生知道了。

㈦王雲五十月下旬第二度辭職所引起之政治風暴

先君《中央工作日記》有下述之記載：

十月二十三日　星期三

午刻，接行政院副院長王雲五氏電話，謂立法院本會期質詢已了，為貫澈初衷，於今日上午親書一辭職函，送陳兼院長，此次係下最大決心，絕非裝腔作勢。……

按十月二十四日晨，又接雲老電話謂，陳兼院長昨下午來訪，談一小時，初致慰留之意，經告年老，及不能控制情緒，易於焦急動怒，實不宜再為輔弼。陳亦同情，但謂須轉報總統，並請無論如何，今日院會仍往參加，不得已允之，但聲明今日院會之後，決不再到院辦公。……

按十月二十五日上午，我往訪雲老，適教育部黃季陸部長在座，……，雲老謂昨日行政院院會時，陳兼院長已即席報告此事。謂雲老係應徵召而來，五年之中，辛勤特甚，實不敢再勉強其繼續勞苦，是已准我辭矣。我之第一次辭職函係於六月廿四日，交行政院祕書長陳雪屏轉送陳兼院長，雪屏謂其時陳本人亦思辭職，因以未遞。後陳於六月二十七日，向總統上辭呈，奉批給假一個月，又續准假兩個月，……

我與王雲老談一小時，與黃季陸同時辭去，雲老送到門外，笑聲益為爽朗，誠有無官一身輕之概。

按十一月八日午，接雲老電話，謂頃方自總統府辭出，總統召見談半小時，面致慰留之意，但仍當面堅請辭職。我謂近日因將舉行九全大會，外間時有政局改組之說。總統召見慰留，亦所以平息謠傳之道。總統既當面勸慰，似可再為國家服務一段時間。雲老連聲謂已當面再辭，有邀准希望。

在九全大會於十一月二十二日星期六閉幕之後，父親的《中央工作日記》寫道：

下午七時，訪王雲五氏，我問上次總統約見時，曾否表示其辭行政院副院長事，俟九全大會以後再議？王謂總統只表示慰留，但張岳軍氏則曾告大會後方有改變可能。王又謂陳雪屏電話，陳兼院長於昨晚又向總統上辭呈。事先陳兼院長（誠）曾擬於行政院院會中提出總辭，後以如此易使消息外漏，乃單獨請辭。王並謂無論陳獲准與否，彼本人決不再繼續擔任副院長。

(八)蔣、陳、張、王兩兩之間的關係皆為微妙

蔣中正日記：

十一月四日

昨（三）日上午遊覽庭園後，與辭修談話，為越南問題與黨務及行政院改組，作一段指示。……

本日上午見岳軍，談王雲五辭職事，聞辭修已准其不到院辦公，而留其至大會後行政院改組時為期，殊出意外。

以本章第五節之記載言之，王雲老是在十月二十三日向陳兼院長辭職的，陳先生則告以此事須先

向總統報備，並面邀其仍舊參加第二天的行政院院會。不料就在那一天，即十月二十四日的院會中，陳先生卻當了雲老面公佈了雲老辭職照准的消息。

可是在十天後，即十一月四日的蔣中正日記中可知，到前一天（即三日）為止，陳兼院長並沒有告訴蔣先生王雲老辭職獲准之事，所以在四日的日記中蔣先生才說了「聞辭修已准……，殊出意外」的那一段話。

有趣的是張羣先生是什麼時候知道王雲老辭職照准的消息的？顯然在十一月四日蔣先生找他來「談王雲五辭職事」之前，他即使已知此事，也沒有告訴蔣先生這個消息。否則蔣先生不但不會在四日的日記中說「殊出意外」，而且在三日上午與陳先生談話時，「行政院改組」既然是那次談話主題之一，則王副院長辭職一事應當屬於兩人討論範圍之內。如此，則在第二天的蔣先生日記中就不會用「聞辭修已准其不到院辦公……」的語氣的了。

由十一月四日的日記去看，蔣先生在此時是不同意雲老辭職的，因之才有四天後，即十一月八日的召見雲老，當面慰留。我判斷陳兼院長不先報備，就在十月二十四日公開批准雲老的辭職，也是他知道如果先予上報，蔣先生是會慰留雲老的了。只是我不明白，為什麼自十月六日到二十四日，陳先生對王雲老的態度會有了一百八十度改變了。

總之，在蔣、陳、張、王四人之間，兩兩的關係皆為微妙，此在這次王雲五辭職一事上，可以看出四人之間的鉤心鬥角也。

㈨小結

在一九六三年內閣改組之時，陳兼院長及王雲五副院長分別各自上過兩次辭呈。

王副院長是在六月及十月兩次向陳兼院長請辭的，陳先生對王先生的態度一直是予以慰留，然而在十月二十三日忽然作了重大改變，其原因我不清楚。可是他這次公開宣佈准雲老辭職的決定，卻在十一月八日被蔣總統否決了，其間之曲折離奇，可算是一個小型的政治風暴。

陳兼院長則是向蔣總統遞辭呈的。第一次在六月二十七日，被蔣先生慰留，並予准假一月，再緩假二月，一直到十月初才銷假。

恢復上班後的陳院長是否要再度辭職，至少在十月七日以前是尚未決定的，此由行政院陳雪屏祕書長告訴父親的話可知也。

然而就是在不久之後的十月二十六日，蔣中正日記中開始有了改組內閣之考慮，亦即下文：

中央黨部祕書長與行政院人選研究。
陳雪屏可派為使節。
行政院改組計劃。

也就是說，一九六三年的內閣改組可分三個波段。第一波段是由陳兼院長在六月二十七日辭職而引起的。而後在請假休養三個月、陳兼院長恢復上班之後，在他並未表態再上辭呈之前，蔣先生卻開始在籌劃改組內閣了，此為第二波段，是改由蔣先生採取主動了。至於第三個波段，即是十一月二十三日晚上，陳兼院長上了第二封辭職信，則是改為由陳先生主動造成的。

為什麼在短短一個月之內，內閣改組會從第二波段推展到第三波段的呢？主因是在十一月十二日至二十三日的國民黨九全大會裏，蔣、陳二位發生了正面衝突，以致陳先生憤而再度辭職。

陳先生此舉是因為「氣度褊狹」，身心疲憊，不能再勝任行政院長之重任而主動告退？還是中了蔣先生的激將之計，掉進了「口袋陣地」而全軍覆沒了呢？且容我在下章再予分析。

四、國民黨九全大會所造成的蔣、陳決裂

㈠中委提名人數多出九十人所造成的混亂

國民黨的第九次全國代表大會在一九六三年十一月裏召開，此距上次的八全大會已有六年之久。在全代會中，照慣例由出席的黨代表們互推，選出定額之中央委員，加上由總裁指定之委員，合組成中委會。再由中央委員們互推，選出定額之常務委員，加上總裁指定之部分常務委員，合組成中常會。當時中常會每週召開兩次，是國民黨的最高權力機構。中委會則照例為每年召開一次，俗稱中全會。

第八次全國代表大會的中委會共有委員五十人，另有後補委員二十五人。在九全大會中則增至六十五人，另有後補委員三十五人。

八全會的中委會選出的中常委，加上指定者，共有十五人，九全會則名額增至十九人。

按照慣例，總裁對全代會提名若干人為中委之候選人，由黨代表們以複數不記名投票在此名單中選出中委們。例如八全大會之中委定額為五十名，則總裁提出一百名候選人。

此次在九全大會中，蔣中正先生作出了與慣例不同的舉動如下：

1. 此次中委應選名額為六十五人，加上候補三十五人，合計為一百人。以往在提名候選人時只以正選名額之兩倍為標準，即應為六十五人之兩倍，一百三十人。可是蔣先生破例，此次候補之三十五人亦計算在內，共提了兩百二十人，比以往之慣例多出了九十人。這一下子使得黨內各派系原先作業的配票計劃一下子都弄得天下大亂了。

2. 由後文所引的蔣先生日記，這一次中委及評議委員之提名名單全由蔣先生一個人單線作業，事

先也不與任何人商量，此舉使得陳副總統極為不快。

3.因為第一點所述之提名人數多出了九十人，使得中委選舉結果亂了套，由後文可知，此固然使得陳副總裁震怒，拂袖而去，即使蔣先生也為之大出意外，乃迫使他把在中委選舉後第二天，將要經由指定選出的中央評議委員之提名名單大幅增加，以容納在中委選舉裏出乎他意料之外落選的多名政壇人士。

在六十五名中委名額，此次應選出五十名，蔣先生原先心目中要選出者，竟然落選了十多名，這個情形可以說是失控的了。可是陳誠副總裁並不知道蔣先生自己也是啞子吃黃蓮，有苦說不出。他只看到自己中意的人士紛紛落選，因而大怒，乃造成了他與蔣先生決裂的兩個原因之一。另一個原因則是此次新增的「副總裁選舉辦法」。

中委選舉中意外落選者包括了八大及九大的中常委胡健中先生，與兩個星期後出面組閣的嚴家淦先生，他們兩位都是經由蔣先生將之列入總裁指定之十四名中委名單中，以此補救的方式而得列身於中委會者也。

(二)蔣中正擬定中委及評委提名名單之經過

關於九全大會中，蔣先生如何擬定中委及中評委名單之過程，我先逐日抄錄其日記中有關之文字，再予分析及評論之。

十一月二十日　星期三

本日五時起床，審核中央委員候選人名單，上午自七時至十二時，方告一段落，費心極苦。下午自二時半起審核評議委員名單，又重審中央委員名單，至六時方完。

十一月二十一日　星期四
本日上午審批中央委員提名之名單，下午審批評議委員之名單，困難之事未有甚於今日者也。
十一月二十二日　星期五
今日選舉提名工作太苦，自覺未能完備，又加之辭修神態不安，言無倫次，故使余心神最為不樂，此乃大會美中不足之處也。
昨夜選中委，票數至今晨一時後方告結束，余乃起床檢閱被選人員，與預定評議委員之人選，對照結果，頗多出入，幾費六小時之久，修改評議委員名單。初定為一百一十人，不超過中委正式與後補人數之名額，並將海外二十餘名另立海外評議委員之名稱。應主席（團）主張，評議委員不限名額，乃將海外名稱取消，共選為一百四十三名，余將順其意也。至十一時開會選舉，被選與特提中委名單及評議委員人選，同時由大會通過。並提選辭修連任副總裁，亦一致通過。下午五時舉行閉幕典禮，致辭，未盡其意，因時間太晚，擬留在聚餐會補講也。
十一月二十三日之上星期反省錄
本週大會在研究周講辭後，考慮中央委員提名之名單，數易其單，最費心力，尤其星（期）五日自二時起床，檢查執行委員（仁按：當為中委之筆誤）當選名單與對評議委員預定者對照之後，應補名者更多。本定一百十名與中執委與後執委合計同數為限，卒因落選與增補者，尤其海外僑領參加者當選甚少，故增加其名額為一百四十名。自子夜至午正，幾乎為此忙迫不勝，最後仍覺缺憾甚多也。

由以上四條日記可知：

1.蔣先生在擬定中委及評委之提名名單時，並未與任何人作商量，而且多為自清晨起，他一個人所作的獨自思考。此由後文唐縱祕書長告訴先父的，他所拿到的名單是蔣先生親筆所書的，即可為證明也。

2.中委選舉結果大出蔣先生意料之外，為了安撫意外落選者，蔣先生乃將評委提名人數自原定之一百一十人增至一百四十餘人。

我在此要說明的是，為什麼僑領落選者多，這是因為代表們在複數圈選時，每人可圈出五十個名字，那麼除了自己一定要投者，多半會圈出比較熟悉者的名字，而海外人士在國內的知名度比較低，就吃虧了。因之按照往常的慣例，黨方會將比較不為人們所熟悉的海外人士之姓名列入給國內代表們的參考名單中。這次因為多提了九十人，使得票數不敷分配，乃使海外人士的票比較容易流失，而且我判斷因為中央黨部在投票當天上午才拿到名單，在配票作業方面也就時間不夠的了。

3.在多提了九十人的情形下，所有參選的各派系都是陣腳大亂。由蔣先生的反應可知，中委選舉的結果與他所預期者之落差甚大。可是包括陳誠先生在內，其他人只是注意到自己的小團體之意外落選者甚多，因而為之激怒的了。

4.蔣先生事先對名單之絕對保密，使得承辦選務之中央黨部成眾矢之的。一般人誤以為是唐縱祕書長之過於專權，並謠言說他將中委提名名單之最後十名予以刪去（此由下文所引父親與唐先生之對話可知也），更使唐先生含冤莫白。

5.父親的《中央工作日記》有一條關於嚴家淦先生在此次中委選舉落選之經過如下：

十一月二十一日　星期四

昨經總裁提名候選中委之財政部部長嚴家淦、交通部部長沈怡、經濟部部長楊繼曾與中央銀行總裁徐柏園之妻陸寒波均只得數十票，皆落選。嚴、陸二人今日由總裁提名，列入十四人中（仁按：即指定中委），沈、楊均改為中央評議委員。嚴在上一屆為評議委員，此次總裁必使之任中委，或有命其為常委之意，以便日後組閣，或繼王雲五為行政院副院長。

在這段文字之後，父親接著記述李士英先生告訴他的一段話如下：「中常委將增加名額，嚴家淦、黃少谷、陳雪屏均將入選。（仁按：次日一中全會，總裁所提常委仍為十五人，嚴、黃、陳均不在其內，足見外傳不確。）」

此即父親雖然因為蔣先生把嚴家淦先生自評議委員改為指定中委，已感覺到嚴先生日後當被重用，可是因為嚴先生此次沒有入選中常委，因之父親在十一月二十二日並沒有感覺到他即將組閣。新選中常委是在十一月二十二日之事，可是在十二月一日，由蔣先生日記可知，他已決定要嚴先生組閣了，也就是說在九天之內，嚴先生臨時膺組閣之大命也。

㈢唐縱口中有關中委及評委選舉之經過

在一九六三年十一月的九全大會中，父親是中央黨部中政會的副祕書長，他的本官上司是谷鳳翔祕書長。唐縱先生則是中委會的祕書長，可是細心的讀者在閱讀父親的《中央工作日記》時，應當發現唐先生與父親是可以談知心話的朋友。

在十二月四日的中常會結束之後，父親記載了唐先生與他的一段談話，這是唐先生在向他吐苦水。不過由此也可以看出陳誠副總裁對中委選舉結果之極度不滿，父親的記載如下：

散會後，唐祕書長約談，謂外間對全會選舉結果，多表不滿，副總裁亦然。當時情況係總裁提名二百二十人，亦即中央委員六十五人及候補委員三十五人合共一百一十人之一倍。我謂通常加倍提名，係只依正額計算，不包括候補在內。唐謂曾將此點向總裁報告，未獲採納。我謂外傳原提名二百三十人，至選票將付印時，總裁臨時勾去十名，如王任遠等即在此十名之內。唐謂並無此事。總裁所提名單係用十行紙書寫，最後數名係其親筆所加，但總數確為二百二十名。總裁於投票日上午八時許，將名單面交，並囑先送副總裁閱，乃攜至會場面呈副總裁，副總裁自袋中取出一單，係其擬向總裁推薦者，經核對後，就原單加寫四人，請總裁考慮補提。乃即專送官邸請總裁鑒核，而總裁則兩次專人送信至會場見交，內容均係加提馬祖指揮官張立夫，並將原提名單中劃去一人。惟兩次來信，被劃之人不同，只得以後到之信為準。事務方面人員再之提及如十一時不付印選票，則下午三時不及選舉，而副總裁請加列四人事，總裁尚未核復，不得已乃以電話向官邸請示，總裁謂仍照原名單，不必更改。是則副總裁所請加列者，未得採擇。選票印成後，總裁索閱樣張，發覺張立夫誤印為張子夫，乃來電話謂某行某人名字印錯，時間已不及再印，亦無法改正，遂於發票時，由大會主席口頭補充報告，說明印錯，請各投票人自行注意。

唐謂總裁對選舉結果至為關懷，下午八時、十時，兩次來電話詢問，答以須午夜十二時許方可分曉，總裁乃先休息，而於午夜二時起床，親閱當選名單。次晨八時見召，並於當選者外，另加中委十六名，及指派之候補中委與中央評議委員，開單見交。在大會前及在會議中，各方推薦及毛遂自荐任中委或評議委員之信件有數十封，其中以于右老為最多。我問是否于右老親筆？唐謂均只有右老親自簽名，原函並非其自書。因恐總裁無法細閱，遂將此等函件列一簡表呈閱，以備參考。當以總裁指派之中委只能有十四名，現呈交十六名，超出二名如何處置請示，總裁謂可將中委候補中委及中央評議委員名單全部先送請陳副總裁一閱，乃匆匆攜單趕至會場，面呈副總裁。見其怒容滿面，對選舉結果大為不滿。對呈閱之名單亦不接不閱，即步出休息室逕自登車而去，並一面謂下午閉幕式不到，並請總裁勿再提名其連任副總裁云云。我追至車側，陳不理會，當時情形頗為困窘。因總裁昨夜未曾睡好，故晨間與之商定，總裁於十一時方行到會，初意在十一時以前時間尚屬從容，一面大會仍先進行，討論例案，一面由副總裁核閱名單，詳細研究。不料副總裁一怒而去，名單並未接閱，轉瞬間總裁已到會場休息室，只得據實報告，謂副總裁因事先退，名單未閱。總裁乃命再仔細核對，復命將所提派中委十六人中，移兩名改為中央評議委員，其餘不及多所更改，即於十一時由總裁主持大會，宣讀名單。事後曾有人問為何名單不予印發，實係時間上不許可也。我謂我自入黨以來，數十年從未競選，此次亦然。但同志中即對選舉結果多不滿意，中央自宜多方設法疏解為是。

由以上唐祕書長的敘述可知：

1. 他拿到中委提名的名單是蔣先生親筆所書，寫在十行紙上。
2. 時間為選舉當天的上午八時，他並遵囑將名單攜至會場給陳誠先生過目，陳先生在核對了他自己準備的另一份名單之後，加上了四人的名字，但是蔣先生並未接受此四人。也就是說，這份蔣先生親擬的中委提名名單只是讓陳先生過目而已，而且是在選舉當天才給他看的。

3.中委選舉結果遲至半夜方才揭曉，而蔣先生在早上二時起床親閱當選名單與修改評委提名名單，至第二天早上八時把評委提名名單交給唐先生，並囑其趕至會場送給陳先生看。可是陳先生對前一晚中委選舉之結果大為不滿，乃拒絕看此評委提名名單，拂袖而去，並揚言不要連任副總裁，並拒絕出席下午之閉幕式。

4.老於黨務的唐先生與先父都已經看出了中委提名人數過多，與慣例不合。唐先生在拿到名單時曾當面提醒蔣先生此事，可是蔣先生並未置理。

(四)陳誠一度拒絕參加九全大會閉幕禮之經過

前述蔣先生在十一月二十二日的日記裏說：「下午五時舉行閉幕典禮，致辭，未盡其意，因時間太晚，擬留在聚餐會補講也。」

難道是蔣先生的演講稿寫的太長了，所以才會弄得時間不夠了嗎？不是的，那是因為陳副總裁為了中委選舉結果而在大鬧彆扭，曾一度拒絕出席閉幕式，以致閉幕典禮為之延後了一個多小時，在下午五時才開始舉行，因而使得蔣先生的致辭時間不夠用了。

父親在《中央工作日記》中有關此事的記載如下：

十一月二十三日　星期六

上午十時半，與總統府黃副祕書長伯度通電話，承告：

「昨日上午中央委員選舉結果發表後，陳副總裁頗不滿意。陳因事前未曾見及總裁提名名單，已對中央副祕書長郭驥大加責備。認為中央民意機關中一向支持行政院之同志與行政院有關人員及其個人所擬支持，產生者頗多未在提名名單之內。昨日上午散會後，陳即驅車往訪總統府祕書長張岳軍於其宅，極表不快，並謂擬即往郊外，下午之會及閉幕禮與晚間總裁召宴，均不參加。張當極力勸其忍耐，不為如此。陳辭出時，張送至門外；又再三勸慰。陳謂容再考慮。張謂此非可以考慮之事，應將原意全部打消。張下午至會場見陳未到，乃問行政院祕書長陳雪屏，曾見及陳副總裁否，雪屏謂當係上午見到。張乃命郭驥迅至陳宅接其到會場參加閉幕禮，五時，陳始由郭陪同至大直。」

按，昨日下午大會散後，休息甚久，始舉行閉幕禮。出列席人員在全場四週庭院中散步休息，三三兩兩相互交談，亦曾有人以休息時間太長為何尚不舉行閉幕為疑。並有人言及閉幕禮過晚舉行，則總裁將無充分時間講話。但當時無人知悉其中有如此一段曲折也。將近五時，我見陳郭二人在會場門口下車，陳之坐車例可開至會場後停車，直接進入主席台旁之小休息室。而昨日下午陳郭停車於會場之前，而後步行經由在庭院休息之出列席人員行列之前，緩步行至會場側門，並頻頻微笑，與各人為禮。各人亦多有鼓掌，以示擁戴者。五時十五分，舉行閉幕禮，總裁致詞，曾言要領導全國人才，須恢宏氣度，當時不解其言中隱含有規勸之意，今日聞黃伯度所言，始為了然。

仁按：黃伯度先生時任總統府副祕書長，他是一位公務員出身的傳奇人物。從北伐前北洋政府時代他就已進入總理府的基層單位工作，幾十年來一直待在府裏，謹守崗位，逐漸升任國民政府的總統府副祕書長。據他在一九六七年自己告訴父親說，在一九五〇年代王世杰先生出任總統府祕書長時，原來保薦的是杭立武先生出任副祕書長，蔣中正總統未予同意，逕予指定黃先生代之，而且蔣先生在當時就告訴了黃先生這件事，由此可見蔣先生分而治之的用人駕御之道也。

黃先生行事低調，外界知其名者甚少，但是他老於總統府之公務與事務，是府裏真正的管家婆，當時是張岳軍祕書長的左右手。

㈤小結

九中全會的中委選舉真是鬧的上下不歡，因為提名人數太多，與一部分有志競選者未獲提名，使得非議四起。當時主辦選務的唐縱祕書長乃替蔣先生揹了黑鍋，也成了陳誠副總裁的出氣筒。

在沒有仔細查閱提名名單之前，我們不能了解蔣先生為什麼會違背慣例，此次出乎意外的多提了九十人，由一百三十人改成二百二十人，因之使得選情大亂，而造成眾人皆為不歡的結果。

這件事使得陳誠副總裁極為不滿，一來他在選前被矇在鼓裏，不能預聞提名作業，二來中委選舉結果令他不快。可是蔣先生這次在提名作業中沒有與任何人作過商量，不僅是瞞住了陳誠先生一人而已，連張羣與經國先生也不得預聞，而且即使蔣先生本人對選舉結果也大表意外，只是這些事陳先生並不知道，乃大生悶氣了。

陳誠先生在中委選舉揭曉的第二天，即九全大會閉幕的那一天，晚上親筆寫了辭職信給蔣先生以辭去行政院長之兼職，這是他在一九六三年中的第二次辭職，也因之造成了陳下嚴上的內閣改組。

五、副總裁選舉辦法所引起的蔣、陳之當面衝突

㈠新添增的副總裁選舉辦法

在一九六三年的國民黨九全大會中，蔣中正總裁與陳誠副總裁有兩個重大衝突，此即：

1. 中委及評委之選舉。
2. 副總裁選舉辦法。

第一點已如前章所述，不過此非針對陳先生個人而引起的風波，因為蔣先生多提了九十名中委候選人，以及其提名名單之不夠周全，因而引起不滿。此並非僅限於陳誠先生一人，或其所領導的派系，可以說是全黨皆受其害，怨聲載道。只是除了陳先生的位階甚高之外，其他人多半錯怪了唐縱祕書長，陳先生當然了解此次亂源是在蔣總裁身上的，唐縱先生只是替蔣先生辦事跑腿的人而已。

可是第二點則不然，這個新添的「副總裁選舉辦法」是針對陳副總裁一人而起，量身打造的。

誠如前文所述，國民黨黨史上只出現過兩個副總裁，此即：

1. 一九三八年四月，在武漢選出的汪精衛先生，幾個月後因其自重慶出走，去和日本人合作組織偽政府，而被開除黨籍，其副總裁之資格乃被取消。

2. 自汪先生之後，一直到一九五八年的八全大會，過了二十年之久，才有陳誠先生在台北當選了副總裁。當時陳先生本來就已是中委及中常委，所以也沒有他是否應該先選中委再選副總裁的問題。到了一九六三年的九全大會，陳副總裁勢必連任。可是一時就產生了這一次他應不應該先選中委的問題。這在黨史上是從來沒有發生過的事情，即總裁所提名的副總裁人選，是否先得具備中委或中常委的資格不可呢？

在一九三八年那次，汪副總裁並不是由蔣總裁提名的。在陳先生第一次出任副總裁之前，他本來已經是中常委及中委了，所以不成問題。

那麼這一次呢？是要陳先生循序漸進，一步一腳印地選上來，由中委、中常委再進階為副總裁？還是繞過這些階段，直接由總裁提名他做副總裁的呢？

以當時政壇的生態，陳先生坐二望一的地位是無人可以取而代之，那麼不管是走那一條路，最後的結果副總裁仍是由他連任。所以這只是一個形式上的選擇，雖有政治意義之不同，與實際的政局無關。

點起這個烽火的，是當時的中央黨部祕書長唐縱先生，而且他的出發點，只是想空出一個中委的名額，以免被副總裁先佔去而形同虛設，浪費掉了，並且在始議之初，當時在座的陳誠先生並未表態反對，可是到了九全大會前夕，也就是在創議後的十天之內，卻演變成了蔣、陳兩人翻臉的關鍵點了。

父親的《中央工作日記》之記載如下：

> 十一月二日　星期六
>
> 上午九時半，列席中央常會，總裁主席。……
>
> 唐祕書長謂以往先選中央委員，次提名副總裁，以致已當選中委者再被提名。此次擬改為先提名副總裁，再選舉中央委員，則已被提名者即可不必再選之為中委，以免重複。總裁謂：「非也，如此做法，固可使多一人當選中委，但總裁憑何根據提名某人為副總裁耶？依理必須先選中委，而後總裁就當選之中委中提名一人為副總裁，則其提名方有範圍。但副總裁不一定再當選為中央常委。其可以主持常會，乃係代表總裁也。」時副總裁在座，聞言未表示意見。

容我分析如下：

1.《論語》中有文曰：「子貢欲去告朔之餼羊。子曰：『賜也，爾愛其羊，我愛其禮。』」子貢是管財務的，要節省開支，想在行告朔望之禮時省去祭奉之犧牲，孔子則說禮不可廢，別省小錢。

唐祕書長負責中委選務，黨政軍人士有意角逐中央委員者一向都是粥少僧多，令主持中央黨部的負責人如祕書長可以說是不勝煩劇。因此站在他的立場，能多挪出一個中委名額以資運用，自然不無小補。可是蔣總裁的位階遠高過唐先生，他不但要建立黨的長遠制度，而且在中委實際選舉方面，多一個或少一個名額，只會影響到最後的掛車尾者之當選與否，這些人之當選與否並非是他所必須考慮到的。蔣先生要副總裁自中委中去被提名，是要把副總裁當做首席中委，其位階低於總裁。在上述討論時，陳誠先生在座，他之沒有表態，我判斷是因為：

陳先生並無意以副總裁之身分與蔣總裁爭鋒，副總裁之位階低於總裁，在他看來是理所當然之事。

無論如何，最後必定是由陳先生蟬聯副總裁的。

依照後文，在那天下午，即常會結束之後，陳先生考慮到一個問題，就是萬一有別人在中委選舉裏得票高出過他可怎麼辦？因之他開始向唐先生表態，希望改變那天上午的常會相關之決議。詳見下文。

2.蔣先生要出任副總裁者必須先選中委，可是不必先選中常委，他的考量與唐先生之希望副總裁不必先選中委是同樣的，就是不願意被副總裁佔去了一個名額，以免浪費掉了。

中常委只有十五人，個個都是極為重要的黨政軍商界人物，也是粥少僧多，難予安排。因為蔣、唐兩人的位階不同，他們兩人的考量不同，但是動機則都是一樣的。

㈡蔣、陳之間為了副總裁應否參選中委而起之衝突

茲引述蔣中正日記中有關「副總裁選舉辦法」之記載如下：

十一月二日　星期六

上午主持中央常會，通過九全大會有關議案十一項。關於副總裁之推荐，必須由中央委員中，由總裁提名一人，經由大會通過之，如此提名方有根據也，乃以此為不成文之慣例。

十一月四日

昨（三日）上午遊覽庭園後，與辭修談話，為越南問題與黨務及行政院改組事，作一般指示。下午……與乃建談話，據稱辭修為昨常會對產生副總裁之手續的決定，彼以先經選中央委員後，再提名大會通過之手續，恐在選舉票不能為最多而失體面，故表示不幹，其神經之不正常如此，令人不禁為黨國前途與人才憂也。

此示陳先生在十一月三日，即該次中常會後的第二天，開始考慮到他在中委選舉時萬一不是最高票，有失體面之事，表示不願意先選中委。而由蔣先生反應去看，他到此時為止，並沒有考慮到這個局面會有出現之可能，反而覺得陳先生是「神經不正常」，才會有此過慮的了。

在同一天裏，陳先生上午與蔣先生見面，並沒有提到這件事，而是由當天下午的唐縱祕書長轉告給蔣先生聽的。此示陳先生在此時不願為此事與蔣先生翻臉，只想在私下請唐先生轉達他希望蔣先生打消此議的請求。

十一月五日　星期二

今因辭修為推選副總裁手續，而對乃建大發威勢，必欲修改上次常會決議，而照其原意，否則表示不幹。乃建勸余照其意修改，余認為此乃本黨制度與革命原則問題，決不能以其個人意志而修改常會決議也，聽之而已。

到此時為止，陳先生的意見都是經由唐祕書長轉達給蔣先生聽的，而蔣先生與陳先生一樣，他的反應是已開始意氣用事了。

仁按：中常會的決議並非絕對不能修改，舉例來說，在一九六一年的外蒙古入聯合國案中，常會在九月裏決議予以否決，而在十月裏又修改為授權行政院予以權宜處置（意即可以不投否決票），此詳見本書第三章〈由蔣中正日記去看葉公超大使去職之經緯〉。所以這次要不要修改副總裁選舉辦法，全看蔣先生的態度定之也。

十一月十日

正午，辭修來山要談，余擬與之商談大會應注意要案，彼先講解所修改之黨務報告甚久，不能詳談要案。余再三問其有何重要意見，彼乃護其推選副總裁方式，以為不必經由中央委員完成後，再由中央委員中提名，由總裁先行提名推定，或由大會直接選舉。余對其說名（明）簡單理由，認其意見皆無所宜，彼乃無言再說矣。

按此時已為九全大會召開前兩天，陳誠先生逼不得已，等不及了，乃直接向蔣總裁當面嗆聲。而其間雙方爭論之過程，以蔣先生在十一月三十日之記載可知，並非如此處所記之平和，而是陳先生當面連聲說道「不幹了、不幹了」。

在雙方面談無效之後，已成僵局。此時在時間上已來不及去更改中常會之決議，因為全會在兩天後即將開幕，已無從先由中常會去改變「副總裁選舉辦法」了。

俗話說得好，解鈴還需繫鈴人，這個僵局的解決，仍舊是由蔣總裁別出心裁去解決的。

在「副總裁選舉辦法」中規定，副總裁之提名人必須先具有中委身分。可是中委的身分並非必須要經由選舉才能取得的，此本有慣例可循，即可以由總裁因其職務之需要而逕予指定，而且人數往往不只一個。只是把副總裁與其他人同列，不夠禮遇，因此這一次乃把副總裁單獨一個人作為一個類別，不稱之為「指定中委」，而稱之為「當然中委」，以示與旁人不同而已。

蔣中正日記對此的記載如下：

十一月十九日　星期二

本晨靜默時，感悟副總裁與中央委員選舉關係，免使辭修對參加中委選舉票數有不及他人之多者為煩悶，故決以副總裁並為當然中央委員辦理。即不經選舉中委手續，仍以中委之中由總裁提名一人為副總裁也。此一辦法之構想，是乃靈心之妙所自出乎？

蔣先生是作繭自縛，後來又自行設法解套，而且洋洋自得，這實在是庸人自擾之事，因為：陳先生仍是連任副總裁。

若一開始便設計出這個「當然中委」的方法，就可以免去了雙方的爭執。

歷史的事實是在陳先生於一九六五年去世之後，國民黨不再出現過另一個副總裁。而且在一九七五年四月蔣先生去世之後，國民黨修改黨章，將總裁的名號予以保留，專稱蔣中正一人。因此在其後雖然有許多位黨主席及副主席出現，卻不再有總裁與副總裁的了，也就是說這次新制定的「副總裁選舉辦法」，此後徒成虛文也。

這個因在九全大會中新添的「副總裁選舉辦法」所造成的蔣、陳之間的正面衝突，出於蔣先生畫蛇添足，庸人自擾之舉。事後去看，如果蔣先生的目的是要採取激將法，逼得陳先生憤而辭職，那麼此舉是達到了目的，否則就是政治上的一個大敗筆。至於副總裁選舉事，蔣先生的記載如下：

十一月二十二日　星期五

提舉辭修連任副總裁，亦一致通過。

下午五時舉行閉幕禮。

至此，副總裁選舉之爭執，乃告落幕矣。

我認為陳先生之憤而辭去行政院長之兼職，此只是兩個主因之一，另外一個則是前述陳先生對於九全大會裏中委及中評委人選之大感不滿，而以蔣先生在十一月二十三日的日記去看，雙方關係破裂，壓死駱駝的最後一根稻草，竟然是為了葉公超先生應否予以任命為中央評議委員一事。

㈢葉公超是蔣、陳關係破裂的一個重要因素

在撰寫拙作〈由蔣中正日記去看葉公超大使去職之經緯〉一文時，我尚不知道葉先生與陳誠先生的關係究竟有多深厚？在該文發表之後，我經由可靠而不願透露其姓名的消息來源得知，「葉先生是陳先生的人」，此由下述可知也：

1. 葉先生在一九六一年回國出任陳內閣之政務委員後，因其家人沒有回台灣，是一個人單身住在台北，所以他常常一個人去陳府吃晚飯，打秋風。

2. 晚飯後，陳先生與葉先生往往兩個人進了小書房，關起門來長談事情。

在研究本文的資料時，我在一九六三年的蔣先生日記中得到了「葉先生是陳先生的人」之證明，今先抄錄一九六三年中蔣先生有關葉公超先生的四條日記如下：

二月二十五日

上午入府與岳軍、辭修分別談少谷之工作與公超之罪惡。其在四十七年十月廿四日中美共同宣言中，余所擬「以不憑藉武力反攻大陸」，而彼竟假美方所擬「以不使用武力」之句不改，其對我則說已盡照我所修改者定稿云。及事後發表，而無法再改，而彼猶自以為得意的經過，其罪大惡極實等於漢奸賣國也。彼奸近又四出活動，不知悔罪，令岳軍再予警告也。

容我分析如下：

1.此時，即一九六三年春天，蔣先生正是在全心全意準備軍事反攻之時，而美方駐台人員則大表反對。此使得蔣先生想到一九五八年葉先生在中美共同宣言中所簽定的「不使用武力反攻大陸」所造成的後果，因而有切膚之痛了。

2.蔣先生分別與張岳公及陳辭公二人談到葉公超先生，卻只要岳公傳話去警告葉先生，不要陳先生傳話。須知陳、葉二人每星期四一同出席行政院院會，其見面機會比張、葉二人既來得多，而且更為自然。此示，蔣先生擔心陳先生未必會代傳其警告葉先生之心意。

與葉先生之事或許有關的另一條蔣先生日記，甚有趣，今錄之如下：

三月十五日　上星期反省錄

(一)不懂英文，不識外語，以遺終身之恨，而受無窮之欺。此乃少年不努力，以致老大徒傷悲也。如果自十六歲自鳳麓學堂學習英文，繼續不斷，則此生事業或早已完成，亦未可知。以許多重大事皆誤在不學英文，而為譯者所誤與所欺耳。

這段文句有趣的是，他心目中欺騙他的「譯者」，是不是也包括了蔣夫人宋美齡女士在內呢？

九月二十日　星期三

昨（十九日）經兒訪美，如期回國。

膺白夫人亦於今日由美來台，親自往訪，以敦舊義。以膺白對國家、對余個人，在與我最後共事一段，尤其在十七年北伐期間，在濟南事件中所表現者，最為忠誠。但余因當時痛憤日軍之暴行，竟免去其外交部長之職，至今回憶，尚有餘愧。而且在余所見之外交當局，歷來皆未有如膺白之忠誠者。其視王正廷、顏惠卿（慶）與葉公超之流，乃不僅為投機之外交賣（買）辦，而多為喪權辱國，媚外欺主之國賊矣。

蔣先生對黃郛（膺白）先生的過譽，以及對王正廷、顏惠卿（慶）、葉公超等之痛罵為「國賊」，我認為絕對是大錯的，此等外交史上名人之事蹟，史家已多有評述，自有公論，不會因蔣先生一人之喜惡而改變的。

下面要引用的有關葉公超先生的一段日記，則是蔣先生與陳誠先生關係決裂時寫的，是在十一月二十三日（星期六）之後的本星期預定工作課目：

二、大會期間辭修心病至本周而益烈，各種刁難，如疾如狂，究竟不知其為何故，誠令人忍之又忍，已至極處。只其說鬧間接脅制，要我辭讓，則實非此意。但其對余各種不滿不誠之言行與痴態，表露無遺。最可痛者是其要求葉逆公超仍於提名為評議委員一事，是其對余不僅不為領袖，而其反贊成反對領袖，出賣元首與國家之叛徒共鳴矣，此再可忍乎？

請注意，這一天的晚上，就是蔣先生收到陳兼院長辭職信的時候。蔣先生的習慣是在第二天清晨去寫前一天的日記，也就是說十一月二十三日的日記是在二十四日清晨寫的。因之蔣先生寫這一段話時，已是在接到陳先生辭呈的第二天早上，此即陳先生力薦葉先生留任中央評議委員一事，是蔣先生對陳先生辭職的第一反應，而結論是「此再可忍乎？」因之下了決心准予辭職。

也就是說，蔣、陳之間關係之破裂，葉先生是壓死駱駝的最後一根稻草的了。

父親的《中央工作日記》在十一月十八日有一條記載，與葉先生事有關，並記於此：

按十一月二十三日上午，谷正綱見告，謂總裁在紀念週所言，有人在外國人面前與黨外罵黨，並謂總裁像希特勒，此人乃係葉公超。谷謂他紀念週後曾問黃少谷，人言係指葉某，是否？黃表示不否認。又按，葉原為中央評議委員，此次總裁未再予提名連任。

陳誠先生為了推薦葉先生續任中央評議委員一事去觸怒了蔣先生，我認為實為不智。因為他明知蔣先生厭惡葉先生，而且評委只是一個虛名的閒職，葉先生是否擔任此職，並無實質上的利害得失。由此可知，葉先生不但是「陳先生的人」，而且陳先生並不同意蔣先生對葉先生的指控，我想這是陳先生真正觸怒了蔣先生的一點。

㈣小結

蔣、陳兩位之間關係變壞的起始點，是在一九六〇年蔣先生蟬聯第三任總統之時候。此後雙方關係逐漸轉壞，到了一九六三年六月二十七日，陳兼院長終因身心疲憊而遞上了辭呈。由此時蔣中正先生正在一心一意準備軍事反攻大陸，乃予慰留，並先後給假二次，長達三個月之久。由王雲五副院長代理其行政院長之職務。

陳兼院長在十月上旬銷假上班，不久後，即十月二十六日蔣先生日記中開始有了行政院改組之記載，此時陳先生並未再上辭呈。

國民黨九中全會在十一月十二日至二十二日召開，其間為了「副總裁選舉辦法」以及中委與中央評議委員選舉，蔣陳兩人當面大起衝突，關係終告破裂，陳先生乃在十一月二十三日夜寫信給蔣先生辭去行政院長之兼職。

不論蔣先生是否存心用了激將計，逼使陳先生憤而辭職，他在前述兩點，即選舉副總裁的新規定，以及對陳先生保密中委名單這兩方面，都是不夠尊重陳副總裁的，難怪陳先生會急怒攻心，一度甚至要拒絕出席九全大會之閉幕式以示抗議。

由十一月二十四日陳誠先生辭職，到十二月四日嚴家淦先生出面組閣，這十天之內所發生的政局急變，容我在下章中再予記述及分析也。

六、嚴家淦出面組閣之經過

㈠蔣經國力挺陳誠留任行政院長

陳誠先生在十一月二十三日遞上了辭呈，嚴家淦先生在十二月四日的中常會裏被批准提名組閣，在這十天之內，由蔣中正日記可知，他曾與兩個人談過陳院長的去留問題，此即：

1. 蔣經國先生，時任陳內閣之國防部副部長。
2. 張羣先生，時任總統府祕書長。

蔣先生日記談到經國先生處為：

十一月廿四日　星期日

經兒來告……，彼以辭修乃本性優良同志，應加容忍。此時亦無相當人選可以繼任行政院長者為言。余以為此時應准其辭職，否則公私必將俱敗矣。

此可供分析如下：

即在陳先生辭職的第二天，經國先生即刻主動去向他的父親進言，勸他慰留陳先生，其理由有二：

1. 陳先生乃是「本性優良之同志」。

2. 此時亦無相當人選可以繼任行政院長者。

此與坊間一般人之印象，即經國先生是長期與陳先生明爭暗鬥者，大不相同也。

反而是蔣先生下了決心，要陳先生去職。

在經國先生所舉出來慰留陳先生的兩個理由之中，以第二點比較要緊，此即在經國先生心目中，此時並無適當的繼任行政院長之人選，那麼在蔣先生心目中又是怎麼想的呢？如果蔣先生此時已有中意的人選，這個人是否合乎經國先生的心意呢？

㈡嚴家淦之出線是臨時性的偶然

新任的行政院長必須是個國民黨員，時任行政

▲一九六三年蔣中正於總統府主持行政院長嚴家淦及閣員宣誓儀式

院副院長的王雲五先生既然是黨外人士，當已出局。

此人即使是個國民黨員，此時自應具有中常委之身分。此因九全大會之後的一中全會，即在十一月二十三日星期六召開的，據父親的《中央工作日記》相關記載如下：

下午三時，至大直三軍聯合參謀大學，列席九屆中央委員會第一次全體會議，總裁主席。……會議開始後，先討論中央委員會組織條例，將中央常務名額自十五人改為十五人至十九人。……其後由唐祕書長宣讀總裁提名之常委名單，仍為十五人。原任之黃季陸、沈昌煥、丘念台改為黃杰（現任台灣省主席）、謝東閔（現任台灣省議會議長）、倪文亞（原任第一組主任，自被選為立法院副議長，即思辭去一組事，曾多次於閒談中向我提及。）上屆常委，係由中委互選十人，另由總裁提名五人。今日唐報告謂仿上屆例，概由總裁提名，非事實也。常委名單宣讀後，全場鼓掌通過。

今分析如下：

1. 在十九個名額中只提了十五人，即有四個空額。
2. 十五人全由蔣總裁提名，全數鼓掌通過，並未經過中委互選。
3. 在七天之後，即十二月一日，蔣先生就已決定新任行政院長之人選。那麼依常情言之，此時蔣先生如果已有腹稿，那麼此人應在新科中常委之列。

在新科中常委選出後的第二天，即十一月二十四日星期天，蔣經國先生會向蔣中正先生說，此時並沒有相當人選可以繼任者。他應當是在那十五名新科中常委名單中，去尋找適合的人選而遍尋不著的原故。

結果令大家跌破眼鏡的，是蔣先生所挑選的新閣揆乃嚴家淦先生，並不是新科的中常委之一。更有進者，嚴先生在九全大會中獲得提名參選中委，竟告落選，而且連候補的資格都沒有。此即在二百二十名參選者中，他的得票數排在七十五名之後，可是他竟然在十天之內，會一躍而成黨政方面排名第三的實權人物，這真是令人覺得不可思議的意外之事情的了。

在十一月二十二日的中委選舉裏，選出五十位中委，另由總裁指定十四位，以及副總裁為當然中委，加起來總共六十五位。嚴先生雖然落選，但是由總裁將之列入指定的十四人之內，因此成為中委。

依照上文，當時父親已判斷嚴先生由八全的評委，改為九全的指定中委，那麼他的仕途將會更上一層樓。只是在十一月二十三日的中常委選舉中，因為嚴先生未獲提名，父親就沒有料到這個更上一層樓會來得如此之快的了。

不論如何，嚴先生以中委選舉落選者之身分，竟會在十天之內鯉魚跳龍門而一躍成為行政院長，這真是令人大出意外之事了。

㈢蔣中正日記中在嚴家淦的名字出現前有關新閣人事之記載

從十月二十六日起，蔣先生開始在日記中提到行政院改組，可是在十月二十六日蔣先生並沒有對新閣揆人事有任何著墨。

到了十一月二日，因為蔣先生在考慮中央黨部的人事改組，為了要安排原任祕書長唐縱先生的出路，提到了他可能調任行政院祕書長。不過這是一個連帶性的調動，並不表示此時蔣先生對新閣人事已有全盤之腹稿，其記載如下：

行政院改組事。

中央黨部組織之改正與人事之研究。

唐縱改任行政院祕書長或安全局長。

駐外使節之調整：

甲、周書楷、王雲五。

乙、魏道明、陳質平。

陳誠先生是在十一月二十三日晚上遞上辭呈的，內閣確定改組，因此在十一月二十四日開始，蔣先生日記中有了具體的部分新閣人事之腹稿，可是一直到十二月一日寫出了嚴家淦先生為新閣揆一事為止，蔣先生始終不曾寫出他腹稿中的閣揆人選是誰？

十一月廿四日　星期日

一、行政院副院長：余井塘、張厲生。

祕書長：唐縱、谷鳳祥。

教育：劉真、李壽雍。

十一月廿六日

三、司法（行政）部長人選：查良鑑，問司法院長意見。

接下來便是十二月一日提出嚴家淦為新閣揆人選的記載了。

從十月二十六日到十二月一日，蔣先生雖然考慮了內閣改組及部分人事，可是從來沒有說出他心中的繼任閣揆是誰？為什麼呢？我認為這可能有下列原因，即：

1.在陳先生於十一月二十三日再度遞上辭呈之前，蔣先生可能只在考慮內閣之局部改組，即院長不換人。

2.陳辭公在十一月二十三日的辭呈來的突然，蔣先生一時還來不及考慮新閣揆的人選。不論兩者之中孰為是，都表示嚴先生的任命是急就之章的了。

㈣嚴家淦是張羣推薦而出面組閣

我在細讀了一九六三年的蔣先生日記之後，發現了一個怪事，即從一月一日到十二月一日，整整十一個月之間，蔣先生在日記裏，從來沒有提到過嚴家淦先生的名字。他第一次提到嚴先生，就是要任命其為行政院長，即：

> 十二月一日　星期日
>
> 與岳（軍）談行政院長問題，辭修尚勸嚴金（靜）波不要幹，但嚴已遵命不辭，乃決以嚴為行政院長也。

這條記載本身就很奇怪，因為：

1.沒頭沒腦，毫無來由，在此前並沒有任何跡象顯示他要嚴先生出任閣揆，也沒有召見過嚴先生面談。我判斷是蔣先生要張岳公代傳此令，那麼蔣先生怎麼會想到請嚴先生出馬的呢？

2.我認為此舉出於張岳公之推介，原因在後文說明之。

3.陳誠勸嚴先生不要接受，而嚴卻要遵命接受，這個消息蔣先生當是從張岳公處得知的。

嚴家淦先生之仕途，在抗戰八年中是在福建省主席陳儀先生麾下擔任廳處長之職務。一九四五年抗戰勝利時，他追隨陳儀先生來台接收，出任台灣省的廳處長級職務。陳儀先生屬於政學系，而張羣先生則是政學系在台灣的領袖，也就是說嚴先生是張先生的同派後輩。我認為在自己組閣無望之後，張先生才臨時推舉嚴先生以自代。而以前文所記，在十二月四日張先生當面告訴王雲五先生，如果雲老是個國民黨員，就會由雲老組閣，而非嚴家淦的了。此亦可證，張先生對此次內閣改組一事，牽涉甚深也。

曾國藩說過：「做大事第一要緊的是找替手。」

在推薦嚴先生以自代這種事上，張先生是替蔣中正先生找到了一個良好的「替手」——接班人。不過這是後見之明。在一九六三年十二月四日嚴先生組閣時，他只能說是在「此時亦無適當可以繼任行政院長人選」（蔣經國語）的情形下，「無魚，蝦也好」，由蔣與張二位臨時抱佛腳徵召上陣的一匹黑馬而已。

這是因為蔣先生下定決心要陳院長下台，不管有沒有適當的繼任人選，非得去陳而後快也。此即陳誠下台是必然，嚴家淦上台則是偶然者也。

從十一月二十二日嚴家淦中委落選，二十三日新科中常委出爐，嚴家淦名落孫山，二十三日晚上陳誠辭職，到十二月一日嚴先生受命組閣，在此短短不到十天之間，政局如此丕變。嚴先生為何能獲蔣先生之青睞？蔣先生在只與張岳公兩人商議之下，連經國先生都無置喙之餘地，就決定拔擢嚴家淦，這風雲變幻的十天之政局，真是值得史家去做仔細的推敲。我手上並無充足的資料作進一步的分析，只能在此點出來，請有興趣於此事者共同研究探討其真相何在？

在此只解決一個小疑問，蔣先生是如何通知嚴先生要他出面組閣的消息呢？因為在十一月二十四日到十二月一日之間，蔣先生並沒有召見過嚴先生，因此他們中間應當有一位傳話人，我判斷是張羣先生。

蔣中正的日記說：

十一月廿九日　星期五

與岳軍談話，乃知辭修實無辭意，為異，且其心病益劇，可說神經完全失常，不勝其憂也。

十一月三十日　星期六

昨與岳軍談話後，對准予辭修辭職之決心，更為堅定，否則公私俱敗。對其個人之前途，將不堪設想。……據辭修最近患得患失，與損公不誠之言行與態度的表現，純為自私之私字所蔽而已，可嘆。

容我評析如下：

1. 大約是在十一月二十九日與張先生談話時，蔣先生要其向嚴先生代傳請其組閣之命令。而嚴先生在兩三天後，即十二月一日即表示接受。

2. 在接受之前，嚴先生曾去向陳誠先生報告，或請教他對此事之看法，陳先生乃勸嚴先生「不要幹」。

3. 在十二月一日，嚴先生把陳先生的勸告和盤托出，告訴了張先生，並表示他願意遵命組閣，而張先生亦轉告了蔣先生。

於是蔣先生才會在日記說：「與岳（軍）談行政院長問題，辭修尚勸嚴金（靜）波不要幹，但嚴已遵令不辭，乃決以嚴為行政院長也。」

㈤小結

在讀了一九六三年的蔣先生日記之後，我認為那一次行政院改組，陳誠先生之下台是為必然，他與蔣先生已經公開翻臉，當面爭吵，兩人已經無法繼續合作的了。可是嚴家淦先生的上台則為偶然，是出自張羣先生臨時的推薦。

在一九六三年冬天，陳先生有三個職務，此即：

1. 政府中的副總統，此為六年一任，此時陳先生為第三屆副總統，任期要到一九六六年才告結束。

2. 兼任行政院長，即此次辭去的兼職。

3. 由九全大會選出之國民黨副總裁，此須待六年後到一九六九年的十全大會中方能改選。

不過陳先生在一九六五年就因病去世了，所以他的副總統與國民黨副總裁之去職，就沒有發生問題。如果陳先生活過了一九六六年，那麼蔣先生就得面臨是否要讓他繼續蟬聯副總統這個令他極為頭痛的問題了。

七、感言

㈠政治事件往往表裏並非一致

政治上許多事是不能只由表面去看的，例如：

1. 世人多以為陳誠先生晚年擔任第三任行政院長時（一九六〇至一九六三），經國先生與他明爭暗鬥，務必去之而後快。可是事實則不然，在一九六三年十一月二十三日陳先生遞上辭呈後，第二天即二十四日星期日，經國先生主動去向他父親進言，力挺陳先生，主張慰留之，只是沒有被蔣老先生接受而已。

2.嚴家淦先生之以黑馬姿態接任行政院長，當時政壇中不但在事先沒有人料到，在已成事實後，普遍認為此只是一個暫時的局面，嚴先生是做不久的。

那知道嚴先生從一九六三年做到一九七五年蔣老先生去世，十二年裏擔任了兩任行政院長，兩任副總統，終於修成正果，繼位總統。

3.世人多以嚴先生是個「乖乖牌」，「俯首甘為孺子牛」者，那知並非如此，今舉一例如下：在一九六七年九大五中全會後，嚴先生已經當選了副總統，正要重組他的第二任內閣。他在一九六三年首次組閣時，閣員之變動甚少，基本上維持了陳誠先生最後一任內閣之情勢。因此在三年後的一九六七年十一月內閣改組時，蔣先生要全面調動人事，因而嚴先生乃與之大起衝突。茲抄錄蔣先生相關之日記如下：

1.即在本文第一章第二節「緣起」部分，所引用的蔣先生於一九六七年十一月九日批評嚴先生之文字：

靜波在黨在政，皆不知責任，且不知體統，殊難望其有為也。固執疲玩，墨守成規，心無主宰，得過且過者，必難為政也。

2.一九六七年十一月二十五日　星期六

與嚴靜波談人事與政治，總覺此人消極因循之氣質，無法變化，並不知□國為何事，更令人失望。

3. 一九六七年十一月二十六日　星期日

一、靜波與少谷及岳軍所談，堅持其謝祕書長不肯調換之意，殊出意外。可知其對我在五全大會所言求新□行與科學化之決心，毫不容懷，不僅不動其心而已。可嘆！氣質難變，一至於此耶？上午召見岳軍，即以所言人事辦法，以陶聲揚〔洋〕、蔣彥士二人任嚴擇其一人為祕書長之意轉告，以及調整各部長亦一併明告，如其不能同意，則準備其辭職，另選行政院長之決心示（之）。禮拜後休息……晚，岳軍來告，嚴已□我所示辦理云。

此為與本文主題無關之事，因此在此只是略予討論如下：

1. 此示嚴先生對蔣老先生並非只是唯命是從的。
2. 此亦表示張羣先生是蔣、嚴之間的傳話人。
3. 我認為這一次蔣先生是過分的。中國官場不成文的規矩是主管有權任用兩個心腹親信，即：
(1) 首席幕僚，此即主任祕書或祕書長。
(2) 管理財務者，即總務科長或總務處長。

嚴先生身為行政院長，則行政院祕書長之人選當然應該是他的心腹。

謝耿民先生長期擔任嚴先生的副手，曾任台省財政廳長與財政部次長。一九六三年嚴先生首次組閣時，他提出的第一個人選即由謝氏出任行政院祕書長。蔣先生既然舉不出謝氏有任何失職之處，只用空泛的口號——人事要求新與科學化，便要改派陶聲洋或蔣彥士去擔任嚴先生的祕書長，這實在是一個極為過分且不夠尊重嚴院長的要求，難怪嚴先生會予以拒絕。

照常理說，即使蔣先生有充分的理由要求嚴先生更換其祕書長，也應該讓嚴先生自行挑選新的祕書長之人選，不應該硬塞一個人給他。

㈡蔣先生罵人罵得凶

替蔣先生做事真不容易，他喜歡用重話去責罵他的部下。例如他罵葉公超先生是「賣國賊」、陳誠先生「氣量褊狹」、嚴家淦先生「不知體統」、「消極因循之氣質，無法變化」等等。其實在一九六三年十一月九全大會時，蔣先生在日記中對陳誠先生的苛責與謾罵，甚為過分。最為嚴苛的一次，是在十一月三十日那一天的日記後面，正好是週末與月底，因此有四頁紙的篇幅可供使用；即上星期反省錄、下星期工作項目、本月與下月四頁。蔣先生一口氣寫了四頁紙，其中大約有一半的篇幅是在痛罵陳誠先生的，我一概從略，不加引用。

俗語說的好，「相罵無好話」，蔣先生這種氣頭上的話，如果我們只聽信他的一面之辭，而不加核實考查，全文照抄，則對被罵的人如陳先生來說是不公平的。

㈢蔣先生用人顧及派系與地域之平衡

蔣先生並不是一個獨夫，他在日記中許多腹稿中的人事任命，最後往往胎死腹中，不能實現。他的許多打算有他的時代性，例如在安排人事的時候，他會考慮到該人的派系色彩、地域背景。

在一九六三年那次改組內閣，在十二月一日決定新閣揆為嚴先生之前的十一月二十四日之日記說：「一、行政院副院長：余井塘、張厲生。」

這兩位都是CC大老，此示蔣先生要任命的新任院長一定不是CC的人，所以要用一位CC大老去輔佐此人，以便應付三個不能改選的立、監、國大也。

可是余、張二人在CC中的派系不同。張厲生先生在九一八之後到抗戰勝利前，負責華北與東北的黨務，他所領導的一派，政壇中人稱之為華北幫或「河北幫」，至於余井塘先生則長期在中央或國民黨控制區工作。

外人不知道，在一九五〇至八〇年間，國民黨中央黨部之黨權有很大一部分是操縱在「華北幫」之手中。他們因為長期與日本人、偽滿、漢奸及中共地下黨相對抗，所以同志之間的內聚力特別大，也熟悉特工與組工之業務及技巧，戰鬥力甚強也。

如果套用中共黨史及其常用之詞彙，張厲生就相似於劉少奇，長期在「白區」搞黨務，而余井塘則是在紅區做黨官的。中共在一九四九建政之初到文革為止，十多年間，其黨、政、工運、學運、特務的領導權是操縱在劉少奇、周恩來、彭真等白區工作出身的領導人手中。我曾對楊天石兄說，如果要用一句話來說明文革，就是：

「毛澤東利用紅區出身的槍桿子去搶奪白區出身的劉少奇、周恩來的黨、政、工運、學運之權力。」

其實遠在文革之前，建政之初，毛澤東已逐步在進行整肅白區出身者之高幹了，此應自潘漢年、楊帆案起，是由康生領導的紅區特工取而代之，以及胡風案，在文壇上的腥風血雨，不過這些早在五〇年代就已有之的小規模政治風暴，不如文革之引人注意了。

在台灣的上一代國民黨人中間，CC中的「華北幫」之遭遇與中共白區的黨工們是大不相同的，我在此點出來，請有興趣的朋友可以作個比較，大家一起來作研究。

㈣治道與治術

蔣先生喜歡用小動作，或可以稱為「技術性擊倒」去應付政敵。這些事例皆可證於本文所述蔣先生對付國民黨史上僅有的兩位副總裁，即一九三八年在武漢選出來的汪精衛先生，以及一九六三年在台北的陳誠連任副總裁。不再贅言。

中國人治國有「道」與「術」的不同，兩者必須相輔相成，其人才能做到明君賢臣。我認為近代與現代史上海峽兩岸之政治領袖，勉強可以說已到這個境界的只有中共的周恩來一人而已。

以台灣言之，蔣中正先生好用治術，但仍不失為忠厚，不把政敵置於死地，是術多於道。嚴家淦先生綁手綁腳，成了無為而治，看不出他本性如何，其治道與治術均不明顯。經國先生則是治道多於治術，即如王作榮先生說的是「包青天加上史大林」。他在台灣主政時，做包青天的時間遠比做史大林時為多，可是他一旦翻起臉來，對付其政敵所使用的手段，遠比他的父親要來的陰狠毒辣，此於任顯群、徐柏園、王正誼等人的事例可證也。李登輝先生則是「術」比「道」要多的太多，可是他仍是有其「道」在，只是他深受日本文化之薰陶，大多數中國人不能認同及了解他的「治術」與「治道」也。陳水扁先生在我看來是只有「術」而無「道」，馬英九兄則是只有「道」而無「術」。

不論是道或術，二者皆不可偏廢，其可不可取的關鍵是在於其出發點是為公或是為私。治道的好壞容易看出來，治術則難以察覺，今以清史中的一個史事為例以說明之，就是奸詐的治術，只要是為公而不為私利，仍是可取者。

在太平軍初興之時，曾國藩初在湖南辦理團練，即後日之湘軍。當時湖南的各級地方官吏均予杯葛，支持他的卻是鄰省的湖北巡撫胡林翼（文忠）公，可是隔省干政是犯禁的。

幸好湖北、湖南都是湖廣總督的轄區，胡林翼乃用其上司湖廣總督官文之名義，去支持湖南的團練。

官文是正黃旗出身的滿洲人，皇親國戚，此人貪財好色，昏聵糊塗。他一來怕事，二來痛心軍費之巨大，頗有阻擾胡林翼的舉動。

官文有一位寵愛的漢人姨太太，是風塵出身。恰巧她的母親過生日，官文這位總督大人竟然大發請帖，擺酒賀壽，這是官場中從來沒有的不成體統之事，武漢三鎮的文武百官一時都傻了眼，於是大家靜觀官位僅次於總督的巡撫大人如何應付此事，再作舉動。

胡林翼本人與其尊翁都是進士出身，他的夫人是故兩江總督陶澍之女，陶公是一代名臣，士林欽佩，所以夫人的家世更為清貴。胡林翼在官文請客那天，穿了正式的官服，用巡撫的儀仗去登門道賀，並且當場命令其夫人在壽堂上跪拜老壽星為義母。這一下子全城百官皆效法去賀壽，官文自然覺得面子十足，大為受用，而老壽星母女則深為感激。

從此以後，每當官文要刁難胡林翼時，姨太太就大發嬌嗔說：「你不懂，讓我乾哥哥去做，做錯了有他頂著，做對了功勞也有你的份。」

於是胡林翼乃可盡以湖北全省之力，借用官文湖廣總督之名義，跨省去支持湖南的曾國藩之湘軍了，而湘軍乃不致因為缺錢缺餉缺糧而夭折也。

清朝同光中興的四大名臣，即曾、左、胡、李，其中以官位及功名論之，曾國藩、左宗棠、李鴻章三人都出將入相，拜爵封侯，只有胡林翼因為英年早死，沒有等到平定太平天國大功告成之時，因之他既未封侯拜相，也只官至湖北巡撫而已。

在這四個人之中，若以治道及治術言之，我認為只有胡林翼是兩者兼而有之，而且運用自如，恰到好處。曾國藩則是道多於術，在大事上每有讀書人之迂拙。李鴻章是術多於道，失之於奸巧，而且私心太重，好財貨。左宗棠則是任我而行，率性而為，一如行走江湖之大俠，根本不講求治道與治術。他平回亂時在西北各地殺戮太重，不僅是有失治道，甚至可以說的上是有傷天和的了。

古人有謚法，曾國藩謚文正，左宗棠謚文襄。胡與李同為文忠。除了胡林翼之外，我認為其他三人是確評。胡文忠公若不是早死，以其事功與為人，我認為應該會得到更好的謚號的。

如胡林翼之與官文的姨太太結為乾親家，當然是有失官箴，有違正道的下流技巧，可是他的動機不是為了自己的升官發財去巴結上司，是為了方便辦理國家大事，論史者反而引之為美談了。

這就是用「治術」而不失正道的例子。我少年時讀同光中興名臣傳，每為胡文忠公之事蹟而淚下，謹記其生平於心中，在五十多年後的今天寫這篇文章時，不必查書，一揮而就的了。

(五)小記與陳誠有關的四件人事

1. 小談李則芬中將

李則芬中將是陳誠麾下的愛將，我在拜識李將軍之前，早已知道他的大名。

柏楊先生以鄧克保的筆名所寫的小說《異域》，今已拍成電影，此書一九六一年在台北《自立晚報》連載刊出時，原名為《血戰異域十一

▲一九五三年國軍北緬殘部撤離金三角

年》。我當時只是個學生，天天讀此連載，每每為之泣下。

此書寫國府殘軍在李國輝將軍率領下，自雲南省退入北緬後，與中共及緬軍多番戰鬥的故事。

李則芬將軍是此書中的英雄人物之一，他是在一九五〇年代為台灣的國防部所派遣，去北緬孤軍營區創辦軍事學校，以教育孤軍的青年幹部與子弟們。

在緬軍第二次進攻時，孤軍被包圍在拉牛山上，危在旦夕。當此即將全軍覆沒之際，李將軍率領學生隊跑步赴援，學生們手拿長竹削成的竹槍，奮力衝殺緬軍陣地，與見機從山上衝下突圍之孤軍殘部合作，使緬方腹背受敵，乃一舉擊潰緬軍而告捷。

一九六六年出國留學時，此書是我少數隨身攜帶的中文書籍之一。在一九七〇年代上期，我與李將軍通過寫信而成為筆友後，我曾將柏楊先生整本的小說改寫成一首長詩獻給將軍。將軍把我的詩作拿給當時已回到台北定居的李國輝將軍看了後，回信給我說，他們兩位對此時竟還有人為了孤軍寫長詩，甚為感謝。

將軍也告訴我，柏楊先生此書所寫的並不完全屬實，作者對李彌將軍的指責太重，他說《中外雜誌》上連載的李國輝之長篇回憶錄，較此小說更為可信。

「李國輝回憶錄」我也曾讀過些，寫的過於詳細及瑣碎，不容易改寫成詩句。

我之能有機會認識李則芬將軍，是經由父親的囑付與安排。

大約在一九七〇年代初期，將軍的大著《五千年世界戰爭史》，一套數大冊，得到了中山文化基金會的獎助。父親是那個基金會的負責人之一，當時王雲五先生是董事長，父親是董事兼總幹事，雖是第二把手，但是實際負責會務。

父親知道我喜歡讀戰史，就送了一套給我。當時我剛拿到數學博士學位，正在美國威州的一間大學教書。

那套大部頭書可分兩部分，外國的戰史是將軍的譯著，而本國的則是將軍的原著。這套書與我平時在中國史書中所讀到的戰史之最大不同處，是將軍作為一個職業軍人，非常重視地圖之製作、戰爭經過，各種數字及後勤系統之核實，真可以說是使人耳目一新。

我乃要求父親替我介紹，與將軍隔洋通信。將軍是我亦師亦友的前輩，我對戰史與軍事學之所以能有一點淺薄的了解，受其教處實為良多也。

將軍告訴我他雖然好寫戰史，卻絕不寫抗戰史。他親身參預其間，當時位階雖然不高，但以他所知，坊間不論公私之文書記載，很少講真話。

在此感言中我之所以提起李將軍，是因為要記述他的一首詩與我的和句。作於一九七二年的將軍原詩如下：

〈春晚獨弔辭公墓〉

登臨拜墓獨遲遲　已是黃昏客散時
故主真能安息否　國家仍在救亡期
行行翠柏他人植　片片浮雲費我思
立像前朝余未至　傷心不欲令公知

按一九七二年時，台灣退出聯合國不久，人心惶惶，所以將軍有句云「國家仍在救亡期」了。

我的和句如下：

精忠永伴翠柏枝　故將傷心弔墓遲
宰相新恩無廟讚　師戎舊敗有微辭
撫碑更念知心少　拜像增感大事危
著史雖將千萬字　何年快意記追隨

2.陳誠在台灣的政績久已淹沒而不稱

拙詩中的「宰相新恩無廟讚」，指的是在兩蔣時代，陳誠先生在台灣的重大政績多被淹沒。今隨手列寫如下，當多有遺漏之處，此不過是舉例而已。

(1)推行地方自治。

(2)實施土地改革——「三七五減租」與「耕者有其田」。

(3)重用以尹仲容先生為首的「經建派」，奠定台灣經濟起飛的基礎。

(4)善於利用美援：

二次大戰後在美國曾經援助過的七十二個國家之中，中華民國是眾多亞洲與非洲國家中，唯一自力去做經濟建設成功的例子（按日本在美國佔領之下，韓國則駐有大量之美軍）。我認為此是因為在尹仲容先生的卓越領導下，當時的美援會聚集了一群學有所長、實務經驗豐富、廉潔自持、敢負責任、全心為公的公務員及學者專家們。此也歸功於尹先生制定的一個重大決策，亦即美援金額全數交由民間之

▲副總統陳誠與李國鼎（右二）關心工業發展。右一為裕隆機器製造廠嚴慶齡，右四為林挺生。

私營企業使用，政府的公營企業不得分潤一絲一毫。因此使得民營企業得以茁壯，使台灣在長期實行計劃經濟的制度下，仍然得以逐步發展成為一個以私有之工商業為主體，大幅降低了農業所佔比重的資本主義、市場經濟型態的經濟體。

至於在蔣經國主政時期，眾所周知，以李國鼎先生為主導的高科技產業之誕生，實得力於李先生的恩主尹仲容先生所打下的經濟基礎。

在尹先生以俞鴻鈞內閣之經濟部長身分，身陷「楊子木材公司案」之風暴中，因為受到台北地方法院檢察署之起訴，以貪污犯之嫌疑而被停職後，乃賦閒兩年，終於獲得無罪判決。到了一九五八年陳誠先生二度組閣，乃重新起用尹先生。為了保護尹先生，陳誠乃自兼三個機構之主管，而以尹先生副之，並賦予全權。例如美援會，即出現了陳誠副總統兼行政院長兼美援運用委員會主任委員之怪現象。

尹先生乃因之得長材見用，至死為止。

3. **陳誠在台灣推行西化的高等教育**

(1)在一九五〇、六〇年代，國府上下對大陸失守之記憶猶深，不少保守派認為應該加強控制年輕人之思想，此時成立了「中國青年反共救國團」即為一例。可是主持政務的陳誠行政院長卻大力支持學術界的「北派」——即為大陸上的北大、清華、南開與北洋工大等學校出身的專家學者，去主導台灣的高等教育。例如錢思亮、梅貽琦、蔣夢麟等人。他們在台灣長期推行了西化教育，培養出我們這一代，使台灣能走上今天的民主自由之道路。

(2)出身南派的學者也有反對黨化教育者，今以先父為例。

父親畢業於上海的中國公學，留學歸國後即在南京的中央大學與中央政治學校（今之政大）任教例。

五年。隨後在浙江從政十年，其間在浙大與英士大學兼課。因之在學界，父親當屬「南派」。父親在政治上是國民黨的核心分子，可是他也反對黨化的教育，今以他對「三民主義」的看法為例。

一九六五年成立的中山學術文化基金會，一直是台灣規模最大的文教基金會。父親從成立之日起，到一九八八年十月過世為止，二十三年中都是以該會第二把手——即以董事兼總幹事的身分去負責此會之實際事務。至於第一把手，即董事長，先後為王雲五與楊亮功兩位院長級大老，則是掛名而已。

從此會成立之初，父親即立下定規，在獎勵的學科中不予列入「三民主義」。這對一個以孫中山先生為命名，而且是紀念中山先生一百年誕辰為理由而成立的基金會來說，真是一件奇特而且驚人的舉動。乃有人向蔣中正總裁舉發此事，有一天在中常會裏，蔣先生忽然問道：

「中山基金會怎麼沒有獎助三民主義的研究？」

父親當時以國民黨中政會副祕書長的身分列席中常會，乃起立答覆說：

「報告總裁，三民主義不是一門學問。」

父親的意思是說，三民主義包含甚廣，但是其本身並非一門專科。因之只研究整體的三民主義的著作，實為無從審定與獎助。如果研究三民主義中的政治、社會、哲學等項目者，自可向該等學科項目申請獎助，但是不可以把三民主義列為一個專項，而與各學科並列。如此則無從與此等學科中與三民主義無關的學術著作去作相互比較其學術水準也。

也就是說，基金會不願意用三民主義專家去審核有關三民主義之學術著作，以免魚目混珠，大開方便之門，因而降低了其獎助之學術水準。

蔣先生聞言思考了一下，乃連聲說：「對！對！對！對！」

因之中山學術基金會之獎助項目雖然林林總總，就是沒有「三民主義」這一項的了。

當時在台灣因為大專院校及高中都開設了三民主義這門課。在那個時代，大專聯考不論甲乙丙丁各組都得考六門課，而「三民主義」則各組都列為一個科目，即在六百分總分中佔了一百分，為六分之一，因之此課目乃是考大專時考生們必爭之所在了。

也就是說在那個時代靠教學與研究「三民主義」而謀生者，為數當以萬人去計算，那麼父親此舉不啻阻絕了他們之中許多人去向中山基金會申請輔助獎勵之途徑。當時父親身為國民黨中政會之副祕書長，而對三民主義的研究與教學竟有此種看法，可證學術界不論南北對教育下一代的想法是大致相同的，都有人主張不要用黨化教育去控制年輕人的思想。

陳誠先生出身於保定軍校，從來沒有去歐美留學，可是他在台灣能支持在大學裏推行西化教育，不去搞制式的黨化教育，真不容易。當然，蔣中正先生雖然沒有明白說出來，他也不同意去獨尊「三民主義」。此由他對父親所說的「三民主義不是一門學問」，竟然會當場表示同意一事，即可知也。

提到三民主義，容我打個岔，說兩個小故事。

A. 在一九五〇年代，台灣為了應否節制人口，政壇曾有一次大型辯論。主張應予節制者，以農復會主委蔣夢麟為首，反對者則以立法委員李文田最為聲嘶力竭。

在一次會議中，李委員指出在三民主義中，孫中山先生反對節制人口，孫先生認為馬爾薩斯的人口論是西方帝國主義用來對付中國的侵略工具。只見時任考試院長的孫科先生站起來說：

「請不要用我父親的話來提出這種主張，如果國父生活在今天的台灣，也會說出與他當年不同的話來。」

B. 一九八〇年代，台灣的中央研究院內設有「三民主義研究所」，當時的所長是經濟學家陳昭男院士，有一天晚上我問他：

「你這個研究所怎麼會取這樣的一個名字的呢？」

陳兄好酒，那天大約已經喝醉了，他笑著說：

「這是掛羊頭賣狗肉的呀！我們想辦一個 Inter discipline（跨學科）的研究所，老一輩的院士們都大加反對，說每一門學問各自都是獨立的一門，怎麼能併在一起去做研究呢？我就想利用三民主義作個幌子，那是無所不包的呀！」

4.台灣制定土改政策時左右兩派大起爭執之經過

⑴ＣＣ與團派的鬥爭由來已久

談到陳誠先生的重大政績，不能不提他在台灣推行的「三七五減租」與「耕者有其田」。我並不在寫作〈蔣經國整肅先父阮毅成的經過〉時（刊載於《傳記文學》第九十四卷第二、三期），我並不知道父親與經國先生有否任何具體的過節。在讀到拙文之後，蕭錚先生的一位公子請家二兄（阮大正）轉告我一個故事，才使我知道相關的一段事實。

在敘述此事之前，容我把牽連在內的三位政壇人物，即蕭錚、阮毅成與蔣經國作個簡單的背景分析。

他們三位都是在一次大戰後、二次大戰前留學歐洲的，三個人屬於同一世代，都是浙江人，這是他們相同之處。可是不同之處卻多了，首先雙方分屬兩個陣營，即ＣＣ與團派。

蕭與阮屬於國民黨中的ＣＣ派，經國先生則屬於三青團派，這兩派在大陸時期即為長期的政敵，遷台後亦然。不同的是在大陸時期，黨權操在ＣＣ首腦的二陳手中，此即陳果夫與陳立夫兄弟兩人，因之在黨中ＣＣ成為主流派，而團派則是非主流派。

因此在一九四六、四七年所舉辦的第一屆國大、立委與監委選舉中，CC乃大獲全勝。成為三個國會中人數最多的派系。

一九四九年遷台之後，陳果夫先生不久即過世，而立夫先生為蔣中正先生放逐赴美，團派的陳誠與蔣經國兩位乃先後掌控政府。在黨中央團派因之成為主流派，而CC則成為非主流派。這與在大陸時期兩相比較，雙方的角色乃為互換。

可是因為三個國會不能改選，所以CC在其中仍為最大的派系，此就成了朝小野大的局面，也造成了國民黨內這兩個派系鬥爭的長期不穩定狀態。

在早期十五位（在一九六三年後增至十九位）中常委裏，CC固定佔了三至四位的席次，雖然稍低於團派，已是第二大派系，約佔五分之一，其著名的成員先後有：

A. 張道藩（時任立法院長）
B. 谷正綱（國大祕書長）
C. 胡健中（立法委員，三度出任中央日報社長）
D. 余井塘（行政院副院長）等人。

CC在國會中與黨中央公開對敵的情形很多，例如出版法案，齊世英（CC人士，立法委員，《時與潮》雜誌負責人）開除黨籍案等等。不過規模最大的一次衝突，是一九六三年倪文亞先生被提名選舉立法院副院長一案。

當時CC的張道藩院長因健康原因辭職，國民黨乃提名時任副院長、台籍半山的黃國書中將繼任，另提時任第一組主任（今之組工會主任）的倪文亞先生為新任副院長。

倪先生是團派，此使立法院中的CC委員們大譁，他們認為張道藩既然是CC成員，他的院長遺缺由台籍的黃副院長繼任，他們也就認了。可是黃先生的遺缺應該由ＣＣ的人繼任，才算公道。於是他們另推鄧翔宇委員出面與倪文亞委員對抗，經過劇烈的抗爭，倪先生以甚少的差額當選，黨中央乃把鄧委員開除黨籍結案。

我之所以在此點出ＣＣ與團派的矛盾與鬥爭，是要讀者明瞭，在兩蔣時代雖然是由國民黨長期執政，但是國民黨並非是鐵板一塊。而且ＣＣ在遷台後成為黨中在野的非主流派之後，其成員紛起與主持黨政的團派抗爭。在台灣上一代著名的國民黨內自由派，例如雷震（國大代表）、齊世英（立法委員）、陶百川（監察委員）、梁肅戎（立法委員）等敢言之士，都是ＣＣ中人。

又如在一九七九年的高雄美麗島事件之後，國民黨中公開主張全案移送司法的四個老年外省人，即陳立夫、余井塘、陶百川與胡秋原，其中除了胡秋原先生之外，其餘三位都是ＣＣ中人。

⑵土改會議中左右兩派的爭執

現在回到「耕者有其田」土改政策之爭執一事。

蕭錚先生是德國地政學（Geopolitics）博士，專研土改政策。這門學問是納粹德國的一門顯學，在英美法各國的學術界似乎沒有與之內容完全相符的這一門專科。

父親則是留學法國的法律專家，有地方行政的實務經驗，在來台之前，從一九三八年到一九四八年，父親擔任了十年的浙江省民政廳長。

他們兩位之被陳誠先生延攬與會，去制定土地改革之政策，應當是基於他們的學識及實務經驗，也就是作為專家學者的身分去參與此事的了。

當時國府遷台未久，就要推行土地改革，勢必侵犯到本省籍的地主們的權益，因之民間及黨政高層中反對者都很多。可是當時擔任行政院長的陳誠先生極力堅持，才得推行「耕者有其田」的土地改革。

世界各國的土改都是要把地主名下的土地拿去分給佃農，左派的俄共、中共等國家是採用暴力手段，去清算鬥爭地主們，去強奪其土地，免費分給貧農。

留學蘇俄的蔣經國先生在會中便力主採用此左派之手法。

可是留學法國的先君與留學德國的蕭先生則大力反對，他們主張政府收購地主的土地去分給農民，由農民在收成中逐年攤還給政府，這是資本主義的右派方法。

這就是說在農民取得土地後，把原來要交給地主的租金當作分期付款的資金去還給政府。經過一段時間後，農人不但成為地主，也將會取得土地的全部收益了。

這個構想在實現時，最困難的是政府如何取得財源以支付原來的地主們，才能收購他們名下的土地去轉讓給佃農們。

台灣有一個項目是大陸上國府主政時沒有的財源，就是在日本投降時，政府所接收的日本人之大量資產。因之國府乃將四個省屬的公司，其資產原來多為日產者，即農林、工礦、紙業與水泥公司之股票去向地主們交換其土地。

這是一舉數得之事，不但推行了土地改革，而且把原來的農村資金改為工商資金。

當然，地主們改投入工商業之後，遭遇各有不同。此因每個公司的股票其市值各有起伏，有人如台泥公司大股東之鹿港辜家、板橋林家與高雄陳家，因之大發其財。但也有為數甚多的中小地主手中的農林公司之股票，一度變得一文不值，不過這是後話了。

在土改會議中，力主左派手法的經國先生，與力主右派手法的蕭先生及先父，起了劇烈的爭執。一如前述，父親及蕭先生是CC中人，而會議主席陳誠先生則與經國先生同屬團派。

陳先生卻排除派系觀念，裁決使用右派的手法為定策。

父親生前從未告訴過我此事，可是幸好蕭錚先生告訴了他的兒子，使我們今天還能知道在當年制立「耕者有其田」政策時，曾經發生過此種左右兩派的爭執。

父親曾告訴我，陳誠先生對他說：「我們浙江人對得起台灣人，有蕭青萍幫我推行土地改革，有吾兄幫我實行地方自治。」按：他們三位都是浙江人也。

至於經國先生之討厭蕭錚先生與先父兩人，是否種因於此事，一如蕭兄所說的，我並不清楚。我只知道經國先生與父親的個性為人、言行舉動、思想模式、行事作風、待人接物都是截然不同的，我認為這兩個人彼此都不會喜歡對方，是難以共事，無法交朋友的。

父親的不幸，就像是一個公司的高級職員，長期受知於老闆，卻與小老闆合不來，在老闆家族即將父子傳承之前夕，那此人只有早早退休為妙了，奈何！奈何！

父親是在一九六七年十一月退出政壇的，一九七一年我住在美國，父親寄了一首他的近作給我，以明其言退的心意，原句如下：

來是無端去亦奇　畫眉久苦欠時宜
隨班不足言輕重　走馬時聞有轉移
總以虛名招鬼妬　幸有智者止狐疑
湧金門外春深柳　懶向風前再折枝

按，湧金門是我的故鄉杭州城的一個城門，我們家在杭州的故居，就位在此門不遠處。

當時我還不知道水泥案，也不清楚經國先生整肅父親一事，不過從父親的詩意中可以感覺到他心中的不快與冤屈，乃敬和一首，取其末兩句之詩意而延伸之，此即：

為使楊花隨興舞　清風總被亂雲疑
疑雲縱密原非懼　皎日易欺令風悲
豈是惜花憐殘色　只因愛樹護完枝
烏雲那識風情意　催促東風疾亂吹

我出身在一個詩人家庭，先外祖錢倬（逸塵）先生是台灣春人詩社的創始者之一，擔任了第一任社長。父親在政壇退休後亦曾任此職，不過已是第五任或第六任的社長了。按春人詩社創立於一九五〇年代，今已是台灣規模最大的舊詩詩社。只是我從來沒有好好學過寫詩，本文中所收的我之兩篇和作，是寫在四十年前的舊作，今已久不彈此調矣。

㈥「我認為」、「我判斷」是不是該用在文章裏

或許因為從小熟讀古人的史論，以及寫作了十年的政論，我在寫文章時，每每加入我的意見。與一九七〇年代不同，目前我早已擱筆不寫政論了，寫的是幾十年前的史事，不過那還是政治事件，有時候我會習慣上把個人的意見像當年寫政論文章地寫出來。

對此，中國人寫歷史有兩種典範，即：

1.孔子寫春秋，述而不作，表面上是客觀的事實之敘述，可是他「微言大義」，「亂臣賊子懼」。也就是說他在選字造句時把主觀的意念滲了進去，我認為這是對讀者在做「置入性的行銷」，不知不覺地在做洗腦工作，是不對的。

2.司馬遷在寫《史記》時，把「述」與「論」分開，在每篇正文之末，另寫一段「太史公曰」，把自己的看法分別寫出來，我是採用了這個方法。只是現在的文章，至少替雜誌或期刊寫的，文章比較長，不宜像太史公一樣集中在篇末寫出來。所以我在文章段落中用「我認為」、「我判斷」的形式予以標明此為我個人主觀的看法，與其他敘述史事之文句可以分開來。

有些讀者不習慣我的這種寫法。我的建議是請他們把「我認為」、「我判斷」的部分略而不讀，直接跳過去讀下文可也。這就像讀《史記》，如果有人不同意司馬遷的某些意見，就可以略去那段「太史公曰」的文句的。

(七)拙作為什麼不多作自註

與時下一般人寫文章之好用註釋大為不同，我除了在最近幾篇引用「蔣中正日記」為資料而寫的文章，大量用了註釋之外，我寫文章通常是不用的，為什麼呢？

1. 我不是在寫學術性的文章。

2. 古人的文章作者自己是不寫註釋的，古書中的註解都是旁人作的，不是作者自己去註釋的，這是因為：

(1)讀其書而不信其人，則不必去讀其書。作者誠信的聲譽是長期累積，經過寫作了許多篇作品才能建立起來的，並不是一篇文章之正誤或一個資料之有無來源而已。

(2)古代的作者與讀者都是有知識者，作者自己加上註解是對讀者不夠尊重。明末清初的顧炎武先生有一次在一封信中用了一個偏僻的典故，他在信中加了附註說「語出北史」，受信的朋友大不高興，回信說：「不是只有你一個人才讀過北史。」

(3)我的文章已每每失之過長，再加上註釋則更為累贅矣。

至於最近寫的文章，在引用蔣中正日記時，我除了在正文中抄錄的日記都標明年月日之外，也把與文章有關的蔣先生日記，不論我是否已經引用，都儘可能地全文抄下作為附錄，為什麼呢？

我認為自己因為住的離史丹福大學近，就有了地利之便而看到了蔣先生的日記，佔了便宜，對其他想研究與拙作相關問題的人是非常不公平的。因此我把在寫作該文時所能看到的有關之「日記」的記載都刊印出來，歡迎大家閱讀與取用。這倒並不是為了我要取信讀者而去作註解，而是希望有與我不同看法的人，能像我一樣可以利用與我所取得之同樣資料去作他們自己的推論，發表他們自己的看法。

不過在此聲明，在本文中我沒有這樣做，是因為一來涵蓋的時間稍長，從一九六三年一月一日到十二月一日；二來除了我在正文中已引用者，我所未用之蔣先生有關陳誠先生之日記，多是謾罵者，這種氣頭上的話，不引為宜。

歷史就像一顆鑽石，因為有了許多不同的面相（FACET），才會珍貴。如果只有一個面相，就不是鑽石而是一塊平板玻璃了。

尤其是近代史及現代史之研究，在新的資料不停地問世之時，有誰敢說自己的看法與結論就是定論呢？就像前文所說的，現在大家都是在做「諸書俱廢」的私家著作，只希望將來有如歐陽修這樣的人修正史時，我們的努力沒有白費，功不唐捐就可以了。

我之所以有這種想法，是在四十多年前被數學大師陳省身先生的一場演講所啟發的，順記於此。大約是在一九六九年，我還在美國聖母大學唸數學博士的時候，有一天陳先生來系裏演講。先生是幾何學大師，而我專攻的是代數學中的無窮群論。在美國大學中，通常隔行如隔山，一般來說我是不會去聽他的演講的。

可是以陳先生在數學界的地位，作為中國人的我本來已是與有榮焉，況且先生與家父及先姑父吳大猷先生都有深交，所以我就跑去聽他演講了。

果不其然，才聽了十幾分鐘，我就聽不懂他的話了，可是又不好意思提早離席，只得坐著等他講完。講呀，講的，先生大約說了四五十分鐘話，黑板寫了又擦、擦了又寫，他忽然停下來說：「這個問題，我目前只做到了這個地步，下面要怎麼做，請大家一同來作思考。」

那一剎那，我聽了如同受到雷擊，目瞪口呆。大家要知道，在美國學術界一向是 Publish or Perish，就是一個人寫不出論文就被淘汰。因此學界中人對自己的研究題材珍如拱璧，在同行之間是嚴守祕密的，怎麼會有人像陳先生這麼做呢？

我因之才知道大宗師之與常人不同，其學問事功不是為了個人的名利，而是為了這一門學問或事業的進步。事不必由己成，學不必居其功，能把問題解決才是重要。

我今年已經六十八歲，比陳先生當年作此演講時已老的多。目前我的興趣在寫作文章與書法進修這兩方面，而且我都在效法先生的精神。此身本是過客，能幫近代史與現代史多解一分謎團，能把中國行書的筆法多傳給一個年輕人，此生就可以滿足了。至於個人的名聲，又何足道也？將來寫中國史的著作，台灣能有一篇一章即為幸事，而在台灣之出將入相者能在其中留名者又有幾人？何況我輩乎？

宋人朱敦儒〈西江月〉詞：「青史幾番春夢，黃泉多少奇才；不須計較與安排，領取而今現在。」

那麼我的文章用不用自己所作的註解，你信不信得過我這個人，又何必多計較呢？不是嗎？

二〇一〇年十二月於北美金山

再補於二〇一一年元旦

教育部長梅上張下之經過

——兼述蔣中正與陳誠為此事攤牌之祕會

一、前言

《傳記文學》第五四七期，即二〇〇七年十二月號，刊出了陳諤先生的大作〈政治大學在台復校前後〉一文，是以張其昀先生在教育部長任內大力支持政校在台復校一事為主題，在寫到陳誠於一九五八年二度組閣時，以梅貽琦取代張其昀的教長職位一事時，文句如下：「張在教育部長任上，結果終因與陳不合，經陳搬出前清華大學校長梅貽琦，將張替換下來，張在老先生面前並未失寵，如果陳誠提名政界人選，老先生不會同意。」

教育部長梅上張下並非只是官場中尋常的「走馬章台有轉移」，此因二位分別屬於大陸時期學術界的北派（梅）與南派（張），對教育的看法是南轅北轍的。

在兩蔣時代，教育部、國科會、中研院及台大等機關大多時間是由北派出身者主控的，其重要人物有胡適、傅斯年、王世杰、吳大猷、梅貽琦、錢思亮、閻振興等。而主司中、小學教育的教育廳及師大、政大等機關則由南派主導。至於教育部、廳的事務文官系統則是以台灣師範大學校友們為主體，因此長期擔任師大校長及曾任台灣省教育廳長的劉真先生，後來乃成為台灣中等教育界的「教

▲一九五二年，胡適（前排左一）由美國來到台灣，與政界及學界友人。前排中、右為陳誠、王世杰。第二排右起張厲生、葉公超、吳國楨、陶希聖。後排右起吳南如、黃少谷、張其昀、沈昌煥。

父」了。這種學術界南北兩派的分別在台灣教育史上的影響實為重大，值得另寫專文或專著，卻非本文之主題，因此暫時不提了。在此只是要點出來，陳誠之如本文中所記述的非去張其昀而後快，為了教長易人竟不惜與蔣中正總統攤牌，並非只是如陳諤先生所說的，是因為張其昀在國府遷台以後，「驟獲重用」，使得陳誠「懷有戒心」。這當然是可能的，不過不論在黨政軍的實力與政壇地位及人脈去看，張先生在一九五〇、六〇年代，即陳誠生前，絕無可能威脅到陳誠的接班人地位。因此陳誠即使對他「吃味」，也非必須去之而後快的了。

我判斷陳誠之不喜歡張其昀，可能有下述兩個因素：

㈠兩位行事作風大不相同。

㈡陳誠受了身邊學術界北派人士之影響。

例如在梅上張下的那一次內閣改組時，新任行政院祕書長陳雪屏就是北派的重鎮。

本文的主旨是在記述我所知道的那一次關鍵性的教長易人之經過，並予評析。此外我最近在整理先君遺物時找到了一封信，是抗戰勝利時，浙江大學自貴州遷回杭州，時任浙大校長的竺可楨先生在一九四五年十一月寫給先君的。此信是在邀請先君出任浙大法學院長，並請張先生赴杭州時便中往見先君洽談此事。當時張先生是浙大文學院長，而先君則任國府的浙江省民政廳長。可是因為先君無法擺脫公職，而浙大法學院長一職又不得兼任，所以在暫兼一年法學院長後先君即辭職。竺可楨先生當大陸易手時留在杭州，繼續擔任浙大校長，後又兼任大陸新成立的中科院副院長，他也是國府中研院的第一屆院士，著名的氣象學家。這一封信是他的手跡，是台灣的讀者不易見到的；兼以內容又提到本文的主角張其昀先生，以此信中提到張先生時之口氣，似乎當時張先生與先君尚未見過面，是竺先生介紹他們兩位認識的了。

二、「五・二四」事使得陳誠再度組閣

陳誠先生在台灣第一次組閣是在一九五〇到一九五四年，張其昀先生時任國民黨中央委員會祕書長。

一九五四年陳先生獲選出任副總統，乃辭去行政院長，由時任台灣省主席的俞鴻鈞先生升任，張先生則出任俞內閣的教育部長。

一九五七年五月台北爆發了「五・二四」事件，起因是因為美方軍事法庭處理劉自然案凶手雷諾軍士不公，予以無罪釋放，乃爆發了群眾圍攻美國大使館、美國新聞處等機關的反美事件。

事隔多年，我對此凶案的了解如下：

㈠雷諾軍士是美軍顧問團ＰＸ的倉庫管理員。

㈡劉自然與雷諾合作，長期多次盜賣PX物資給黑市以獲利。

㈢雷諾即將離職返美，想黑吃黑，存心吞沒劉自然當時在他手中的資金及利潤，準備溜之大吉，一走了之。

㈣此事為劉自然發覺，乃深夜趕去雷諾家理論，兩人大起衝突。

㈤雷諾乃在私宅中殺害劉自然，聲稱是發現劉自然偷看其妻子洗澡而兩人互毆，一時失手打死了劉君。

㈥因為《中美協防條約》中明文規定美軍顧問團人員享有等同外交官的「治外法權」，因之此案交由美軍自組軍事法庭予以審判。

㈦該法庭採信被告雷諾的說辭，判決其無罪，而且立刻將其送返美國。

㈧此事引起台灣人民的公憤，乃發生前述的「五·二四」事件。

「五·二四」事件對台灣政局的影響是蔣經國先生因之一時失勢，以及陳誠之東山再起。亦即陳誠副總統隨後出任國民黨副總裁，並在三個月後，俞鴻鈞行政院長因之引咎辭職時，奉命二度組閣，一時成為蔣中正總統兼總裁在黨政兩方面的接班人了。

在討論此次內閣改組時教育部長由梅貽琦繼任，取代張其昀先生的經過之前，容我先解釋一下為何「五·二四」事件會造成蔣經國先生一時失勢之原因。

三、蔣經國與「五·二四」事件關係甚深

多年後先君曾告訴我一個故事，顯然此是陶希聖先生告訴他的。可是在二〇〇六年我曾問過陶先生的公子恆生三哥，他說他沒有聽他父親說過，不過他補充了一句話：「既然是阮老伯告訴你的，大

概不會錯。」

故事是這樣的：

五月二十五日下午，也就是「五・二四」事件第二天的下午，陶先生先前已約好去晉見蔣中正總統。到了時候，因為辦公室中已先有人在，陶先生就坐在門口等候。

辦公室的門是關著的，但是陶先生可以聽到蔣先生與參謀總長彭孟緝將軍在房間裏的談話。

蔣：「你的兩個衛戍師呢？」

沉默了半晌。

彭：「去新店做渡河演習。」

蔣：「怎麼會兩個師都去了呢？」

又沉默了半晌。

蔣很大聲問：「誰下的命令？」

彭：「總政治部。」

蔣盛怒責問他：「總政治部怎麼可以下達軍令？」

一會兒門打開了，彭將軍走出來，上半身的軍裝上面都是紅墨水，顯然是蔣先生在大怒時摔了他一個紅墨水瓶。

陶先生進去時，看到彭將軍急急在打電話叫家人送換洗衣服到總統府來。

當時蔣經國先生是前任國防部總政治部主任。

先君又曾告訴我另外一個故事，此可能是他的好友葉公超先生告訴他的，也可能是他人。

在「五・二四」事件後，美國大使找到了時任外交部長的葉公超先生，出示一疊照片給他看，那是一批中國人在美方機關中翻箱倒櫃，有系統、有組織地在查閱文件資料的照片，是美方自監視器攝取到的影像。

因此美方認為此是國府特工有組織的行動，亦即攻打美方機關的人群中，不全是暴民。

經國先生此時是國府特工系統的首腦。

至於民間的傳說就更多了，例如當時盛傳由救國團掌控的省立成功中學，由教官們領隊出動學生們去參加抗議遊行活動等等。

而經國先生是救國團主任。

因之在「五・二四」事件之後，陳誠第二次組閣時，經國先生乃以政務委員之身分，領導榮民去開築中部橫貫公路了，而且一去就是五年之久。

周宏濤先生晚年所發表的口述回憶錄《蔣公與我》中，對蔣經國與「五・二四」事件甚有關聯一事，做了畫龍點睛的暗示，讀者自可去查閱，作為參考。此處我只轉述以下的重點：

㈠事件之後，蔣經國先生有二個月之久不出面做公私之應酬活動。

㈡陳誠隨後之出任副總裁以及再度組閣，是「老先生認為經國還不足擔當重責」。

㈢老先生召開了軍事會議，明令非屬指揮系統之軍事機關不得下達軍令。不過周先生並未在書中說明此是因為總政治部在事發前夕下令，把台北市僅有的兩個衛戍師全數調去新店做渡河演習，因此使台北在事發時變成了「空城」。周先生說此是因為在事件之中，受到攻擊的警方要求憲兵出動支援，而憲兵司令部認為暴民中沒有發現穿了軍裝的現役軍人而予以拒絕之故也。這個理由是不成立的，因為：

1.憲兵司令部是有權指揮憲兵的，不論出動與否，此都是在其責權範圍之內。事後只能追究其拒絕支援是否有錯，不能說其無權下此軍令。因之此與蔣中正在軍事會議中所下的嚴令並不相關。

2.以當時的憲兵司令或台北衛戍司令，即中將級的指揮官，如事後因之去職的黃珍吾將軍，他們這一層級的軍人是不可能自行決定要不要出兵支援警方的，必然會向上級請示的。因之事後國府處分了包括警務處長、憲兵司令及台北衛戍司令在內的各級治安長官，是障眼法，也是鋸箭法，用現代管理學的行話，是在做「災害控管」，是做給美國人看的。

但是美國人既然已認定蔣經國是此事之主導者，僅處分這些奉命辦事的情治首長，對美國人來說，當然是不夠的。因之國府為了對美方交代，乃對經國先生予以政治處分，把他安排到中部去開築橫貫公路，使他遠離了台北的權力中心。

比照後來的江南案，國府把蔣孝武外放到新加坡去，與「五・二四」事件後之處置蔣經國，可謂是異曲同工也。

四、陳誠爲了張其昀之去留而與蔣中正攤牌之祕會

在「五・二四」事件之前，由一九五四到五八年，陳誠已經擔任了四年的專職副總統。在此事件之後，他不但繼任行政院長，再度組閣而掌實權，又出任了黨的副總裁，一時成為蔣中正的接班人。我認為也就是因為有了這個政治大勢的變化，使得陳誠在梅上張下一事上，敢硬碰硬與蔣先生當面攤牌也。容我細細道來。

張其昀在俞內閣擔任了四年教育部長，其間他與立法院的關係很差，除了派系、教育思想、個人行為作風等因素之外，最主要的是他擋了別人的財路。因為他堅持不肯開放中、小學的教科書給民營

出版商去編製與銷售，乃擋了別人的財路，因而與某些跟書商有交情的立法委員發生了衝突。

須知此時離國府棄守大陸才不過幾年，大陸上的反政府學運之殷鑒猶為不遠，因此以張其昀為首的教育行政部門乃堅決主張中小學的教科書須為部審部定，即由教育行政單位自行編輯成書，再交由省營的台灣書局印製發售，以便控制年輕人的思想。

至於民間的出版商則主張只要部審，在取得教育行政單位的審查許可之後，各書局即可出版其自行編製的教科書，這當然是為了要取得商業上的利益。

這些民間商人乃結合一部分立法委員對教育部施加壓力，而張其昀不為所動，因而他與立法院的關係弄的很糟。

在一九五八年陳誠再度組閣之時，蔣中正總統表示尊重新任行政院長的組閣權，乃自行退居到南投日月潭的涵碧樓，讓陳誠一個人在台北放手去挑選各新任部會首長的人選。

可是等到內閣名單將要底定時，獨缺教育部長一人。

當時的成規是由新任閣揆保舉三人，讓他的上司，即蔣中正總統圈選其中的一人。

依自古以來中國政壇的不成文規矩，當一個職位出缺時，卸任者可以保舉一位他的繼位人選，此人之直屬長官可另保一位，而此長官之長官再可另保一位，如此則得三位候選人了。

當然在內閣部長這個層次的職位上，這個規矩行不通了，因為其長官已是行政院長，而行政院長的長官本身就是有拍板權的總統也。

在張其昀教長的例子裏，僵局的形成是蔣中正總統支持張先生連任，張先生自己也雅不欲去職，而是陳誠行政院長要換掉他，因之前述政壇不成文規矩則是更為行不通了。

因此陳誠先生乃自行挑選三位，保舉給蔣先生圈選，不料蔣先生在拆封閱過後原件退回，不予表示意見。

這是中國政壇政治手法的巧妙，在接到三位的名單時，蔣先生可以有三種處理的手法，即：

㈠三位之中有他心裏中意的人選，他可以即予圈選。即使沒有一個是他中意的人，可是他也並非另有屬意者在，他也可以任意挑取一個他可以接受的人選。通常在此種情形下，他會按照名單上的次序去挑取一個他雖不喜歡但仍可接受的人士。

㈡三位他都不能接受，但是事非緊急，他可以「留中不發」，此即清朝官場所說的「淹」了。通常在久無消息的情形下，呈文的下級會心知肚明，另作打算的了。可是在新閣急需組成的情形下，這一次蔣先生不能用此手段了。

㈢即是蔣先生這次所用的手法，把原件拆封，看過了以後，不加一字，由總統府把原件退回給行政院。

這個方法所顯示的訊息如下：

1. 陳誠所保舉的三個人選，蔣先生皆不同意，都不合他的心意，要陳誠另外再保三人。

2. 蔣先生不加一字，此件公文在回到行政院以後，由院方決定是否要存檔在案，還是一聲不響，另行用原來的文號再補送另件，就當此事從來沒有發生過。如此則此件退回的文件就在檔案中消失了，而且退文中列名的三位未受青睞的學界或政壇重量級人物也無從得知他們曾經名落孫山過，因而他們也不會對蔣先生含怨也。

陳誠在收到退件時，就另保三人，如此每回三位，一共保了三次，即前後共有九位之多，而蔣先生是以不變應萬變，一概用同樣的手法予以退回。

等到第三次退回時，新內閣除了教長一職之外，人選皆已決定。此事遷延既久，一時台北政壇謠言四起。

陳誠先生見到已成僵局，逼不得已乃專程赴日月潭去晉見蔣先生，以求面商解決之方法。

他們乃乘小舟泛游於日月潭之上，船上三人，一位是操舟的衛士，另外兩位即蔣中正總統與陳誠副總統兼行政院長。

官邸衛士久經嚴格的訓練，耳聞目睹之事，絕不外傳。因此船上雖然有三人，可以說是只有兩位，即蔣、陳二人也。他們兩位分別是當時台灣排名第一與第二的政壇強人，都是久歷行伍，個性剛強的職業軍人。在此並無他人可以充當調人的場合中，兩位是鐮刀碰上了石頭，成了硬碰硬的談判了。

兩人在小船中相對而坐，坐的很近，卻默然無言，都在等待對方先開口來提起張其昀（曉峰）去留的僵局。

等著，等著，終於蔣先生忍不住先開口說：「張曉峰有什麼不好？」

陳答以：「我與立法院的關係不好，他比我還要糟。」

此是政壇眾人皆知之事，蔣先生也明白此點，乃問他：「那你看怎麼辦？」

蔣先生的意思是我要他留任，你再是另保他人，我都不會同意，你看著辦好了，這是蔣先生將了陳誠一軍，向他攤牌了。

陳誠是有備而來的，就說：「那我自己兼好了。」

這將成為歷史上的大笑話，試想出現了一位副總統兼行政院長兼教育部長，這將會是什麼樣的局面呢？

可是蔣先生不能說陳誠沒有資格、沒有能力去兼任教育部長呀，他既然能做副總統兼行政院長，怎麼不能做教育部長呢？

這是陳誠在耍賴，再反過來將了蔣先生一軍，變成了他在向蔣先生攤牌了。這等於是他在告訴蔣先生，我陳誠絕對不要張其昀留任教育部長，你看著辦好了。

我認為只有在這種此地無六耳，他們兩位一對一的場合中，陳誠才敢擺出這種反將一軍的強硬態度。否則以蔣先生的地位及個性，在有第三者在場（不包括衛士）的情形下，不可能忍口氣去作讓步的。

蔣先生乃同意梅上張下了。

據說陳誠前後三次所保舉的九人之中，先君及陶希聖先生皆名列其中。

恆生兄在二〇〇六年，即此事發生了四十八年之後，告訴我下面的故事。

梅上張下底定之後，蔣先生即面告陶先生陳誠曾保舉他出任教長而不獲同意一事，蔣先生說教長三年一任，那有你做立法委員的終身職來的好。

言下之意，蔣先生在安慰陶先生，向他示好。此示蔣先生甚為看重陶先生也。

五、小結

張其昀先生自教長一職退下來後，雖然長期擔任國民黨之中常委，其事業之重心則在他個人創辦的陽明山中國文化學院（後改成大學）。

蔣先生對他的看重，在他卸任教長時，可以說是「聖寵未衰」，至於長期以後與之逐漸疏遠，恐亦與張先生在創建此學院時的一些作為有關也。亦即先生在缺錢缺人，篳路藍縷，以啟山林的創建大學困境中，所用的權宜之計，成了名滿天下，謗亦隨之的狀況，蔣先生定亦有所耳聞也。

張先生與先君為好友，我在七〇、八〇年代回台省親時，先君均曾帶著我去張府請益，因之使我有幸得拜見尊顏。先生在教育部及教育界的建樹，我所知不多，但是他以地理學者身分所作的兩件大事，都是令我深深佩服的，此即：

㈠在一九四九年，先生建議國府播遷台灣，因而造成了國府再生之契機。此事亡友吳宗嶽兄曾撰文報導過。

㈡在美國將琉球群島交給日本時，美方已先向國府照會，取得私下之諒解，因此蔣中正先生不欲官民公開反對此事。而張先生明知於此，仍在他主辦的地理刊物上出了專集，引經據典以歷史學及地理學之觀點大加反對此事，力主琉球群島之主權應該屬於中國。這是知識分子忠於學問、忠於良知的大是大非之所在，實可敬佩也。

先生南人北相，身材高大，是中國式的儒家學者，不論其學問事功皆有足以傳世者。以先生之風骨而與今日教育部高層官員之言行去做比較，真是天壤之別，令吾人有夫復何言，「哲人日已遠，典型在夙昔」之三嘆也。

第三章
也為葉公超先生說幾句話

●引言

●丹青難寫是精神
——敬弔葉公超先生

●葉公超大使去職之經緯
——「侮辱政府」、「奸詐欺騙」、「賣國漢奸」三罪併發

引　言

一、葉公超甚爲輕視沈昌煥

台灣在兩蔣主政時代，即自一九四九年至一九八八的四十年中，國府的外交重鎮，先是葉公超（自一九四九至一九六二），後是沈昌煥（自一九六二年後）。

葉久為沈之上司，一九五八年葉自外長轉任駐美大使之後，由行政院副院長黃少谷兼任外長，沈則是外交部政務次長。一九六〇年陳內閣因第三任總統選任而局部改組，黃少谷外放為駐西班牙大使，由沈昌煥繼任外長，此時葉則仍任駐美大使。

遷台之後，在兩蔣時代，國府外交界之外長，其地位及份量往往不及其駐美大使或駐聯合國常任代表，更何況葉多年來是沈之上司的呢？

在葉與沈之間，有下述的不同：

㈠葉是北大名教授的學者出身，沈則是英文祕書出身。
㈡葉有深厚的人文修養，而沈則無。
㈢在國際上葉深具聲望，而沈亦無。

因此沈外長名為葉大使之上官，實際上只是掛名而已，葉大使當然不會待之以上司之禮也。

更且因為葉先生是恃才傲物之人，不但眼高於頂，而且在言行方面也毫不掩飾其對沈先生的輕視，往往當面表露出來。即使在一九六一年冬天他已經被免去駐美大使，在政壇已為失勢之後，葉先生對當時權勢甚大的沈外長仍然嬉笑如故也。

舉例來說，父親曾告訴我一個故事，有一天在陽明山中山樓開會，中間休息的時候，葉先生與他坐在走廊中的椅子裏聊天，遠遠看到沈先生向他們走過來。當時葉是行政院首席政務委員，沈是外交部長，父親則是國民黨中政會副祕書長。葉對父親笑道：「你看，沈博士來了。」按沈先生的學歷僅止於美國密西根大學碩士，葉是留美碩士，父親則是法國巴黎大學碩士，三位都沒有拿到博士學位。在此前不久，韓國成均館大學贈送了一個名譽博士學位給沈先生，因此葉乃以之取笑沈也。

父親與葉、沈二位分別各自都是至交好友，知道葉對沈的輕視，聽了只是笑笑。

不料當沈走過他們面前，向他們致意時，葉先生忽然從椅子裏站起來，一本正經地脫帽向之致敬，深深一鞠躬說：「沈博士，您好」。弄得沈先生大窘，匆匆落荒而走也。

父親告訴我這個故事時，是當笑話講的，我則認為葉先生此時是謔而近乎虐，這個玩笑開得是過份與不夠厚道的了。

二、葉敗沈勝是爲理所當然的原因

中華民國建國至今已有百年，可分三個時期，此即

㈠北洋政府：自一九一二（民國元年）至一九二九（北伐成功）。

㈡國民政府：自一九二八定都南京至一九四九大陸撤守，此亦包括抗戰八年遷都重慶之時期。

㈢遷台之後：自一九四九至今。

在北洋政府時期，主政者重用清末所培養的外交人才，例如唐紹儀、顏惠慶、施肇基、陸徵祥、顧維鈞、伍庭芳等等，我認為這些人是中國近代外交史上一批水準最高的外交官。

在國民政府時期，又可以分成三個片段。在第一段時期，即抗戰前，蔣中正先生除了繼續延用前朝遺老的北洋政府外交官們之外，也開始重用其戚友如張羣、黃郛、宋子文、孔祥熙等人。其中張、黃負責對日之外交，孔則對德、義，而宋則對英、美。不過大致言之，這些人都並非是常態的外交官，有點像大公司的董事長或總經理身邊的特別助理，除了先後在擔任外交部長的時期之外，例如黃郛、張羣與宋子文，他們各自負責的某些專案，往往只是 Staff function，而不是 Line management。

中國官場中一個人的職位與實權，自古即有親與尊之分別。前述這些蔣中正的戚友，不論他們身居何位，他們權力之來源通常並非在於其職掌，而是出諸他們與蔣先生私誼所得之信任與重用，即「親」字。

這些牽涉在外交事務的人士，嚴格說來並非「外交官」，當然也不是職業外交官的了。

第二段時期則是抗戰開始之後，有大量的大學教授及學者們參加政府工作，共赴國難。其中不少人進入了外交界，葉公超先生即是一個例子。不過他一開始並沒有入外交部，而是在國民黨中宣部國

▲一九五四年簽訂中美共同防禦條約，外交部長葉公超（右）與美國國務卿杜勒斯（左）握手致意。

際宣傳處任職，並且長期奉派駐在倫敦，擔任駐英之處長。也因之葉先生與時任駐英美軍司令的艾森豪威爾將軍及其僚屬，建立了深厚的友誼。不料在一九五二年至六〇年，艾帥出任美國總統，所以葉先生在此段時間中，先後於外交部長與駐美大使任上，乃能在經營台美關係方面，可以說是如魚得水而得心應手的了。

外間盛傳當時駐在華府的各國使節之中，只有葉大使一人可以不事先預約，能隨時求見艾森豪總統，此即他們兩人除了官方的身分之外，已是私誼深厚的老朋友了。

我認為兩蔣父子一生中對外交事務在認知方面有一個嚴重的錯誤，就是他們認為駐外使節只是他們的信差，此人能說外語去完成傳信的任務就可以了。有時甚至連該使節能不能說當地的語言，懂不懂該國的事務都不重要。例如留法的魏道明之出任駐美大使，與留美的董顯光之出任駐日大使，都是人地兩不相宜者也。又如彭孟緝雖然留日，可是因為二二八事件之宿怨，他之奉派使日，使得他無法與台灣籍的僑胞們多所往來，對彭先生個人及國家來說，此也都是一個不適當的任命。

總之，兩蔣父子這種不懂外交的錯誤認知，使得在第三段時期，即國府遷台之後，他們喜歡派遣其侍從室裏出身的英文祕書們去擔任外交使節，沈昌煥先生便是這一類人士的領軍人物。

在抗戰中參政而入外交界的學者教授們，於遷台初期仍然擔任駐外使節者，可謂所在多有，例如蔣廷黻、陳西瀅、吳南如、胡慶育、時昭瀛、溫源寧等人，葉先生則是他們枱面上的代表人物。

也就是說葉與沈的衝突，是象徵著外交界兩股力量的衝突，並不限於他們個人彼此之間的不和而已。

如果把兩蔣父子侍從室的祕書們比作明朝的內侍——太監，那麼這種衝突也可以看成明代內閣與內侍，相權與皇權之衝突。

從這個角度去看，在葉與沈的政爭裏，葉敗沈勝之結果也就不會出乎吾人意料之外的了。

本章附文，即拙作「丹青難寫是精神」一文，是在一九八一年十一月先生病逝台北榮總時，我在美國舊金山的遠東時報上所發表的，用以悼念葉先生，在此文中，我即已點出葉與沈所代表的兩批外交官之不同處。不過因為當時父親與沈先生仍在世，而且兩位誼屬至友，所以我在該文中沒有寫出沈先生的名字來，以免父親為難。

父親在一九八八年去世前，在讀了前文之後，曾對我說，許多外交政策之錯誤，不能完全責怪沈昌煥先生，因為他也只是奉上命辦事而已。

我不便當面反駁父親的話，可是至今我仍不能苟同此說。因為我認為國之大臣，立身於朝廷之上，豈可以唯唯諾諾，唯命是從的呢？父親本人就不是這樣的一個人，而葉先生則更為不是的了。

除了上述內侍與外官的衝突之外，沈與葉之間也分別代表了蔣中正與陳誠之陣營的衝突也。

三、葉公超是陳誠的人

在撰述本章所收的拙作時，我只能從蔣中正日記的記述看出來，在蔣的心目中，葉公超是屬於陳誠系的，卻找不到旁證。

在拙文發表了以後，我的一位朋友，應其要求，我在此不能寫出他的名字來，他告訴了我說：「葉先生是我父親的人，那年我還沒有出國，時常見到先生一個人來我家吃晚飯。飯後他與父親兩個人進了小書房，關起門來談事情。」

這是第一手的鐵證，葉公超是陳誠的人。

從這個角度去看，我認為即使沒有「外蒙案」，蔣先生也一定會設法拔除葉先生的駐美大使之職務的。此因在一九六〇年蔣先生利用修正臨時條款，凍結了憲法中不得連任第三屆總統之規定，逕於連任，而使當時久已坐二望一的陳先生大失所望之後，蔣、陳之間已生心結。

當時擔任陳內閣閣員的周宏濤先生，在其晚年口述回憶錄「蔣公與我」中，曾記述一段故事說，陳先生當著黃少谷與他之面說，蔣先生何不仿效中共之毛澤東，專任黨主席，把國家主席讓給劉少奇去做？周先生說，陳言罷，在場四人，包括陳本人在內，一齊放聲大笑。

在一九五九年蔣先生第二任總統將要屆滿之時，台灣島內外都有政治力量想要把陳誠推上總統大位。我認為雷震案之爆發，並不是像世人所認為的是雷先生參預籌組新黨之活動，而是蔣先生在秋後算帳，是為了雷先生所主辦的自由中國月刊在先前所出版的「祝壽專刊」裏，主張蔣先生不再連任第三任總統，此即擁護陳誠副總統繼位也。

那麼在一九六一年發生的葉公超大使去職案，從蔣與陳之間的微妙關係去看，也可以被認為蔣先生利用「外蒙案」作為藉口，去拔除陳派在華府的一枚棋子，以求切斷陳與美國白宮之間的一條通道，以除後患。從這個角度去看，我們才能了解何以蔣先生在其日記中，即一九六一年十月的本月大事記中會有了下述之記載之原因的了，此即：

巳：公超問題乃因對美外交而亦得如期解決，此乃袪除了政府內奸與後患也。

其實在一九六〇年代上期，雷震案與葉公超去職案並不是單獨的個案，在蔣、陳冷和冷戰的過程中，還有其他的政爭存在，只是暗流雖為急湍，卻是隱藏水底，不易為外人所知也。今再以陳雪屏先生因為擁陳而失勢為例；陳雪屏先生與雷震先生同為北大出身，在一九五九年蔣先生連任第三任總統之前夕，他是陳誠內閣之行政院祕書長。陳雪屏先生乃聯絡了與之同為大陸上北派出身的四位學術界大老，即胡適、蔣夢麟、梅貽琦與王世杰，合組成為陳誠先生的智囊團，亦即外界時稱「商山四皓」者。此使陳誠之民間聲望大為高漲，因而大犯蔣先生之心忌。所以在一九六三年冬天陳誠先生辭去行政院長兼職後，陳雪屏先生之政治生命實際上亦告終結，終其餘生未再受到兩蔣父子的重用。

因此在一九六〇年代上期所發生的三個政治案件，亦即：

㈠雷震入獄案。

㈡葉公超大使去職案。

㈢陳雪屏退出政壇案。

如果合在一起，用蔣中正與陳誠之間的微妙關係去作分析，就可以看出它們相互之間的脈絡來的了。

由「葉公超是陳誠的人」這個角度去看，我認為在葉敗沈勝這一場政爭中，並非是葉鬥不過沈，那只是反映出蔣勝陳敗的大局而已，葉與沈只是在外交這方面，分別為陳與蔣二人之代理人也。因之，在國府遷台早期的兩位外交重鎮之間，葉敗沈勝乃是理所當然之事也。

四、紛紛塞路堪追惜

那場葉敗沈勝的政爭，對台灣及國府來說，都是極為重要與影響深遠的事，此因他們兩人的外交路線可以說是南轅北轍，大不相同。葉先生所主張的務實外交路線，亦即承認「反攻無望」的事實，不論在聯合國代表權、外蒙古入會與其他外交事務方面，中國民國不再正面與中華人民共和國去爭鋒。這也是在二十一世紀的今天，即馬英九政府所採取的外交路線，可是與葉先生主持外交的一九五〇年代相比，卻整整晚了六十多年，相差了兩個世代。

蔣中正先生是廟小菩薩大，他的歷史地位遠高於偈居台灣的一國之總統，因之他的考量不僅在於他生前的利害得失而已。可是對其他所有的台灣官民，不論今昔，在此六十多年間生活於此島群者，包括當年的蔣經國與葉公超，以及今天的二千三百萬人來說，他們的考量應當是以實際的生存為先。

今日去回顧，毫無疑問，葉先生的務實路線對在台灣的中華民國是對的，而沈昌煥所忠心奉行的蔣中正先生那「漢賊不兩立」的外交政策是錯的。可是就像我在「丹青難寫是精神」中，所引的宋人王安石詩句以弔念葉先生所說的：

紛紛塞路堪追惜，失去新年一半春。

六十多年後的今天，我們去重溫一九六一年冬天葉先生之去職一事，不僅是要在找出此「葉案」之經過的真相，以解此多年來世人之大惑，也是要溫故知新與鑑往知今。至於我個人則是「也要替葉公超先生說幾句話」，以報先生對我個人的恩惠。因為此與國事無關，我在此不多談，以待將來此「放聲集」出版有關我在文學與文化方面之拙作時，再予該引言中詳記之可也，在此我只先要簡單指出下面兩點，此即：

1. 在一九六六年出國之前，因為父親的安排，我得以向葉先生當面請教英詩中譯，面呈拙作，並承蒙誇獎。

2. 在此事之後不久，我去美國大使館面試赴美留學簽證時，因該副領事口出不遜，輕慢我們中國人，我乃大聲用英語將之教訓了一頓，而把事情弄僵了。後承葉先生代向美國大使申述，雙方大起衝突之原因是其曲在彼，我乃能順利赴美留學的了。

因為赴美留學一事對我一生的影響雖然重大，卻與國家大事無關，也與本章之拙作，即在討論蔣中正免除葉公超駐美大使一事無關，所以在此我就暫時不多寫了。

回想一九六六年面謁葉先生，與之長談數小時之往事，對先生的溫文儒雅、博學多才，至今猶為歷歷在目，如在眼前。先生之風儀，可以用一個英文字以形容之，即「Charming」也。

丹青難寫是精神

——敬弔葉公超先生

一九八一年歲末讀葉公超先生病中瑣記有感，集王安石詩句，並以此敬弔先生。

篝燈時見語驚人　更覺揮毫捷有神
討論潤色今為美　學問文章老更醇
萬里張侯能奉使　祇合箕山作外臣
論心未忍遺橫目　漸老偏黯世上情
自憐許國終無用　白頭追誦少年文
紛紛塞路堪追惜　失去新年一半春

自憐許國終無用

葉公超先生是中國外交界的重要人物，名傳青史當可期待，可是歷史學家再是有生花妙筆，誠如宋朝王安石的一句詩，「丹青難寫是精神」，是難以把兼為詩人畫家、書法家、文學家與外交家的葉先生的精神寫出來的。

葉先生的去世，象徵著一個時代的消失。他那個時代裏所培養出來的博覽群籍、氣度泱泱的知識分子，在我們這個重視實務的時代裏是少見的了。

葉先生逝世前不久所寫的病中瑣記裏說：「回想這一生，竟覺自己是悲劇的主角，一輩子脾氣大，吃的也就是這個虧，卻改不過來，總忍不住要發脾氣。」

自從交卸了駐美大使之後，多年來葉先生是長才未能盡其用的。先生晚年擔任了故宮管理委員會的副主任委員，他很想因此多替故宮做些事，也始終未能如願。

高位紛紛誰得志

葉先生認為他自己脾氣不好，因此他的一生成了悲劇主角。我認為他在政治上的失敗，並不僅僅是因為個人的脾氣不夠好，而是因為他與遷台以後對美外交的主要體系格格不入，這是代換時移所造成的結果。

國府對美外交一向是由總統官邸直接指揮的，因此遷台以後的歷任駐美大使或外交部長頗多曾經在官邸侍從室任職者。這種情形在遷台以後才有的。葉先生是國府在大陸主政時代進入外交部的，當時像葉先生這樣的學者轉入外交界的例子很多，如傅秉常、蔣廷黻、陳西瀅、溫源寧等等，可是在國府遷台之後，這種風氣就消失了。

▲一九五八年，金門炮戰後不久，美國國務卿杜勒斯來台拜會蔣中正。中間為外交部長葉公超，後為總統府祕書長張羣。

國府遷台使得葉先生臨危受命，脫穎而出，因而成就了一番可以名傳青史的外交功業，可是也因為國府遷台，遂使葉先生成為學者轉入外交界的最後一個波峰。久而久之，先生乃與後起者有了水位差，這種眾山圍拱一峰峙的情形是剛不可久的，先生脾氣之不好不過是使波濤激盪更為洶湧罷了，即使他脾氣能改好，仍然無濟於事，因為在任何一個政治團體裏面，獨立奇行之士是難以久居高位的，這就像長江裏的波浪，那波峰是不可能持久的。

先生個人政治上事業的成敗，對國家的影響很大，因為他是少數有遠見的人，很早就認為國府應該考慮實質上的獨立(De Facto Inedpenednce)，此即國府在美國斷交後所採取的外交政策，可惜為時已晚。

紛紛塞路堪追惜

海內外有許多人認為如果葉先生長才一直能夠見用，國府的外交局勢不致於像近十年的江河日下之一瀉千里，我認為這是推測之辭，只能存疑，因為國府在外交上的劣勢有許多因素是外在的，並非國府本身的政策能夠片面予以全部扭轉的。

可是我也同意以葉先生識大體的才華與外交經驗，他如果能發揮作用，近年來一些台美之間非原則性的外交窘局或者可以避免掉的。

先生晚年老驥伏櫪，自當如廉頗老矣，而有每因髀肉嘆身閒的感嘆。其病中以脾氣不好自責，豈僅是為了個人政治事業的成敗呢？如果先生是一場悲劇的主角，國家就是這場悲劇的舞台。而在此外交失利的今天，在此一九八二年新年即將來臨的時候，我們哀悼先生的逝世，對這場悲劇的落幕，難道不應有「紛紛塞路堪追惜，失去新年一半春」的傷痛嗎？

一九八一年十二月寫於美國舊金山

葉公超大使去職之經緯

——「侮辱政府」、「奸詐欺騙」、「賣國漢奸」三罪併發

壹、前言

一九六一年（民國五十年）十一月十八日，國府明令發表葉公超免去駐美大使之職務，改任行政院政務委員。今沿用蔣中正先生日記中的用詞，稱此事為「葉案」。

本文之重點是在研究「葉案」之經緯，並兼及與此事有關之一些事項。

本文之資料來源如下：

㈠蔣中正日記。（本文中簡稱「日記」，並且在不標示年分而只寫月日時，都是指一九六一年。）

㈡坊間已見到有關此事之文章或書籍。例如長青文化公司出版，張嘉琪女士的大著《崢嶸歲月》。此書甚佳，值得一讀，謹向讀者推薦。

㈢美國有關第二管道之今已解密的文件。（節錄自張著）

㈣父親在一九八〇年代中期告訴我有關「葉案」之故事，以及取材自其遺著《中央工作日記》之資料。

㈤得之於某些外交界前輩之口頭資料。

本文可分五個部分及三種附錄，即：

㈠葉案之由來。

㈡第二管道之始末。

㈢葉公超出任政務委員之經過。

㈣圍繞著葉案的一些枝枝節節。

㈤感言。

附錄則可分三部分：

㈠蔣中正在中政會就外蒙古案發言的紀錄稿，以及此次中政會之決議文。亦即國府在「外蒙案」放棄使用否決權，改投棄權票，改定決策時黨政高層之決議文。

㈡「日記」有關「葉案」之摘要列表。

㈢「日記」有關三案（「葉案」、「外蒙古案」、「聯合國案」）的全文抄錄。

在蔣中正相關「葉案」之日記公佈之前，世人對葉大使之突然去職，有許多揣測之辭。我曾聽過的有下列兩種說法，此即因為葉先生犯了：

㈠「大不敬罪」：

主張這個說法的論述很多，其中以劉蓋章先生在《傳記文學》月刊上所寫的一篇文章，題目叫做〈也為葉公超先生去職疑案說幾句話〉，寫的最為詳盡可靠。該文之大意是指一九六一年十月某日，在華府的葉大使與在紐約的沈昌煥外交部長通長途電話時，葉先生對元首（即蔣中正總統）語出不敬，為人錄音而向蔣先生密電舉發，劉先生則是此事之目擊證人。

㈡「欺君之罪」：

這是父親在一九八〇年代中期，我已棄筆從商以後，告訴我的故事。不過在細讀了蔣先生日記之後，由本文下述可知，我發現在他心目中葉先生犯了以下四個罪行：

㈠「不斷侮辱政府」，此即「大不敬罪」，只是蔣先生用「政府」二字取代「元首」。不過蔣先生在眾多密告者之中，只寫出了時任駐美大使館文化參事的曹文彥之名字，其他人的名字卻沒有寫出來，因此我們無法查證沈部長是不是告密者之一，在本文中我只能用旁證去作推論。

㈡「奸詐欺騙」，此即父親所說的「欺君之罪」，而且蔣先生還舉例說明葉先生是累犯。至於父親告訴我的那一次，蔣先生並沒有明著寫出來，可是在日記中卻有蛛絲馬跡可尋也。此外葉先生還犯了：

㈢賣國罪

㈣抗命罪。蔣先生認為葉先生抗命，是因為葉媚外通敵，因此蔣先生將之歸諸於「賣國罪」之中。因為我不同意葉先生是「賣國漢奸」，所以把「抗命罪」另予列出。

凡此等等，在本文中我將細述之也。

「葉案」與其他兩個案子息息相關，此即「聯合國案」與「外蒙古案」，蔣先生日記中有關此三案之記載，真可以說是通篇累章，比比皆是，抄不勝抄。因為本文之重點既然是在「葉案」，就無庸詳細地抄錄其他兩案從頭到尾的全文了。所以在附錄中，我只抄了自九月一日起到十一月十八日為止的日記中有關此三案的全部文字，以供大家參考。

沈部長是在九月中旬赴美的，因此我從九月一日的日記抄起，如此可使大家就沈先生在台北與在紐約時，蔣先生日記中對葉先生的批評與指控，前後可以做個比較，也可以做為沈先生曾否密告葉先生對元首「大不敬」之旁證的了。至於止於十一月十八日，是因為那一天葉大使去職，用蔣先生自己在日記中說的話，「葉案告一段落」也。

貳、葉案之由來

一、何謂「聯合國案」？

「聯合國案」即世人所說的聯合國內的「中國代表權案」。

中華民國是聯合國的創始會員國，也是安理會的五個常任理事國之一，享有否決權，與英、美、法、蘇並稱五強。這是在一九四五年二次大戰勝利時，中華民國在國際上的地位。可是在一九四九年，國府播遷台灣之後，喪失了百分之九十八以上的領土及人民，中華民國乃偏處於台澎金馬。

此時中華人民共和國在大陸成立，因之就產生了在二者之間，即中華民國與中華人民共和國之間，誰才是代表「中國」的合法政府之爭論。

在一九五〇、六〇年代，二者各自屬於美、俄所領導的集團，因此中國代表權之爭，也成為美俄兩大超級強權的外交鬥爭重點之一

▲一九四五年六月，聯合國在美國舊金山成立，中華民國代表團在《聯合國憲章》上簽字。

了。

在一九五二到一九六〇年，美國是由共和黨籍的艾森豪總統執政，其國務卿杜勒斯先生是堅決反共者，因之國府受到美方的強力支持，在聯合國的席次乃得保有。然而已是每況愈下，此因下列三個原因：

㈠亞洲、非洲的新獨立國家紛紛加入聯合國，到了「葉案」發生時的一九六一年，聯合國會員國從初創時的四十餘國已增至一百零一國。這些新會員國合組成第三世界，他們皆為自白種人的殖民地脫胎換骨宣告獨立的。而他們原來的「宗主國」如英、法、荷、比、西、葡等等皆是美國所領導的集團之成員，所以這些新興國家對之不免有「歷史性」的隔閡。中華民國本來與這些第三世界成員國並無宿怨，此時也多少受了池魚之殃的了。

㈡國府退居台灣，猶要自稱代表全中國，是五個常任理事國之一，是世界強權，實為言之不能成理之事。

㈢中華人民共和國在毛澤東先生領導下，建立了第三世界的革命理論，主張反霸反帝，因之贏取了許多第三世界國家官民的支持。

這個對國府來說，「年年難過年年過」的代表權之戰，本是每況愈下。在一九六一年民主黨的甘迺迪政府上台之後，美國有了「政黨輪替」，換上了原來已對「蔣政權」甚不友善的民主黨籍外交官，如新任國務卿魯斯克（Dean Rusk），與駐聯合國大使史汀文生（Adlai E. Stevenson）等人，那就更是「屋漏逢夜雨」。不料在一九六一年卻發生了「外蒙古案」，使得「聯合國案」有了節外生枝的大危機了。

二、「外蒙古案」對「聯合國案」之影響

外蒙古與中國（或中原、即關內地區）究竟是否屬於同一個國家的「固有領土」？我們先從歷史去看。

自先秦到清末，幾千年間，外蒙古地區前前後後居住過許多少數民族，他們與中土的漢人所建立的朝代是戰比和多。中國有二十四史，其中合二者為一的只有一個朝代，此即蒙古人所建立的元朝。可是在元朝時，蒙古並非中國的領土，而是反過來中國才是蒙古帝國的領土。總之，如果漢人要說外蒙古是中國的固有領土，那麼外蒙古人也可以說中原是蒙古的固有領土了。

此外在清朝時，同為關外遊牧民族的滿洲人與蒙古人和戰不一，不過和比戰的時間來得多，雙方是用通婚政策來互為聯繫，滿清是蒙古各盟旗的宗主國，蒙古人尊清主為皇帝。嚴格說起來，兩者之間的關係與現代的「領土」觀念並不完全一致。

外蒙古人民共和國是在抗戰勝利後，由南京的國民政府派遣內政部次長雷法章先生，遠赴庫倫，就地監督，由外蒙古人民舉行公民投票後才宣佈獨立建國的，國府也立即予以外交承認。一九四九年國府遷到台灣後，立即片面宣佈廢棄《中蘇友好同盟條約》，也撤銷了對外蒙古的外交承認。

一九五〇年代，外蒙古曾申請加入聯合國，被國府在安理會中以常任理事國之身分使用否決權而阻止了。到了一九六一年，外蒙古捲土重來，再度申請加入聯合國。國府揚言，將再次行使否決權以阻止之。但這次與上次不同的是：

㈠前次美國共和黨的艾森豪政府在「外蒙古案」與國府立場一致。可是一九六〇年美國有了政黨輪替，新上台的民主黨之甘迺迪政府有意與外蒙古建交，並不反對其入會。

㈡那一年，非洲有一個新獨立的茅利塔尼亞國也申請入會，蘇俄乃揚言，若國府否決外蒙，那蘇俄也將否決茅國，以資報復。

(三)與茅國同為非洲法語系的十一個會員國乃揚言，如果茅國因之不能入會，則彼等在「中國代表權案」中將集體支持中華人民共和國，以對國府報復。

因之此時「外蒙古案」乃與「聯合國案」成為綁在一起的兩個案子了。如果國府不顧此十一個法語非洲國家之警告，而仍舊在十月二十五日予以否決外蒙入會的話，那一年聯合國中國代表權之表決可能會出現如何之場景呢？

在十月二十五日安理會投票前四天，國民黨中常會決議改變否決外蒙入會之原定決議案時，外交部代理部長許紹昌政務次長在會中報告：「截至現在為止，經接洽結果，支持我國代表權者四十五國，反對者四十五國，棄權者五國，態度未決定者六國。」（此見先父《中央工作日記》）

更有進者，當時美國為了「一勞永逸」，準備在聯合國大會中提案，將「中國代表權案」列為「重大決議案」。這個提案只須過半數票同意就可以成案。而一旦成案以後，中國代表權之改易既然是「重大議案」，就得要三分之二的同意才能成立了。

因之，如果國府放棄否決外蒙，那十一票自反對國府轉到贊成這邊，由各得四十五平票，變成了五十六票支持國府、三十四票反對。如此則不但在一九六一年穩住了陣腳，更可以幫助美方所提「重大決議案」之通過。

細考蔣中正之日記，在十月二日之前，他對否決外蒙入會一事是下定決心的。到了十月二日才開始鬆動，乃因有了下述「第二管道」的出現。

「葉案」之起因，便是在十月二日蔣先生改變心意之前，葉先生公開反對使用否決權去阻止外蒙入會。

美國在此時是反對國府在「外蒙古案」中使用否決權，而支持國府在聯合國的會籍，反對中共入會的。所以葉先生的主張是與美方相同的，而在蔣先生的眼中，葉先生就成為一個「反對政府立場」的「內奸」了。

九月十一日蔣先生的日記說：

本日接到美國來息，尤其是公超對各方威脅恫嚇，如我不能依照美國政策要求，而否決外蒙入會，則美援皆行停止。

正午，當昌煥臨行來別時，余告以我政府只有否決外蒙，乃為死中求生唯一道路，令其轉告廷黻與公超，切勿再有猶豫餘地。

容我分析如下：

(一)在沈先生赴美前，

(1)已有他人向蔣先生報告葉大使之言行。

(2)蔣先生對葉先生的批評，僅在其為美方的政策說話而心生不滿，並沒有像十八天後（即沈先生赴美後）之指控葉先生為「不斷侮辱政府」、「內奸」等罪名。（請見附錄日記中九月底「上星期反省錄」）

(二)葉先生之反對使用否決權是為了確保那一年的代表權，是如蔣先生在改投棄權票時自辯的「舍小求大」。只是葉先生以自己與美國辦理外交的實際經驗，與蔣先生對美方外交政策的判斷不同。不過以後文有關第二管道奏功之描述去看，在「外蒙古案」這一戰役中，蔣先生在十月二日以後所作的新判斷是正確的，葉先生則是錯的，請見後文。

三、有關「大不敬罪」流言之研析

外間盛傳沈昌煥部長向蔣中正先生密電上告葉公超大使口出不遜，對元首不敬一事，以劉藎章先生在《傳記文學》月刊第五十三卷第二期所寫的書簡，題目是〈也為葉公超先生去職疑案說幾句話——那通電話和那通電報裏究竟講些什麼？〉說的最為詳細。

不過以劉先生在該文中所寫的日期，即此事發生在「十月某日午時」去看，沈先生即使隨後打了個密電上告，已非緊要。因為蔣中正先生在九月底的日記裏已將葉先生的罪名定為「內奸」、「賣國漢奸」了。

茲引述蔣先生日記中，在一九六一年九月最後一個星期日的「上星期反省錄」之一條文字如下：

一、除外有「魯丑」之壓迫以外，曾有內奸葉公超，借外力以自重，其對內欺詐恫嚇之外，且以其勾通白宮，自誇已壓迫政府依照其主張外蒙入會問題，而對政府之政策置之不理，更不敢對美提起政府之嚴正抗議，認為美國所不願者，提出無益，徒增美國之怒。且對政府不斷侮辱，此其賣國漢奸之真相畢露，余認為秦檜、張邦昌不是過也。對美外交至本月最後一週，進入微妙之惡境矣。

蔣先生在九月底的這篇日記中說：「且對政府不斷侮辱。」由此可見在十月之前，葉先生已是累犯，才有「不斷」之說法。只是蔣先生除了有一次的記載之外，並未明言誰是控告葉先生「大不敬罪」者。那一次講明白的則說是曹文彥先生。

按十月十七日蔣先生日記說：

昨（十六日）十時後上陽明山與曉峰談，曹文彥在四月間報告葉公超之函中之要點，請其重錄示余後，獨自車遊後小道上，即回。……後與妻車遊市區，談葉奸事，傷心痛憤。

這段日記有兩點可供分析：

㈠此是在九月與十月中間，蔣先生第一次與蔣夫人宋美齡女士談到中美外交關係及葉公超。此後一直到十一月十八日，外蒙古案已告一段落，蔣先生要寫一封謝函給甘迺迪，才請蔣夫人修改英文。這是在整個「葉案」與「外蒙古案」中，自九月一日到十一月十八日，蔣夫人唯有的兩次參預其中之例子。（詳見附錄蔣先生在那段日記中有關之全文）

㈡曹文彥是何人？他告葉公超狀的信函為什麼會在張其昀（曉峰）先生手上？

張其昀曾任教育部長，一九六一年時任國民黨中常委及私立中國文化學院創辦人兼董事長。曹文彥由教育部系統外放為駐美大使館文化參事。一九六一年春天曹先生寫了一篇英文文章，主題是宣揚國府（或蔣先生）之某種理念，被葉大使當面斥責其英文不佳，禁止其對外發表。在兩人爭辯時，曹抬出蔣先生大名試圖去壓制葉大使，可是葉大使不予理會，不為所動，反而有語侵蔣先生之處，曹先生乃挾慊憤而寫信給張先生以上告。顯然張先生當時也轉告了蔣先生，我判斷因為曹之分量不夠，又沒有錄音為憑，蔣先生當時並未要因此事而處置葉大使，此信遂留在張先生處了。

蔣先生在十月十三日召回葉先生，十四與十五日與之商談不洽以後，乃決心處置葉大使。他就在十六日，驅車去陽明山看張其昀先生，要取得曹函中控告葉先生之重點，作為「葉逆」「逆跡」的一個證據了。

也就是說，後來在十月二十七日蔣先生寫信給在養病中的陳誠副總統兼行政院長，要免除葉大使職務時，曾附上一紙葉先生「逆跡」之清單，我判斷曹文彥所指控的「大不敬罪」當在其列。

不知道陳家今日是否保留了那封信及清單？此將是一件甚為珍貴的材料。沈昌煥先生是否也像曹君一樣成為「告密者」，當可由此知道了。否則以今日所有當事人均已過世，而蔣先生日記中除了曹文彥之外，沒有點出其他上告者的名字，那只有等待總統府、外交部或蔣先生私人祕檔把蔣先生與沈部長在九、十月中，雙方一在台北、一在紐約，彼此之間的通話紀錄或電文解密以後才能得知此事之真相的了。

在排比了蔣氏日記之後（請見附表），以沈部長九月中旬赴美前後，即九月上旬與九月下旬及十月之日記去分析，葉先生在蔣中正先生心中的罪名是變得更多、更重一事去看，我認為外界盛傳沈先生密告葉大使口出不遜，語侵元首是確有其事也。

至於外界本來不知道的曹文彥之事，我認為此只是蔣先生在找更多的旁證而已，若只以此人之證辭為憑，蔣先生是不足用以說服與取信陳誠先生的了。

即我判斷，葉先生不但犯了「大不敬罪」，更且是累犯，犯了不祇一次，而且沈先生亦曾多次向蔣先生報告此種事情，並不僅限於十月某日為劉蓋章先生偶然撞破的那一次而已。

僅此一點，即足以讓葉大使去職，但絕不足以構成其為「賣國漢奸」之重罪。因此在蔣先生心目中，除了口出不遜之「大不敬」之外，必然另有他事使之痛心憤恨，一至於此耳。

四、有關葉公超「欺君之罪」說法之研析

父親在一九八〇年代中期，在我棄筆從商之後，曾告訴我有關「葉案」之內幕，即：

㈠葉先生是犯了「欺君之罪」。

㈡陳副總統兼行政院長為葉先生緩頰，代為安排出任其內閣政務委員之經過。

在本節中先予討論第㈠點，至於第㈡點則留待下文記述之可也。

蔣中正日記中對葉先生「奸詐罪行」、「欺上」之指責處甚多，而且認為是「累犯」，並非僅限於在「外蒙古案」之言行，即父親所告訴我的那一次，今列述如下：

(1)以前所犯之罪行

十月十五日蔣先生日記有文字如下：

一、當四十七年十月底，「中美共同宣言」中，我以不憑藉武力光復大陸，而葉竟以不使用武力允美方，並謂全照我意定稿。及其發表，完全與我憑藉之意相反之痛心事，葉想又重演一次詐欺乎？

對此點我的看法是，中文中「不憑藉武力」與「不使用武力」是不一樣的。不過國際條約中文本只是僅供參考而已，此處是要以英文本的文句為準的。我手上一時沒有資料，尚請研究這方面的專家學者提供意見。

不過以當時國府之重視對美外交，我認為這個宣言決非簽字者，亦即身為駐美大使的葉公超先生可以一手遮天，一人獨斷而決定其文句者。一定是經過國內外交部、總統府以及蔣先生本人之認可，才能定稿。在多年後去怪罪葉先生欺騙蔣先生，混騙過關，是難以取信於人的。

當然，蔣先生有權指責葉先生沒有達成爭取我方要求的任務，可是宣言全文一定是經過蔣先生的同意及授權，葉先生才會簽字的，也就是說蔣先生在一九五八年時是同意「不使用武力」這五個字的。

(2)此次所犯之罪行

至於在一九六一年的「外蒙古案」中，蔣先生指控葉先生為美方虛張聲勢，恫嚇內部，要把美方提案矇騙過關，在其日記中可以說是比比皆是，不過都是在十月十三日葉先生奉召返國之前。

在葉先生返抵國門後，雙方之交涉已由後文所說的第二管道進行，此即經由雙方特務單位之首長，美國CIA駐台站長克萊恩（Ray S. Cline）與國府之蔣經國先生兩位負責，以私人名義所進行之洽商。葉先生當時人在台北，雖然參預，只是一個助手，協助經國先生的角色。而且連雙方已達成的祕密協定，還被矇在鼓裏，並不知情。此由後文所引之美方談判代表克萊恩對白宮的報告可知也。因之，葉先生也不再有對蔣先生作欺騙之言行的資格了。

蔣先生在十月十四日與葉先生面談，詢其意見，葉先生乃表示美方白宮不會同意蔣先生所要求的，以書面保證其為了確保中華民國在聯合國之席次，將會不惜動用否決權以阻止中華人民共和國之入會。葉先生並不知道在前一天甘迺迪經由第二管道，已經口頭同意此事。蔣先生在十月十五日，也就是葉大使回到台北的二天後，其日記中有文曰：

> 十時後召見公超（岳軍在座），問其昨擬對美方案，在祕密保證中不敢提其使用否決權，在其公開聲明中（連中華民國政府為代表中國之惟一合法政府），亦不敢要求，則尚有何意義？彼始終認為美必拒絕也。

我認為這是葉大使判斷錯誤，並非「賣國」。

至於父親在一九八〇年代中期，即在一九六一年之後大約二十多年，蔣、葉兩位都早已過世後，所告訴我的葉先生此次所犯的「欺君之罪」如下：

父親說葉先生奉召回國之前，去了白宮與甘迺迪見面，十月十三日回到台北後，蔣先生在十四日及十五日與之見面時，問他在此會中，美國總統有何說法。葉說，甘迺迪講只要中華民國放棄否決外蒙入會，美國將會公開宣稱支持我方反攻大陸。最後在十月二十一日甘迺迪的白宮記者招待會中，只公開宣稱，美國一向承認中華民國為中國惟一合法之政府，蔣先生乃大為失望，責問葉公超。葉氏答之，此即美方確認中華民國之主權涵蓋整個大陸，因之我方有權反攻大陸。蔣先生怒道，這還須要他們美國人來作承認？你是中國（駐美）大使，還是美國（駐華）大使？

在蔣先生的日記裏，對此事雖然沒有明白記載，卻有蛛絲馬跡可尋。

葉先生是十月十三日回到台北的，十四日上午蔣先生即予召見談話。十五日亦予召見，那一次見面時張羣亦在座。而在十五日的日記中，即舊事重提，如前引所述之文句說：「當四十七年十月底，『中美共同宣言』中，我以不憑藉武力光復大陸，而葉竟以不使用武力允美方，並謂全照我意此稿，及其發表，完全與我憑藉之意相反之痛心事，葉想又重演一次詐欺乎？」

此即本節前文所述葉先生之欺上舊行，在十月十五日的日記中蔣先生忽然舊事重提，而且與其當天日記之其他部分無關。我認為此即在十五日召見葉先生時，葉先生提出了甘迺迪將公開宣稱支持反攻大陸一事，蔣先生此時已有第二管道與甘私下聯繫，對這個天大的好消息是將信將疑的。他固然希望是真，但是怎會在第二管道方面絲毫沒有半點兒蹤影，因此才會說「葉想又重演一次詐欺乎？」

因為依附錄所抄蔣先生日記所示，在十月十三日葉先生回到台北以後，到他十一月十八日被免職，蔣先生對他所作的新指控，只是在說他不敢向美方提出兩項要求。這都不能算是「葉又想重演一次詐欺乎？」可見十五日這條日記之記載，當為另有所指，其所指責者為何事？只是蔣先生沒有寫出來而已。

有趣的是，葉先生的說法有沒有道理，亦即美國公開承認為中華民國為中國惟一合法政府，即是公開支持國府有權反攻大陸這個論題，我在二〇〇九年內曾一對一地分別告訴了沈克勤大使與郭岱君博士，他們兩位各自想了一想，分別告訴我說：「沒錯呀！葉先生沒有欺騙蔣先生呀！」父親是法律學家，他在告訴我這個故事時，是臉帶微笑的。我想以他之深知蔣、葉兩位，他是在笑葉先生是「秀才遇到兵，有理說不清」吧。

葉先生是外交家，以國際法之合法性，以及國際輿論之支持為重。蔣先生是軍事家，講究實用的有形物質之人力、物力、財力之支援也。

我認為葉先生是有些存心在做誤導（misleading），但不是欺騙（cheating），哪知道這引起了蔣先生的新仇舊恨，葉先生就成了一個「欺上」「賣國」的「內奸」累犯了，奈何！

五、小結

一九四九年國府棄守大陸，此與一九六一年只差了十二年，因此在「葉案」發生時可以說是大家對丟了大陸之往事，記憶猶新。

在此十二年中，美國有八年是共和黨籍的艾森豪總統執政的，即在中間的一九五二年至一九六〇年。在前面的三年，即一九四九至一九五二，美國是民主黨籍的杜魯門總統執政，杜總統及其國務卿艾契生對蔣中正及他所領導的國府可以說是深痛惡絕，全無好感。在國府退守台灣之後，美國即發表了對華外交政策白皮書，把失去中國大陸的責任及過錯全都歸罪於「蔣政權」，美方大有撒手不理之感。然而在一九五〇年發生了韓戰，乃使杜魯門政府改變政策，派遣其第七艦隊巡航台灣海峽，美國乃與中共對立。而後雙方在北韓兵戎相見，大打出手，才使美國又重新與國府緊密契合了。

到了一九五二年美國有了政黨輪替，共和黨入主白宮，艾森豪總統之國務卿杜勒斯是一位堅決反共者，國府與之甚為相得。此八年中，也是葉公超先生在外交方面長材得用，成果斐然之時期。

在一九六〇年美國又發生了再一次的政黨輪替，民主黨之甘迺迪當選總統，起用了當年艾契生的助手魯斯克為國務卿，艾森豪兩次的競選對手史汀文生州長為駐聯合國大使。這兩位都對「蔣政權」不友善，而蔣先生也極為討厭他們，在日記中常罵魯斯克為「魯丑」、「羅丑」。

蔣先生認為自一九四九年的艾契生國務卿開始，到一九六一年的「魯丑」為止，美國的民主黨人一直有一個陰謀，此即其在十月十九日之日記中所說的：

自四月起美國務院以承認外蒙，准許其進入聯合國。製造兩個中國，允許共匪進入聯合國，以及台灣為台灣獨立國等等民主黨行動委（員）會之十二年來對我之陰謀。

因之對「外蒙案」，蔣先生之堅決主張行使否決權以阻止其入會，是為了防止前述大陰謀理論中第一張骨牌倒下而背水一戰，其戰略目標是阻止繼之將要發生的中華人民共和國之入會。

一如下文所述，在十月二日因為接受了張羣與王雲五所建議的「雙重否決之交換」的建議，蔣先生認為只要美國能：

㈠公開宣稱認為中華民國政府為中國惟一的合法政權。

㈡白宮向蔣先生提出祕密的書面保證，以示在中華人民共和國申請入會時，美國不惜動用否決權以阻止之。

那麼即使外蒙入會，第一張骨牌倒下了，那第二張骨牌——即中國代表權，也不會因之發生問題了。

此所以蔣先生乃改變心意，放棄否決外蒙入會以與美方交換上述的兩項承諾了。（在本文中我稱此為「雙重否決之交換」。）

在此之前，葉先生堅決主張放棄否決外蒙入會，以爭取法語系非洲國家之十一票，以確保國府在一九六一年的「中國代表權案」中不致落敗，這只是一年分的戰果之取得。而蔣先生的目光卻是放在長遠的一勞永逸以確保代表權。因此蔣先生的戰略眼光是比葉先生要來的高明些。可是這只是他們兩個人對美國對華外交政策的判斷不同，並不表示葉先生在賣國。此是葉先生認為美方絕不可能同意前述之兩項條件，因而抗命拒絕在華府向白宮提出，可是在召回葉先生以後，蔣先生經由第二管道在台北談判卻做到了。

事後去看，在第二管道啟用之前，葉先生的主張是「舍小全大」，是正確的；可是在蔣先生提出了「雙重否決之交換」的主張之後，葉先生認為不可行，卻是判斷錯誤的了。

細讀了這兩個多月的蔣先生日記，令我最感意外的是：

㈠蔣先生對葉公超先生的深痛惡絕，痛責漫罵到稱之為「賣國漢奸」、秦檜、張邦昌的地步，實為過分苛責。

㈡他在這次對美交涉中摒除了蔣夫人及她所領導的知美與留美派人士之參預。在九月中旬沈昌煥出國之前，蔣先生用的智囊團是張羣、陳誠、王雲五與沈。在沈出國後，則由其副手許紹昌代之。

他們五位當時的職務分別是：

張羣：總統府祕書長

陳誠：副總統兼行政院長

王雲五：行政院副院長

沈昌煥：外交部長

許紹昌：外交部政務次長

沈與許只是基於本職而參預其事，並沒有資格去參預制定決策，而其他三位元老級者卻沒有一個是留學美國或平素參預對美外交工作者。此示當蔣先生為了「外蒙案」，要向美國攤牌時，他並不信任其屬下的知美派，此並非只是針對葉公超一人如此而已，親如蔣夫人，蔣先生也將之摒於門外也。

我認為另外有一個因素，是蔣先生沒有明說的，即他此時將陳誠與葉公超結合在一起，此容我在後文詳述陳誠力保葉公超出任政務委員一事時再作分析可也。

蔣先生在十一月十九日之日記中說，任命葉公超出任政務委員，此即葉案收場之處理，是「因內外關係」。我認為「葉案」之起因也有內外關係，「外」是因為葉與美國人太親近，關係太密切。「內」則是蔣認為陳已收編了葉，葉在蔣、陳之間的微妙關係中是傾向於陳的，此點容我在後文記述王雲五先生一次訪美的祕密任務時再予評析可也。

參、第二管道之始末

一、**何謂第二管道**？

兩國之間的交往當然是以外交往來為正途，以當時為例，應是：

總統府—┬—台駐美大使—┬—美國務院—白宮
　　　　└—美駐台大使—┘

此即第一管道。

在十月二日以後，由蔣中正發起，開創了一個第二管道，此即：

蔣中正→蔣經國→克萊恩→彭岱→甘迺迪。

當時經國先生主控國府的情治單位，而克萊恩則是CIA駐台站長，是經國先生長期的情報工作伙伴，彭岱則是白宮外交事務顧問。

美國的CIA首腦也是一個內閣閣員級別的人物，與國務卿是平起平坐的。

這個第二管道，就「外蒙案」言之，在十月十九日即功成身退，為時不到三個星期，甚為短暫。可是「外蒙案」之能順利解決，其確是居功甚偉。而且蔣先生也經由此管道得到了甚為可觀的外交成果，亦即為外交老手葉公超認為不可能獲得美方承諾之兩個項目，就是：

㈠甘總統向蔣先生以書面祕密保證，為了阻止中共入會，美國將不惜動用否決權。

㈡甘總統公開宣稱，美國一向認為中華民國乃代表中國的唯一合法政府。

二、第二管道之由來

十月一日星期日，蔣先生日記有文曰：

一、要求美國聲明其對共匪加入聯合國請求時實施否決，與我對外蒙入會案放棄否決之約交換，可乎？

蔣先生用了「可乎」這兩個字，表示他對此議之可行性尚存懷疑，此示這並非他自己先想到的，那麼在星期日，他又是聽了誰的建議呢？

我認為是張羣，這不但是因為在蔣先生日記中經常可以看到張羣與他在星期日討論大事，也從下文所引者亦可知也。

十月二日星期一之日記：

「十時，岳軍與雲五來談否決外蒙案，重新考慮其建議。」

我判斷是「知美」的王雲五行政院副院長先向張羣提出建議，張則在星期日向蔣先生進言，蔣則在星期一上午即約見張與王以作商量。

蔣先生與張岳公兩人的官邸是背貼著背的鄰居，兩家的後花園之間有一道圍牆，有一不上鎖的小門。張先生不必先作預約或通報，可逕行推開小門走過去串門子，因此在星期日他們兩個碰個頭談事情是甚為方便的了。

這個提議我在本文中稱之為「雙重否決之交換」。

蔣先生在考慮之後，因為聯合國安理會在紐約時間十月三日要開會討論外蒙案，事急矣，所以在十月二日立刻採取行動。十月二日星期一日記說：

今晨四時初醒，實思外蒙案，對美國壓迫無理言行，不堪忍受，亦無可轉變。但將國務卿強迫態度與我國堅決方針，在其最後否決外蒙案以前，不能不使甘迺迪了解其經過事實，故決令經兒轉告其駐台情報主管，屬其代達甘迺迪，使其了解，使對今夜外蒙案討論以前，或可由甘轉令其外交人員對我政策有所協調助益也。

此為第二管道之由來，也就是說一開始，此並非為一交涉談判之管道，而是蔣先生要向甘迺迪告狀，指控因美國務院之態度惡劣，才會造成今日之僵局。若美方態度改變，我方之政策尚可協調也。即此為一個向甘迺迪暗示我方對外蒙古案尚有談判之餘地，目前的僵局是肇因於美國國務院態度惡劣之故也。

同一日下午四時，即十月二日，蔣先生與美駐華大使莊萊德（Everett F. Drumright）有一段非常長的談話，在結尾時蔣先生畫龍點睛告訴莊大使說：

「當然如你美國誠意合作，雙方澄清兩國政策以後，似對此案並非不可重新協調也，望以此意轉告甘總統可也。」

也就是說在十月二日啟動第二管道之際，經由第一管道，蔣先生透過莊大使，也向甘總統大送秋波，暗示「外蒙古案」國府可能改變態度。

三、第二管道暫被第一管道取代

那知道十月二日蔣先生與莊大使之長談，使美方產生誤會，以為此時雙方之往來，仍須經過外交途徑。美方對蔣先生通過莊大使談話所透露的訊息，仍由國務卿魯斯克作答。而經由第二管道所得之訊息。白宮乃在美東十月五日夜，派遣白宮之外事顧問彭岱夜訪葉大使。此示：

㈠白宮不欲外界得知，故夜訪葉家。

㈡彭岱與葉先生甚有交情，可以夜訪其家，此在美國人言之是不太常見的。

十月五日，莊大使把魯斯克對蔣先生在二日所要求美方澄清之六點，以書面回覆我外交部。蔣先生因為其中並未見到美總統就中共申請加入聯合國之政策對國府作出保證，乃予拒收此答文。並令外交部明告之，「蔣總統對其所說的，乃要其對甘總統轉達者，而非對其國務卿所說也。」

十月六日到十一日，國府仍是經由第一管道，即在台北經莊大使，在華府經葉大使，希望能以「雙重否決之交換」來解決「外蒙案」。

但此時葉大使認為此乃美政府不可能答應之事項，提出則徒增美方反感，因而抗命，不向白宮提出，蔣先生在十一日的日記說：

下午七時半回寓，辭修來，商對美交涉方針，與公超是否回來？余認為公超再在美國，不惟無助於交涉，只有妨礙交涉。以其自定政策壓制政府，獻媚於外，且必須由其一手包辦而決，非執行其政府之政策也，可痛極矣。……據報，公超應召即來。

此時，蔣先生要召回葉大使，乃令陳誠出面與葉聯繫，而葉則「應召即來」。這是蔣先生的用人之術，表面上看去，陳是行政院長，召回大使理應由外交部執行，何須勞動閣揆？可是中國人是因人成事的。例如在免除葉之駐美大使職務時，蔣先生要蔣廷黻接任，為其所拒，乃請張羣出面促駕才能成功。張先生是總統府祕書長，與駐美大使易人一事無涉，而蔣先生要他出面去勸蔣廷黻，是因為他們兩人之私交甚篤也。我判斷，蔣廷黻之所以拒絕新命，是一時弄不清楚葉大使何以被免職之真相也。有些話蔣中正難以對蔣廷黻明說，而張羣則與之可以推心置腹說清楚講明白的了。果然，張羣促駕之後，兩天之內，蔣廷黻就應命了。

葉大使回國述職後，白宮頓失來往之對象，甘迺迪乃改為利用第二管道與台北直接交涉，而第二管道乃正式登場矣。此時外交部長沈昌煥人還在紐約，白宮不就近與之交涉，而選擇經由遠在台北的特工系統為之，實在是深知國府之政情者矣。

四、第二管道之峰迴路轉與馬到成功

蔣先生十月日記中的「本月大事記」，對葉公超奉召回國後，第二管道之峰迴路轉，迅即達成雙方對「外蒙案」之協議，即經由張羣與王雲五所建議的「雙重否決之交換」而作之協定，有簡單明瞭的說明，今節錄於下：

為外蒙案對美交涉之經過

甲　第一周：即二日清晨對外蒙否決政策作最後重新之考慮，有鑒於三日安理會即須決定此案，甚感對美外交之微妙的危機，乃令經兒向克萊恩提出對白宮最後之警告，以盡我應盡之道義也。此或亦為自我作其智能與靈心之方驗，又進一步乎？

乙　第二周，即八日因接莊對我要求之拒絕，交涉又告中斷，中美關係頻臨最後關頭，乃令公超回國述職，亦示美以決絕之意。忽於十二日當公超離美之時，甘乃自動與我作直接解決之提議。十三日公超回台，十四日甘乃依我從前要求，惟其對共匪入會時美使用否決權之要求，改為祕密保證，余即允其所求，而公超尚誇稱其與白宮能如何接近，與交涉之有力，安知甘已完全依我要求直接解決。此即公超認為徒增反感，決難提出之要求也。

這段日記非常清楚，即：

㈠因為葉大使返台，雙方交涉乃全用第二管道在台北進行。

㈡按以今已解密之克萊恩對美方之報告，蔣經國要求美方對莊萊德大使保密，此即國府不要美國國務院之加入談判，因之雙方乃得迅速達成協議，此協議包含了「雙重否決之交換」，此是葉先生認為絕不可能達成的要求。

▲蔣經國與克萊恩（左一）有軍事情報上的合作。

此示蔣先生的策略是正確的，葉先生的判斷是錯誤的，可是這並不是說蔣愛國而葉賣國，這只是雙方對美方態度之判斷不同而已。

克萊恩對白宮的報告中指出，葉公超雖然在台北參預談判，可是並不知道白宮已答允蔣先生所提的全部六項要求，因之蔣先生已同意在「外蒙案」中不行使否決權一事。

五、小結

「雙重否決之交換」確是神來之筆，張羣與王雲五兩人成了解決「外蒙古案」之無名英雄。當時在「外蒙案」行使否決權一事方面，國府與美方是站在相反的立場，可是在中國代表權案方面，雙方的立場是一致的。不論蔣中正先生或葉公超先生都是「舍小求大」，以保全中華民國在聯合國之席次為目標。

在十月一日聽取建議之前，蔣先生對在外蒙案中行使否決權是下定了決心的，此時他並沒有「舍小求大」，而是採取玉石俱焚的態度，因而葉公超則極力反對之。

在十月二日考慮到「雙重否決之交換」以後，蔣先生對行使否決權以阻止外蒙入會一事，改成可以商量，但是美方則必須以「雙重否決之交換」來達成協議。此時葉公超又與蔣先生大唱反調，他認為白宮不可能同意以行使否決權來阻止中共入會而提出書面保證，去換取國府在外蒙案之不行使否決權，他認為如果向美方提出，徒增對方之反感，乃抗命而拒絕向白宮提出此項建議，因之迫使蔣先生將之召回。

在葉先生回到台灣之後，經由第二管道，甘與蔣兩位總統迅速達成協定，並包含了「雙重否決之交換」的兩個項目，這不但使得蔣先生洋洋自得，並且對葉先生的新仇舊恨一併爆發，葉先生之被免職乃成必然之事了。

肆、葉公超出任政務委員之經過

一、蔣原意只想派葉為行政院顧問

蔣中正先生對葉公超是恨之久矣，在前章中即引其日記談到一九五八年中美宣言中，「不憑藉武力」與「不使用武力」文句之不同，蔣先生認為葉先生欺騙了他，即為一例。

在十一月十八日國府明令葉公超免去駐美大使職務，改任行政院政務委員時，蔣先生的日記之「上星期反省錄」說：

> 因內外關係，仍任葉為政務委員，使葉案暫告段落。但其奸詐罪行，恐難改變，姑再認之。對美關係，雖因葉逆調離美國，舊事略告段落，但……

在十月底的「本月工作」一欄中，蔣先生日記說：

「（巳）公超問題乃因對美外交而亦得如期解決，此乃祛除了政府內奸與後患也。」可見此時蔣先生已把葉先生當作心腹之患了。那麼究竟是什麼「內外關係」讓蔣先生在處置葉公超之時竟會有了投鼠忌器之顧忌呢？

我們先來研究一下，蔣先生原來的意思是要如何處置葉公超的？

十月二十一日星期六的日記說：

> 葉逆之處理步驟：
> 甲：下周末暗示其自動辭職，行政院派為顧問，或
> 乙：令其自反自新，安分修養。

即甲是敬酒，乙是罰酒。

請注意，這一天下午是甘迺迪白宮記者會的時間，亦即父親所告訴我者，蔣先生發現甘迺迪並未如葉公超所說的「公開支持我反攻大陸」的那一天。

葉先生曾任外交部長，自政壇退休後理應出任國策顧問，委為行政院顧問則是把他降級任用，當為羞辱性之懲罰。有趣的是，在葉先生長期擔任了政務委員（此為部長級）之後退休時，蔣經國總統則任命葉先生為資政，以示尊崇。按資政為五院正副院長級政壇人士退休時應得之禮遇，而葉先生一生官至於部長級，此為破格之尊崇，也是經國先生在補償葉先生多年所受的委屈也。

蔣先生十月二十七日星期五的日記說：

一、處理葉逆問題從速解決。

一、繼任美使人選：蔣廷黻、陳之邁、陳立夫？

上午致函辭修，為處理葉逆問題之商討，並附葉逆之逆跡一份，使知其事也。

此時陳誠先生在橫溪養病，蔣先生在探病時與之商談要公外，也有時寫信給他，不知為何不與他通電話？因為在這段時間裏的日記中並無二人通電話之記載。

蔣先生要抄一份葉先生的逆跡給陳先生，當然是為了要取信予他。也可以說在蔣先生心目中，葉公超是你陳誠的夾袋中人物，我現在要你同意動他，乃須要出示他的罪證如附件給你看了。

多年來我心中有一個不得解的疑惑，至此方得想通，此即下文要談的王雲五先生訪美之祕密任務。蔣先生為什麼不就近命令在華府的葉大使就近解決，而要王雲老遠渡重洋去辦理呢？此容我在下文中談之可也。

二、王雲五訪問美國之祕密任務

王雲五先生在擔任考試院副院長時，奉派去美國參訪，公開的理由是考察美國的文官制度。可是據雲老晚年告訴父親，說他此行另有一祕密任務，即蔣先生要他調查，為什麼小羅斯福可以連續做了四任總統？

當時是蔣先生第二任總統即將任滿，依照中華民國憲法，他不能再做第三任。而美國憲法亦有只得做兩任之規定，所以蔣先生好奇，要弄清楚小羅斯福為何可以連做四任的呢？

王雲五回國後並沒有把全部真相向蔣先生報告，此即：

㈠在當時美國憲法並未規定一個人一生只能做兩任總統（不論是否連任）。

㈡在小羅斯福生前，一個人只做兩任總統只是一個不成文的慣例，是大家尊重美國國父，亦即第一任與第二任的華盛頓總統所創下的先例。

㈢在小羅斯福時代，正好遇到二次大戰，美國人民不願意陣前換將，所以選了他破例連任四任。

㈣二次大戰結束後，在杜魯門總統時期，美國乃修正憲法，明文規定一個人只能做兩任總統的了。

王雲老回國後向蔣先生報告時，只說了上述的第三點，此即當時為戰時，所以致此。

蔣先生一聽，「龍心大悅」，乃引以自況。因為國府當時仍在戰時——戡亂時期，你美國人小羅斯福可以做到，我當然也可以了，乃決定以修正臨時條款為手段去做終身連任的總統了。我是在一九八〇年代中期聽父親告訴我雲老那次訪美所擔負之祕密任務的。當時使我好奇的，是為什麼要千里迢迢派王雲老遠去美國調查呢？不論在國內或是美國，知道這事的華人學者專家可說比比皆是。別的不說，時任駐美大使葉公超便可就地查詢此事也。

當然，在讀到蔣先生日記之前，我並不知道蔣先生啣之已深。不過即使如此，仍然可充徵詢之責，除非蔣先生在擔心，葉先生會因此猜到蔣先生想修憲連任第三任，而且又怕他把消息走漏給美國人或陳誠副總統兼行政院長。在佈局尚未完成之時，蔣先生當然要提防這一外一內的關係者聽到風聲，以免打草驚蛇而節外生枝也。

王雲五是一位無黨籍的社會賢達，他即使因此任務而猜到了蔣先生想連任第三任總統，蔣先生也不必擔心他倒向陳誠也。

在這個極為微妙的時刻，蔣先生重用王雲老負此重任去訪美，我認為是因為：

㈠雲老「知美」而與美國朝野並無淵源。

㈡雲老是社會賢達，此示蔣先生對國民黨人反而不放心，因為人人都可能走漏風聲給黨內坐二望一的陳誠（副總裁，副總統兼行政院長）知道。

在蔣先生順利連任之後，王雲老也從考試院副院長改為行政院副院長了。

三、陳誠安排葉公超出任政務委員之經過

在研究了葉案以後的今天，我判斷蔣先生當時是把葉大使當作陳系的一員。只是我從葉先生的經歷上去看，是看不出他與陳系之結合始於何時也？而且從葉先生失勢後的交往情形去看，我也不覺得他是陳系之一員，我認為蔣先生在此方面是多疑了一點。

在十月二十七日蔣先生為葉事函告陳誠之後，才過了三天，葉公超即致電蔣經國先生請他代向蔣先生求情，十月三十日蔣先生日記說：

> 經兒來講，公超今晨與其講話，承認有過而無罪，尚望其辭職後予以國策顧問名義，在台思

過，最好准其先返美交代云。十時半入府……復與岳軍談公超事之處置，認為對外尚有顧慮也。下午與妻經橫溪，訪辭修病。

由此可知，葉先生與經國先生是有私交者也。

父親在一九八〇年代中期告訴我「葉案」之經過時，一併也告訴我了陳誠先生代葉先生向蔣先生緩頰之經過，以及陳與蔣兩人之間的大致對話，只是在查閱蔣先生這一段日記，我發現蔣先生並未寫出此事來。

在十月三十日那次探病以後，到十一月十八日明令發表葉公超新職之間，蔣先生在十一月十六日又去探陳誠病一次。我不清楚是在這兩次談話中的那一次，陳先生代葉先生求情的。他們的對話大致如下述：

陳：「葉公超是國際知名人物，他的出處宜作安排。」

蔣：「你看怎麼辦？」

陳：「派他做政務委員。」

蔣：「你的內閣不是額滿了嗎？」

陳：「我去向友黨借一個名額。」

蔣乃首肯。

這段話須要做兩個註解。

第一個是蔣先生為什麼要問「你的內閣不是額滿了嗎？」故事是這樣的。當石覺將軍從聯勤總司令任滿退職時，蔣先生原來要安排他入閣擔任政務委員，為陳院長以內閣額滿為理由擋了駕。後來蔣先生只得安排石將軍去了考試院出任銓敘部長，用的理由是石將軍在聯勤主管軍中人事，著有功績。

第二個是陳先生答以「我去向友黨借一個名額」，是因為當時民社黨與青年黨都是各在鬧家務事，都派不出一個全黨共推的代表去入閣，所以早期在台灣的國府內閣的政務委員都是缺了兩席，虛位以待也。

在十月三十日蔣、陳談話之後，十一月四日，在蔣廷黻因張羣勸駕而接受駐美大使新職之後，蔣先生當天日記說：

「葉之名義應否在此時給予，亦應考慮。」

十一月七日說：

「與岳軍談葉事。」

這是蔣先生與張羣多次談葉事中的一次。

以上述之記載看去，前述蔣、陳為了葉公超出任政務委員之討論，在十月三十日與十一月十六日兩個日期之中，應以十一月十六日較為可能的了。

是陳誠替葉先生爭取到政務委員之身分，而蔣先生自云此是「因內外關係」乃予任命的，所以我認為這個「外」字指的是美國，「內」字則是指陳誠也。

葉案至此乃告一段落。

四、小結

我認為在「外蒙古案」中葉公超先生是犯了：

㈠抗命罪——在十月上旬他拒絕把「雙重否決之交換」提出來與白宮交涉。

(二)「大不敬」——在言語中對元首不敬。

但是我不認為他是「欺君」或「賣國」者，我認為葉先生容或有判斷錯誤之處，卻不是存心「媚外」或「賣國」。

葉先生在十月三十日與經國先生通電話時，自評是有過而無罪，我認為是一個公平的說法。

葉大使平時往來的是美國國務院中的中國通專家們，而參預第二管道的甘迺迪、彭岱與克萊恩都不是此中人士。蔣中正先生能藉著避開美方的國務院而直接與白宮交涉，確是高招。如果把外交當作不動干戈的戰場，我對此案的觀點如下：

(一)蔣中正是大軍統帥，而葉公超則是面當前敵的先鋒。

(二)蔣先生是一個長於大戰略的將領，而葉先生則是熟悉敵情的戰術指揮官，他能勇於衝鋒陷陣，知悉當面敵將的言行，而可以攻守自如。

在「外蒙古案」中，他們兩位的目標是相同的，即「舍小求大」，以保全中華民國在聯合國中的席次為目標。只是葉先生看到的是如何在一九六一年那次戰役中獲勝，而蔣先生思考的是如何不因外蒙案而導致代表權之終究失敗，不僅是在那一年而已。

「雙重否決之交換」使得蔣先生有了「敗中求勝」的契機，而葉先生見不及此，膽子不夠大。拿破崙說：「上才創造戰機，中才掌握戰機，下才不知戰機。」在「外蒙案」中，張羣與王雲五是上才，蔣先生是中才，而葉先生則是下才了。

不過這只是指一九六一年的「外蒙案」這一場戰役，以及這一個戰場來說。若拿「中國代表權」這一場戰爭來說，我認為葉先生是上才，而蔣先生則是下才，容我在後文簡述之可也。

唐詩有句云：「衛青不敗因天幸，李廣無功數亦奇。」

在「外蒙古案」中，此詩可移之於蔣先生及葉大使二人身上。衛青攻打匈奴，以輕騎遠攻，突襲其王庭而奏功。李廣則每每身當強敵，常常在苦戰之中。然而漢律論軍功，以斬首之淨數為計算標準。亦即殺敵一千，自傷八百，論功只計二百。李廣打硬仗，就遠不如衛青、霍去病之大迂迴、奇襲之易於表功也。何況漢律以割取敵人右耳以代首級，匈奴王庭中之官吏、平民、老弱、男性奴隸等人之右耳與軍人之右耳，割下來以後又何從分別呢？李廣面對之敵人皆為匈奴之勁卒，而衛青、霍去病所斬獲者則是軍民皆為有之也。因之李廣終生不獲封侯，而衛青、霍去病之門下士封侯者以百十計矣，此是因漢律計算軍功方法，厚此薄彼之故也。

葉公超如李廣，日夜在前敵，以少數兵力與強將苦戰。而蔣先生如衛青，能有權力指揮大軍作大迂迴之攻擊，直搗王庭。又遇上了特工系統出身的克萊恩，以及並無任何外交實務經驗之青年總統甘迺迪，乃能迅速奏功矣。

可是中國人兩千多年來在北方、西北及東北地區之用兵作戰中，如衛青、霍去病之能千里進襲，橫渡沙漠而出奇制勝者並不多見。此即衛青不敗，雖是天幸，仍為上等之將才也，衛青能立大功是因其大膽，敢去做別人不敢做之事，敢去想行家不敢想之計謀也。

只拿「外蒙古案」一事來說，兩蔣父子能以第二管道奏功，其外交眼光與成就是在世所公認之外交好手葉公超先生之上，吾人不能不予佩服。可是蔣先生因之責罵葉先生「賣國」，是「奸」是「逆」，我深為不服，實為葉先生叫屈也。

伍、圍繞著葉案的一些枝枝節節

一、由克萊恩的記述說起

從張嘉琪女士的大作《崢嶸歲月》中讀到下面的文句，為引用美方今已解密的有關第二管道之文件，今節錄之如下：

十月十一日彭岱發電給克萊恩表明，美國願意以祕密方式對蔣介石保證，美國在有必要及有效的情況下行使否決權，以阻止北京入會。但是此項保證是祕密，不能外洩，如果洩密，美國將予以否認。十月十四日克萊恩給彭岱的回電是和葉公超談過，也和蔣經國長談數小時後擬出一份祕密諒解，即確定美國對外蒙不投贊成票；美國總統公開聲明支持中華民國，反對中華人民共和國入會；美國祕密向蔣介石保證，在必要及可行時使用否決權阻止北京入會；台北不使用否決權阻止北京入會。

十月十六日克萊恩給彭岱的電報說明他和蔣介石面談，而且「蔣介石要求在甘迺迪公開聲明後及聯合國討論外蒙案前，給他十天時間，以便扭轉輿論轉向。」……（克萊恩）「指出他在十五日與葉公超及蔣經國會談後，發現蔣介石透過蔣經國對他承諾不使用否決權，但卻仍未告訴葉公超，因為葉公超於十五日還在和他談論要如何說服蔣介石。」

「……克萊恩也報告，蔣經國要求，在華府同意諒解之前，不要洩漏此方案。蔣介石很顯然想利用葉公超的力爭來說服其他官員，使他們認定蔣決定不使用否決權是正確的。蔣介石也要求他不要對任何中國人說此項諒解是我和蔣經國擬定的。蔣經國也轉達他父親的話，囑先不要告訴莊萊德以免不慎漏消息給外交部。」

以上所引美方之內部文件，以及蔣先生日記所顯示，兩蔣父子非常重視保密。此即：

㈠「雙重否決之互換」一事在雙方都必須嚴守祕密。

㈡依蔣先生十月十八日日記，他命令外交部許次長紹昌要求莊大使以書面保證白宮的口頭承諾時，即令蔣經國通知克萊恩，美方所提出之書面保證不得有「洩密」懲處條款，否則我方絕不接受。

㈢根據同日之日記，克萊恩與莊萊德溝通時，發現莊大使所準備的文稿中果然有此條文，乃力勸其撤除之，此即莊大使採取了類似十月十一日彭岱所電示的「不能外洩，如果洩密，美國將予否認」之主張也。

蔣先生日記有關此項之記載，使我們可以看到克萊恩亦有「媚敵」、「通敵」之嫌，他把美國內部的消息告訴了兩蔣父子。

㈣蔣先生堅持正式保證中去掉此「洩密」條款，不是庸人自擾。因為在一天之內，我外交部即已「洩密」給父親，幸好有張羣居中大事化小，沒有鬧出政治風波，不然牽涉在內的二人，即父親與許紹昌都會受到政治處分，詳見後文。

㈤在交涉中我方要求保密的對象竟然包括了：

⑴交涉代表之一的葉大使（時已奉召回到台北參與對克萊恩的談判）。

⑵美駐華大使莊萊德。

⑶外交部——此處沒有說明是雙方那一邊的外交部，不過以兩位大使都不得獲知，當是雙方的外交部都包括在內了。

這種保密的程度，使得美方代表克萊恩大為驚訝的了。試想身為談判代表的葉大使竟然不知道他所代表的元首蔣中正總統，已答允美方在外蒙案中放棄使用否決權，而一直想和克萊恩討論如何說服蔣先生去改變原來要使用否決權之決策，這不是一種令克萊恩覺得是很奇怪的事情嗎？

㈥甘迺迪召開白宮記者會的時間之決定：

在台北時間十月十六日，莊萊德大使面謁蔣中正總統，提出口頭說明，表示美方同意「雙重否決之交換」時，蔣先生隨即表示：

⑴希望美方改用書面文件提出。

⑵為了方便我方扭轉輿論方向，希望美方給他十天時間去做。

可是聯合國已決定在美東時間十月二十六日，在安理會中討論外蒙古入會案，此即台北之十月二十七日，離蔣先生提出此要求時，恰為十天。美方隨即在台北時間十月十九日向台方提供了：

⑴有關「雙重否決之交換」的書面文件。

⑵甘迺迪將在白宮記者會中公開提出的口頭說明之書面草稿，給台方過目，以及徵取同意。

因之甘迺迪的白宮記者會乃在台北時間十月二十一日（星期六）午夜在美國華府召開，也因此使得國民黨中政會延後到台北時間十月二十三日星期一上午召開了。

二、因為改變決策而內部所召開的四次重要會議

蔣中正先生在十月十六日收到美方口頭保證後，即在日記中說：

「十時見岳軍，屬告如約準備一切，對內尤其立法院覆議案之手續。」

這是因為立法院大會本來已決議否決外蒙入會，按照憲法，此時須由行政院提出覆議案，方能改變其決議也。

因之，父親擔任副祕書長的國民黨中央政策委員會乃奉命參預其事，此因中政會之任務乃是協調黨政關係也。

中政會的祕書長當時是谷鳳翔先生，前任司法行政部長，不久後在十一月上旬的中全會中獲選出任中常委，以取代時已出使西班牙的前行政院副院長黃少谷先生。這次中常委選舉採取全面開放、自

由選舉，也就是不像往例、由蔣先生指定一部分人士因其職務而作為當然的中常委。結果是十五位上屆中常委裏除了谷上黃下以外，全都連任，只是彼此之間的排名（因每人的得票數而定排名次序）有所不同而已。

谷先生這時當選中常委是違背了孫中山「權能分治」的學說，依此學說黨工照例不能兼任中常委。有一次中委會祕書長唐縱、副祕書長郭驥與第一組（今之組工會）主任倪文亞三人同時當選中常委，蔣先生就要他們在黨內工作職位及中常委之間作個選擇，於是三位先生一致選擇了掌控實權的黨工職務而放棄了中常委一職。

我認為蔣先生這次破例讓谷先生在當選了中常委以後，依然繼續兼任中政會祕書長之職務，是在替他養望。因為當時擔任中委會首席副祕書長的郭驥先生是陳誠副總裁的嫡系，蔣先生不要郭先生循序坐升，乃為將來安排由谷先生接任；再在一九六七年因為郭澄出任專職之中常委，由張寶樹接任中政會祕書長；再後，張接谷任中委會祕書長，即第二次擋住了郭驥。此時陳誠已去世，郭驥只得外放為光大會祕書長，兼任中常委。也就是說蔣先生利用中政會祕書長平調中委會祕書長（即谷繼唐職，張繼谷職）的手法，擋住了陳派的郭驥出掌中央黨部，使郭先生在中央黨部工作多年，始終坐二而不能望一也，這是本文的題外話，就此打住。

總之在陳誠晚年，即一九六〇年蔣先生連任第三任總統之後，陳先生在政府中坐二而不得望一，蔣、陳之間的關係因之變得甚為微妙。前述在一九六〇年代郭驥先生久為中央黨部首席副祕書長而兩次不得坐升祕書長，只是在陳誠生前死後，兩派暗中角力之一隅。我認為一九六一年的「葉案」也多少帶有此種色彩，希望研究此段時期的歷史學者不妨由這個角度切入去對「葉案」多作分析也。

由父親留下的書面資料去看，蔣先生對克萊恩所說的「給他十天時間，以便扭轉輿論方向」，父親是多方參預其間的工作，舉其大者，除了行政院會以外，父親參預或運作了下面三個重要的決策性會議，即：

㈠十月二十一日星期六的國民黨中常會。

㈡十月二十三日星期一的中央政策委員會第五次會議。

㈢同一天，即十月二十三日星期一，行政院即時召開院會，決定適當措施如下：

1. 通知我出席聯合國之代表團，以便有所遵循。

2. 函送立法院，而立法院亦因行政院所請，將二十四日之例行院會改成祕密會議。因陳誠院長請病假中，由王雲五副院長列席報告。開了一整天，發言之立委十餘人，除二三人反對放棄使用否決權外，餘皆贊成改為授權行政院採用權宜措施，於是立院院會乃通過行政院之要求。

至此，蔣先生要改用棄權去處理外蒙古入會之新決策，乃取得必要之法定授權了。

因為篇幅的緣故，在上述幾個重要會議中我只在本文簡單寫一下其中的兩個，即國民黨中常會與國民黨中央政策委員會全體會議，其中又以中常會是做成決策的會議，最為重要。而中政會委員會則像個政治大拜拜，集要人於一堂，其目的在要所有參與其會者對中常會之決議照本宣科，蓋章背書，造成舉國一致的團結形象，其政治宣示之意義較大。

為了讓讀者明瞭中政會全體委員會規模之大，今依先父之《中央工作日記》，抄錄那次會議出席委員一百六十餘人之名單如下：

今日到會之中央政策委員會委員為：

一、總統府祕書長
二、五院院長副院長（行政院長陳誠因病，副院長王雲五及考試院院長莫德惠因非本黨黨員，未參加。）
三、行政院各部部長政務次長
四、行政院蒙藏及僑務委員會委員長
五、行政院及立法院祕書長（監察院祕書長劉愷鐘因事先向中央唐祕書長要求參加，唐准其列席）
六、中央常務委員
七、中央祕書處與中央政策委員會正副祕書長
八、中央第一及第四組主任（仁按：即今日之組織會及文工會）
九、中央設計考核委員會正副主任委員
十、立法委員黨部全體委員及書記長
十一、監察委員黨部全體常務委員及書記
十二、國民大會代表黨部全體常務委員及書記長。
今日共計到會一百六十餘人，十時正開會，總裁主席。

此會議中有兩個文件較為重要，其一是蔣中正之致詞全文，另一則為會議之決議文，後者是由父親起草的，經蔣中正先生當場閱讀後，一字不改，予以批准，並交由大會決議通過者。因兩者之篇幅均為較長，我抄寫下來作為本文之附錄，請有興趣的讀者自行參考可也。

三、十月二十一日的那次中常會

國民黨的最高權力決策機構是中央常務委員會，在一九六一年時有十五名中常委，每星期照例開會兩次，一在星期三，另一在星期六。

因為行政院院會照例在星期四召開，所以在星期三開的中常會通常是先討論與通過第二天行政院院會將要討論的案子，做成黨的決策，以便行政院從政同志有所遵循。所以通常是由副總裁兼行政院長之陳誠先生主席，因之蔣先生乃不出席。而星期六者則由蔣中正總裁擔任主席，討論些比較重大之議案。

不過在蔣或陳二人中有一人生病時，這種輪流擔任一次常會主席之常規也就難以遵守了。

一九六一年十月二十一日是星期六，那次中常會照例由蔣先生主席，陳副總裁則在請病假中，沒有出席。

因為在九月中旬外交部長沈昌煥赴美之前，中常會已做成決議要否決外蒙入會。到了十月二十一日因決策改變，要改為由行政院採取權宜措施（意指可以不使用否決權），因此中常會必須重新討論一次外蒙案，以便行政院有所遵循，可以下令代表團在美東之十月二十六日安理會中改投棄權票。

然而蔣先生並不願意告訴中常委們，他之所以更改決策是因為他與甘迺迪有了祕密協定，而且已經得到了對方的祕密書面保證。所以要他猝然改口，一時也難以自圓其說。因此一開始，他自己先不表態，保持沉默，要各常委對許紹昌次長所報告的最近外交形勢發表意見。今將父親把此次中常會開會經過的記載予以全文抄錄，請大家注意在常會中從不發言之蔣經國中常委開了金口以後，在座的每一個中常委既然都是政治老手，當然嗅出了風向，大家乃改為一致擁護不投否決票的新決策了。而在此之後，蔣先生方才長篇大論地做了結論，表示他是俯從眾議也。

父親那一天的工作日記，除了這次常會的紀錄外，開頭另有一段是提到「洩密」一事的，容我移在下節予以討論之也。

今日開會後，首由許紹昌報告：

㈠聯合國現有會員一〇一國，截至現在止，經接洽結果，支持我國代表權者，四十五國；反對者亦四十五國；棄權者五國，態度尚未決定者六國。

㈡安理會為十一國，我國本希望對外蒙古入會案，能有五國棄權，則外蒙古即不能獲得法定票數通過，我國亦即不必使用否決權。但截至現在止，此項希望已屬無法實現。美國謂我國棄權，彼亦可棄權，如我國投否決票，彼即投贊成票。土耳其謂有足夠國家棄權時，彼方棄權，否則其棄權將無意義。厄瓜多雖有答覆，但不保證臨時不改變態度。智利則無肯定答覆，照此情形，在安理會中討論外蒙古問題時，最多只有我國一票係否決票。

㈢美國對我國代表權問題，表示全力支持。但希望我國不否決外蒙古，以便能換得蘇聯不否決茅利塔尼亞，而將非洲法語系十一國，自反對之四十五國中爭取過來。法國以已往係非洲法語國家之宗主國，不得不遷就此等國家之態度。

㈣非洲法語系統十一國，已向我國提出保證，只要我國不否決外蒙古，使蘇俄亦不否決茅利塔尼亞。則彼等均絕對支持我國在聯合國之代表權。

㈤太平洋區沿岸國家，如日本、菲律賓以及泰國、馬來亞、加拿大等國，由其出席聯合國大會代表，在紐約集會，交換意見，決定分別由各位本國政府，向我國建議，不必再堅持否決外蒙古入會。

㈥美國擬將中國代表權問題，作為聯合國憲章第十八條第二款之重要問題，此為聯合國成立以來所未曾有者。如能照此通過，則以後中國代表權任何提案均須有三分之二以上同意，始得可決，俄帝決不可能在大會中獲有三分之二以上支持。因之，中國代表權問題，即可一勞永逸，不必每年再成為聯合國中冷戰問題。且如適用第十八條第二款後，中國代表權即成為實質問題，而不再為程序問題。日後在安理會中，對我將更有利。（我按，許只說到此為止，實際上，即許昨日告我之第三點，美國可行使否決權也）。又，此案已商定由紐西蘭出面，向大會提出。

許報告畢，總裁命付討論。

會場中靜默片刻，無人發言，總裁又催詢。

谷正綱發言謂：「昔年簽訂中蘇友好條約，當時外交部長王世杰在重慶國民政府大禮堂宣稱，此約可換得中國三十年和平。又，三十七年底，張治中等在南京，要求與共匪和談，謂如此可保全徐蚌數十萬大軍。此兩事之結果如何？可謂為創痛猶新。凡此歷史教訓，皆由國家存亡換來。此次又欲犧牲否決外蒙古入會，換得我國在聯合國之代表權，究竟有何保證？又能保留我國在聯合國內代表席次多久？」

許紹昌答：「任何事不能有百分之百保證，國際間尤難完全講信義。惟甘迺迪昨已有聲明，非洲法語國家，亦已向我提供保證。」總裁謂：「聯合國尚能存在多久，且不可知。我尚有多久，現不必問。」

黃季陸發言，涉及核子戰爭等，總裁大笑，謂所言離題太遠。黃謂何不趁此時機，我否決外蒙，甚至不惜退出聯合國，以造成世界緊張局勢，將更有利於我之反攻工作。

總裁謂：「要造成新局面，我國才可以反攻大陸，此屬正確。但我隨時可以造成，卻萬不可在聯合國問題下造成，以致冒天下之大不韙，失去民主國家之同情，如此我必失敗。」

丘念台謂：「本席本不贊成不否決外蒙古入會，但觀乎甘迺迪已有聲明，承認我為唯一合法政府。如此係事先雙方洽妥之交換條件，則我國自不能失信。」

總裁謂：「中美之間，絕無交換條件。因我國力量增強，一切進步，甘迺迪方有此聲明，此非任何代價所能購得，亦非任何條件所能換得。美國自民主黨執政，兩個中國之陰影，始終存在。甘迺迪即使其本人立場堅定，而其國務院與國會中，仍多主張兩個中國者。今聲明承認我為唯一合法政府，則兩個中國之說，將永不存在，而我之反攻大陸，亦完全為合法。過去條約對我之拘束，更可因其此言而解除。」

胡健中、陶希聖、張道藩均發言贊成改變政策，對外蒙古入會，我不行使否決權。蔣經國亦起立簡短發言，贊成放棄否決權。蔣在常會雖經常出席，但從不發表意見，今日為其難得之一次。總裁再問周至柔、黃朝琴、張其昀、袁守謙、谷鳳翔、王叔銘均謂贊成改變政策。總裁乃作結論，達三十五分鐘之久，其要點為：

「對拒絕外蒙進入聯合國，仍為我一貫之立場。目前在肆應上，考慮轉採較具彈性之政策者，蓋吾人雖可破釜沉舟，甚至不惜退出聯合國，但決不可退出自由世界，尤以目前聯合國在共產集團之破壞行動下，處境甚危。如我退出，則必導致聯合國崩潰，亦即為自由世界及其領導國家美國之失敗。故此舉非僅關係我一國之進退，而實繫於全局之成敗。美國現於反共鬥爭上已深感困迫，為維持其領導聲望，並協調其自由世界之整體戰略及行動步驟，吾人自宜鄭重考慮。且美國甘迺迪總統最近聲明，重申堅拒共匪入會及承認我為代表中國唯一合法政府之立場。此一友誼表示及正確態度，足使『兩個中國』之謬論，獲得澄清，亦自應予以重視。蓋如共匪無法插足聯合國，則我在聯合國內繼續奮鬥，對反攻復國前途，仍多助益。總之，此等關鍵乃在吾人本身具有力量之表現，始構成我在聯合國地位之保障。將來即使國際情況逆轉，我亦仍保持有行動之自由也。」

總裁詞畢，唐乃建祕書長起立宣讀擬就之決議文：

「中央常會於聽取許代部長紹昌同志有關最近聯合國安全理事會及大會情勢，暨外蒙古入會問題之報告，並恭聆總裁指示後，咸認我國反對外蒙傀儡入會之正義立場，已為舉世所共知。惟鑒於俄帝正力謀誘致非洲有關國家，擴大其牽引共匪入會之詭計。而盟邦美國，對堅拒共匪入會，已再作明確之聲明。為在聯合國戰略上，擊破俄帝之陰謀，並協調自由世界之共同步驟，對外蒙入會問題，應授權行政院從政同志，採取機動彈性之方針，因應辦理。並由中央政策委員會轉達立法院從政同志，本此原則，即作適當之處理。」

唐宣讀畢，眾無異議。總裁謂本案應付表決，希贊成此決議文者舉手，在場全體中央常務委員均舉手。唐祕書長宣稱全體一致通過。

總裁復囑咐謂定下星期一舉行中央政策委員會會議討論本案。在下星期一以前，本案必須保密，在場人員，務必勿向外洩漏為要。

細讀父親的記載，可知十多位中常委中間，在進入討論時，最先是無人發言，會場中靜默。此是因事出突然，常會既然已經做過行使否決權之決議，為何在此刻又舊事重提？大家都是政壇老手，各自嗅出了此事絕非尋常之氣息，因此在風向未明之時，各自都以保持緘默，靜待蔣中正先生表態為妙。只是蔣先生有難以開口之苦，這是因為在此之前他對行使否決權把話說太死了，不方便自己先改口了。

在蔣先生催促之下，在蔣經國表態之前，有六人發言，依次序為谷正綱（ＣＣ）、黃季陸、丘念台（台籍）、胡健中（ＣＣ）、陶希聖與張道藩（ＣＣ）。

谷正綱是仍然反對放棄行使否決權的。

黃季陸則離題太遠。

丘念台最為敏捷，他感覺到我方與美國已達成政治交易，才會改變決策以實現對美方之承諾，故予贊成。而蔣先生急忙予以否認雙方已有祕密協定。

胡健中與陶希聖則予贊成改變決策。他們兩位都是負責文宣的新聞界大老，陶先生更是蔣先生的文學近臣，當已感到此事風向之改變。按此時陶是《中央日報》董事長，胡則是該報社長。在一九六一年時，《中央日報》是台灣第一大報。

張道藩為立法院長，發言贊成。這六人中有三位ＣＣ大老，即谷、胡與張。其中谷正綱反對，胡健中與張道藩則贊成，此示ＣＣ內部之立場並非一致也。而且事出突然，ＣＣ在事先並未討論此事，所以三位彼此之間的立場並不一致的了。

在六人發言之後，「從不在常會發言」的蔣經國忽然表態，贊成改變決策，這是一個強而有力的風向球。於是接下來被蔣先生一一點名的中常委們乃全體贊成，到了此時，蔣先生才作長篇大論，提出要更改決策之利端，此示他是順從大家的意思才放棄以前堅決要使用否決權之主張也。最後連谷正綱在內也見風轉舵，就成為一致通過的了。我之所以將父親有關這次中常會的紀錄全抄下來，就是要讓讀者知道，蔣中正時代的決策模式。此為開明的大家長式，雖然最後的決定權在大家長手上，但是在討論與做成決定的過程中間，作為大家長者並不是板起臉孔，以力壓人的。還是讓大家一一表態的，盡量去講道理以說服反對者後，才去作結論的。

這在附錄之蔣先生日記中的記載也每每可見，例如：

㈠他本人在親擬致甘迺迪信函時，他的初稿就先後被陳誠、張羣等人多次刪改過。

㈡他要處置葉大使，還得寫信給陳誠，並附上手擬的葉大使之「逆跡」清單一份，即是要說服陳誠，而不是逕下命令。而且在日記中多次寫到此舉恐怕使在病中的陳誠憂心。最後他之同意任命葉為政務委員，其位階遠高於他腹稿中的「行政院顧問」，便是「因內外關係」。

由以上可見，蔣中正先生雖然是一個威權時代的獨裁者，但是在他晚年（一九六一時年七十五歲），他並不是一個獨夫。

四、父親牽連到的洩密案

在前文所引述之美方文件，以及蔣先生日記，雙方對於「雙重否決之交換」，都希望嚴守祕密。在十月十九日星期四莊萊德大使遞來甘迺迪書面祕密保證文件給我方外交部以後，第二天，即十月二十日下午的五時三十分，時任代理部務的外交部政務次長許紹昌就把這個絕對機密告訴了先父。許次長畢業於政校（今之政大）第二期，是父親於抗戰前在南京任教政校時教過的學生。父親在同一日下午六時將其中一部分訊息告訴了他的上司，即中政會祕書長谷鳳翔先生。而那天晚上蔣先生召見谷先生與中委會祕書長唐縱先生時，谷先生不慎露出了口風，談到白宮將要召開記者會事，引起蔣先生的不快，乃在晚上九時下令張羣立刻調查「洩密」之事。也就是說在四個小時之內，這個「洩密案」就告引爆了。

許先生在十月二十日告訴了父親兩件事，即：

㈠甘迺迪將在白宮記者會中公開宣稱，美國一向認為中華民國政府是惟一代表中國的政權。

㈡甘迺迪以書面祕密保證，美國將不惜動用否決權以阻止北京入會。

幸好父親只告訴了谷先生第一點，因此谷先生在蔣先生面前也只提及了第一點，即白宮記者會之事，而張羣先生奉令調查的也只是此事。不過張羣先生與父親在當晚九時多通電話後，當已了解父親已知道了第二點。此與白宮記者招待會一事相比，是一個更為嚴重得多之「洩密案」，張先生乃囑付先父說：「我當據情轉報總統，但請兄並轉告谷祕書長，勿再對任何人提及此事。」

此言可分析者有兩點：

(一)張先生為何不直接去關照谷先生，而要父親轉告？我認為此是他們三人兩兩之間私交之不同，張先生認為由父親轉告為宜。按谷先生隸籍西北，在政壇上得力於時任監察院長的于右任先生處甚多，與隸籍西南的政學系大老張岳公並不親近也。

(二)我判斷張先生在蔣先生面前並未提及許先生已將「雙重否決之交換」外洩給父親之事實，亦即張先生只是將此案限止在白宮記者招待會一事上，以免擴大案情，這是張岳公保護了父親及許紹昌先生二人。

因為許紹昌先生並未告訴父親，此為經由第二管道所達成的，父親也沒有察覺此事牽涉到蔣經國先生。因此在兩天後，白宮已開過了記者招待會，父親就以為此事已成過去。他不知道另外一項，即「雙重否決之交換」才是絕對的機密。因此父親在寫《中央工作日記》時就如所附之下文，把它清清楚楚地寫出來了。經國先生與父親先後在一九八八年中去世，此事在二〇〇〇年代方因美方解密而公之於世。也就是說父親及我們家人在不知情的情形下，掌握了父親《中央工作日記》中所記載的這項絕對機密長達三四十年而不自知也。

父親在一九八〇年代與我談到葉案時，曾提起這段故事，不過他只說起白宮記者會一事，並未提起「雙重否決之交換」，並且與此文之記載稍有不同。即在蔣先生聽到谷先生提起白宮將要召開記者會一事時，臉露不快之色，在與谷先生簡短交談之後，隨即起身走向內室，拂袖而去。以致唐、谷兩位祕書長一時手足失措，搞不清楚老先生是否還要回來開會，只得枯坐靜候了一會兒，才知道會議已經結束，弄得進退失據，頗為狼狽也。父親的解讀是蔣先生對甘迺迪這場記者會的期待甚高，此是因為葉大使給了他錯誤的希望（如上文所述），因之深恐白宮藉口我方事先洩密而予取消此記者會也。

今將父親在《中央工作日記》中有關此「洩密案」之記載，抄錄於後：

十月二十一日　星期六

上午十時列席中央常會，總裁主席。

今日之會，專討論外蒙古申請加入聯合國問題。

我於昨日下午，曾與外交部政務次長代理部務許紹昌面談。許謂：

㈠外蒙古申請加入聯合國問題與我國在聯合國代表權問題，已發生密切關聯關係，兩者已無法分開處理。

㈡美國甘迺迪總統將於本日下午在華盛頓白宮招待會，對記者發表聲明：「承認中華民國政府為唯一合法政府，並堅拒共匪入聯合國。」因中國與美國之時差，其發表時間在台北係屬今日午夜。現外交部已先收到其聲明中文譯稿，並已抄送總統。許當以該稿交我一閱。

㈢許又謂美國並向我國保證此後關於中國代表權問題，如需要由美國行使否決權時，美國必行使之。關於此點，現屬十分機密，斷不可外洩。

我於下午六時，回至中央政策委員會，將許氏所述㈠㈡兩點，轉告谷祕書長鳳翔，備其就決定政策時之參考。

下午九時，我在外面晚飯，忽接總統府祕書長張岳軍氏電話，張問：

「兄今日下午何時到外交部？」

「約在五時半左右。」我答。

「許次長對兄所談各點，曾告知何人？」

「只於六時告知中央政策委員會谷祕書長鳳翔。」

「有無另告知他人？」

「未。」

「現在總統來電話查詢外交部何以將消息洩漏，因甘迺迪總統的記者招待會，尚未舉行，事先為外界知道，殊為不妥。我打電話問許次長，許謂只於今日下午告知兄一人，是以奉詢。」

「我係以職務關係問許次長，因總裁已命於下星期一前，舉行中央政策委員會會議，討論外交問題，為準備是日會議之議程與決議文，故先與許次長一談。谷為政策會祕書長，我有向其轉述之義務。」

「我當據情轉報總統，但請兄並轉告谷祕書長，勿再對任何人提及此事。」

「自當遵命。」

今日開會前，我先往問谷鳳翔氏，此事經過如何？谷謂昨晚奉總裁召，與唐乃建祕書長同到官邸晉謁，總裁問下週一中央政策會開會事籌備經過如何？谷謂總裁原意於明日（即今日）下午開會，今謂星期一，是否不再改期。總裁謂原意為爭取時間，盼於本週六舉行中央政策委員會，下星期一立法院加開一次祕密院會，有所決定。現因聯合國安全理事會於二十五日（星期三）方始討論外蒙古與茅利塔尼亞入會案，則立法院於其前一日之星期二例會中討論，尚來得及，且可免去加開祕密院會而引起外界之過多猜測，中央政策委員會在立法院例會前一日召開即可。

谷謂日期決定後，谷乃提及甘迺迪將發表聲明，承認我政府為唯一合法政府並拒匪入聯合國，又謂外交部當已將其聲明原稿呈報總統。不料，總統竟謂尚未接獲外交部報告。谷不便再多言，即行退出。返抵家中，則張岳軍氏之查詢電話已到。谷謂消息係得之我處，張乃先與許紹昌通電話，再與我通話。經我說明後，張又以電話告許，囑其將經過直接報告總統，總統未再追究。至甘迺迪聲明文，今晨各報，均已根據其在記者招待會所言，紛紛以頭條地位刊載，不再有祕密性矣。

五、「甘迺迪保證」失效之原因——美國改變立場

美國甘迺迪總統在一九六一年用書面文件向蔣中正總統所提出的保證，亦即「在任何時間，如為阻止中共進入聯合國而有必要並能有效使用否決時，美國將使用該項否決」，本文稱之為「甘迺迪保證」，在一九七一年，即十年後，中華人民共和國取代了中華民國在聯合國中的會籍時，蔣中正先生仍在位，國府為什麼不拿出來要求美方履行呢？

這可能有下列幾個原因：

㈠美國政府已有政黨輪替，一九六一年時的主政者為民主黨之甘迺迪，在一九六三年時早已遇刺身亡，一九七一年則為共和黨籍的尼克森。

不過這個理由在政治上是可能的，在法理上是站不住腳的。美國總統（或政府）對外國的承諾，不能因人而異，人亡政息。

㈡一九七一年美國已採取聯中制俄之決策，傾向與北京交好，乃幫助其參加聯合國。

這對美方來說，可以看成其拒絕履行甘迺迪保證之理由，但是絕不會是國府不向美方提出要求，強迫其履行此保證之原因。此保證反而是國府可以用之為分化華府與北京雙邊關係之利器，所以不會因美方態度改變而自行繳械。

㈢這個保證已經失效，美方可以堂而皇之的不予履行，此因原文中有了下述之限制，此即：「有必要並能有效使用否決時，美國將使用該項否決」。在一九七一年時，美國已無法在北京入會時行使否決權予以阻止的了。這需要進一步分析如下。

▲一九六三年，蔣經國訪問美國，與美國總統甘迺迪會談。

1.依照聯合國憲章的規定，「否決權」之使用限於「實質問題」，而實質問題須二分之一的同意才能成案，成案後要有三分之二的支持才能通過成為大會決議案，這時安理會各常任理事國才有權投否決票。在一九六一年的大會，關於「中國代表權案」，美方是以此屬憲章第十八條關於會籍任免的規定，乃「重要問題」，來將此案的表決門檻拉高到三分之二。此時台美雙方在「中國代表權案」的立場是一致的，即雙方都反對北京入會，而且台方認為只要美國能堅持以「重要問題案」來對決「阿爾巴尼亞案」（即排我納匪案），則「俄共集團」不可能在聯合國中獲得三分之二的支持。

2.可是如果美國轉向，支持北京入會，美、俄聯手則可取得三分之二的多數。此即一九七一年時的狀況，這是台方在一九六一年時所始料所未及者也。首先因為「阿爾巴尼亞案」在一九七〇年的表決得到半數支持，相對的，這代表「重要問題案」在隔年，也就是一九七一年將會失去過半數的支持。其次，尼克森與季辛吉已經決定要與中共關係正常化，這代表中共入會已經是無法抵擋的。而在一九七一年的表決中，雖然美方仍然幫台方提出變相的「重要問題案」與「雙重代表權案」，變相的「重要問題案」即是從多年來原先主張的北京入會是重要問題，此時改為台北出會是重要問題。可是「重要問題案」在程序上的半數都沒過關，這反過來又表示「阿爾巴尼亞案」只需要簡單的多數決就可過關，自然連否決權也派不上用場，因之甘迺迪的保證乃成為不適用（或不可行）。

3. 雖然尼克森與季辛吉政策上支持中共，但是國務院仍是傾向要照顧台北的立場。因此在一九七一年的上半年，為了維護台方的聯合國會籍而展開一連串的談判，最後才敲定了「雙重代表案」——即北京入會，成為安理會之常任理事，而台北留在聯合國中。可是當「重要問題案」失敗後，緊接著就是要表決「阿爾巴尼亞案」，而台方即刻宣佈退會，「雙重代表案」於是就成為廢案了。

易言之，在一九六一年「外蒙古案」中，蔣中正先生採用了「雙重否決之交換」所得到的「甘迺迪保證」，在一九七一年「聯合國案」中並沒有換取到勝利的果實。其關鍵在美方的背叛，改變立場，轉而支持北京入會。

六、台北退會之決策在一九六一年冬已為底定

一九六一年十月十九日，美方向台北提出了「甘迺迪保證」，十天之內，美國國務院已設法為之解套，乃擬議改變原來之方針，將中國代表權案從原擬之「重要問題案」，改為「程序問題案」。此因安理會之常任理事國在前者可行使否決權，而在後者則不可。如此，美方既不可行使否決權，則「甘迺迪保證」就自動失效了，這也就是在一九七一年的情勢，只是此時美方不可行使否決權之原因

與之不同而已。

這個陰謀為台北識破，堅予反對，白宮乃定調仍用重要問題之原案。不過這使蔣中正先生警覺到美方外交政策之「不定」，乃下決心，如果北京入會，則台北必自動退會。此即一九七一年的局面，早在十年前就已決定了。

今先引述蔣中正日記中有關的記載，再加分析。一九六一年十一月一日的日記說：

> 美史丁文生（史汀文生）又作其排華容匪進入聯合國之威脅，表示彼對廷黻稱前約中國代表權在大會表決時擬提為重要性質問題，現則不成云。可知美國民主黨左派對外交絕無信義可言。此乃自甘乃迪作雙重保證後不到十日，而其外交代表特作其相反之言行，尚能與之合作同群乎？此當果真如此，則我應決心退出聯合國，再不多作一〇三國之奴隸，以致最大敵人共、俄等之俘虜矣，能不自立乎？

此際，在蔣中正明確表示不能同意美方之變策，其十一月三日的日記說：

> 上午入府會客後，接廷黻來電，與美交涉對代表權決議文之問題，最後電稱美國自動恢復其原

▲一九七一年中華民國宣布退出聯合國，代表團紛紛離席情形。

有之主張，作為原則性之決議，即承認重要性質之案，而取消前日所提程序性決議案，可知美國政策無主（不定）為危，此必由其白宮改正其國務院對華失信而不當之政策，以為不能再對我失信乎！

十一月十一日，「本星期預定工作」欄：

本身工作：

甲　美對我代表權為重要案件之約定，忽而反約要改為程序問題，最後卒因我之反對而仍允照約實施，未知其後尚有變化否？

由上述三條蔣中正在一九六一年十一月裏的日記之記載去看，美方的國務院系統曾企圖將中國代表權問題由原擬之重要問題案，改為程序問題案，後因台方之堅決反對而未果。此示在「甘迺迪保證」提出以後的十日之內，美國的國務院已在設法解套，以避免美方將來在中國代表權問題案被迫去行使否決權，此舉被台方識破而未得實現。

在蔣先生十一月一日的日記裏，已明白表示如果美方違背約定，以致北京入會，「則我應決心退出聯合國，再不多作一〇三國之奴隸，以致最大敵人共、俄等之俘虜矣。」也就是說在此時，即一九六一年底，蔣先生已下定決心，只要北京入會，台北必定自動退會了，也就是說中華民國在一九七一年的退出聯合國，在十年前已形成決策的了。

七、小結

本文之主旨並不是在討論「聯合國案」，在此我只是要提出來，葉公超先生對「聯合國案」另有一套戰略構想，即是在聯合國中使海峽雙方並存，中華民國保留會籍，而放棄安理會的常任理事國地位，讓中華人民共和國取得，但是原有的否決權則暫予凍結。在一九五〇年代，美國及其盟友對聯合國有控制力，葉先生這個構想是可以實現的，而到了一九七一年，則為時已晚了。

在一九七一年中華人民共和國將要取代中華民國在聯合國的位置，此事已成勢不可免之時，美國曾希望國府同意留在聯合國內，由中華人民共和國代之出任安理會之常任理事（包含享有使用否決權之權利），此議與前述葉公超先生之腹案大同小異，但是美國此時已無力控制聯合國大會，此計不成，中華民國乃自動（或被迫）退出聯合國了。

這是為何我說：

㈠在「外蒙古案」這場戰役中，張羣與王雲五是上等將才，蔣先生是中才，葉先生是下才。可是，

㈡在「聯合國案」之場戰爭中，葉先生是上才，蔣先生是下才。此因在一九五〇年代葉先生擬定之策略是可行的，而蔣先生不能掌握戰機，終致在一九七一年時，國府想改用葉先生的「雙重代表權」之設計，已為時不我與了。

「外蒙古案」只是「聯合國案」戰爭中，在一九六一年發生的一次戰役，因為蔣先生之放棄了使用否決權以阻止外蒙入會，使得茅國也能順利入會，因而法語系非洲十一國轉而支持國府，乃使得美方在那年提出的「中國代表權」問題為重要問題案獲得通過，因此使中華民國在聯合國中多留了十年。一直到一九七一年，因為美國共和黨籍的尼克森總統要聯中制俄，轉而支持中華人民共和國入會，因此使之能獲得三分之二以上的會員國之支持，而國府乃黯然退出矣。

試看，在那一年聯合國大會將對「中國代表權案」投票之前一天，白宮的國家安全顧問季辛吉卻

現身於北京，這怎麼不會使美國所領導的外交盟友們為之譁然的呢？此事最諷刺的是，蔣先生一直認為在美國兩黨中，民主黨長期親共，共和黨則為反共，可是最後打開北京與華府之外交僵局者反而是堅決反共的共和黨籍之尼克森總統。

蔣中正先生每以甘迺迪總統之魯斯克國務卿不了解中國的民族性，其實國府中人，包括兩蔣父子在內，又有多少人深深了解美國人呢？

遷台初期，國府重臣中如吳國楨、孫立人、葉公超等深知美國者之先後遭到貶黜，此乃一而再，再而三之事，當非偶然也。不過這已非本文的主旨，題目也太大了，超過了此文之範圍，也就在此不提了。

此外，在閱讀蔣先生日記時，我發現蔣先生每每在關鍵處或予省略，或用詞含混。因之讀此日記，我們應當注意到蔣先生省略掉或沒有明白寫出來的事項，不能只以日記中的記載為標準。不過先生明白寫出來之處，既然其目的是給自己日後備查的，可能有出於主觀的偏見，但通常不應該故意作假去騙自己的了。

今以本章所寫之事項為例，我認為蔣先生有兩點沒有提及的省略處，恰巧可分兩類，今舉例如下：

㈠故意隱瞞不提：此即是陳誠保舉葉先生為政務委員之事，蔣先生在十月三十日及十一月十六日兩次去橫溪探陳病時，當天日記都沒提起兩人談到「葉案」。在十一月十八日明令發表葉先生出任政務委員後，只含混說了此舉是「因內外關係」，並沒有說明「內」是指何種意思。

㈡或限於篇幅，或認為不重要，故略去不提：

十一月二十日夜召見唐縱與谷鳳翔兩位，不歡而散，蔣先生即下令張羣立刻嚴查「洩密案」之事，可能因為調查結果令蔣先生滿意，大事化小，所以不提了。

此即前者為不正當的省略處，後者為合理正當的省略處。謹在此點出來，供研究蔣先生日記的同好們作參考。大家在研讀時，得多方參考其他資料為旁證，不能百分之一百只引用此日記的了。此不但只是片面的一家之言，也多有作者不正當之省略處的。

陸、感言

一、兩蔣父子對葉公超的態度大不相同

最後，容我寫一點個人對「葉案」的感想，「也為葉公超先生說幾句話」。

作為一個研究歷史與寫作評論的人，在寫作時是應該保持冷靜、客觀與中立的。三四十年以來，這是我寫作的原則，因此筆端甚少帶有情感，也自知此是我文章之大病，這可能與我的本行是學理工科有關。再說，我對蔣中正先生是頗為尊敬的，尤其是我認為他來台灣以後，是比他在大陸主政時期的政績要來得好的多了。作為一個追隨他來台灣的外省人第二代，回顧這些年來的大陸局勢，從「解放」到文革結束的三十年，個人不能不感謝蔣中正先生敗而不亂，撤退到台灣的明智決定的了。

在我寫了一些文章指出經國先生個性中「史大林」式的一面以後，有一次與方智怡（蔣孝勇夫人）及曹琍璇（宋仲虎夫人）兩位女士同桌進餐，她們頗不認同我的這些論點，我笑著說：「你們放心，我對老先生是很尊敬的。」

方女士問：「那小的呢？」

我答道：「那就不好說了。」

可是在此我不得不說，對葉先生這件事來說，經國先生比他父親老先生更要明理的多了。

在為了寫作本文，因而細讀蔣中正先生那段時期的日記後，我一定要為葉公超先生說幾句話，蔣先生在日記中對他的指控，例如說葉先生是「內奸」、「媚敵」、「賣國漢奸」、「欺詐罪行」、「秦檜、張邦昌不謂過也」，是太過分了。

而且據我所知，蔣中正先生對葉先生嫌棄討厭之深，並非僅在「外蒙古案」那一段時間而已。在此事發生了六年之後，即一九六七年三月二十五日，因為吳大猷先生保舉陳雪屏先生為國科會副主委，父親與黃少谷先生商量宜否代為向蔣中正先生薦舉。時任國安會祕書長兼行政院副院長的黃先生，對時任國安會首席副祕書長的父親說：

「陳雪屏事值得考慮，台灣今日有二人最好不向總統試探。一為葉公超，一即陳雪屏。萬一試探後總統不贊同，則對吳、對陳均不好。」

此見於父親的遺作《介壽館工作日記》，該工作日記為在時間上銜接今在《傳記文學》月刊上連載的《中央工作日記》者，是父親在國安會工作九個月的紀錄，迄今全文猶未發表。

陳先生之事因與本文無關，在此不提。至於葉先生，則由此可見蔣中正先生啣之實深也，在外蒙古案以後，經年累月，猶為深惡之也。

蔣老先生是在一九七五年過世的，葉先生則在一九八一年冬天去世的。在老先生去世之後，蔣經

▶蔣中正對葉嫌厭甚深，但蔣經國卻對之甚為禮遇。

國先生對葉先生甚為禮遇，不但撤銷了多年來對他經由特務系統之監視，並且批准他二次出國，以與其妻兒團聚，更且在先生退休時任命他為資政。

按葉先生一生只做到部長級的官職，亦即外交部長、大使與政務委員，退休時理應出任國策顧問，而資政乃是對五院正副院長級別者的禮遇。此示經國先生在補償葉先生多年來所受到之委屈，予以破格任命，是子代父還債，子補父之過也。

我認為就葉公超先生失勢後的遭遇來說，蔣經國先生是比蔣中正值得我們稱許的太多了。

二、我為葉先生發表了三篇文章

為了葉公超先生，包括本文在內，我一共寫過三篇文章發表，此即：

㈠〈丹青難寫是精神〉

此為先生在一九八一年冬天過世時，我在美國舊金山的《遠東時報》上發表的，以為悼念。後來台灣高雄的《台灣時報》予以轉載。當時《遠東時報》與《台灣時報》都是高雄眼科名醫吳基福先生的事業。在秦賢次兄所主編、《傳記文學》出版的《葉公超其人其文其事》一書中收了此文。此書收了許多篇文章，不過作者群中父子檔的只有先父與我。

在此文中我不點名地批評了沈昌煥先生，因為他只是奉上命行事而已。我不便當面駁斥父親的話，不過至今我心中仍是不同意這個說法的。因為我認為國之大臣，立身於朝廷之上，豈可唯唯諾諾，唯命是從的呢？父親本人便不是這樣的人，葉先生則更為不是的了。父親與葉、沈兩位分別都是終身的好友。

㈡是二〇〇三年我重新寫作以後，在台北的《法令月刊》上以夏宗漢的筆名所發表的一篇文章，是追記一九六六年暑中出國前夕，我向葉先生請教英詩中譯的經過。

在籌思本文之初，我本來也想稍記此事，以寫先生之博學風雅，不過在讀了蔣先生日記之後，一來以資料太多，不宜旁及譯詩之枝節，二來我心情實在不好，提不起勁來寫詩詞之事了，容我日後再另寫一文好了。

㈢即本文，是在談一九六一年葉先生自駐美大使退職之經緯。

在寫作第一篇文章時，父親尚未告訴我他所知道的「葉案」內情——亦即葉先生犯了「欺君之罪」。然而在寫作第二篇文章時，我則已知此事，大約有二十年之久。可是不論父親對此事的消息來源為何，我聽到的只是一面之辭，應該等到另一面的說法問世，我才去寫此事為宜。「葉案」在國內言之有兩造，即蔣先生與葉先生。在國際言之則為兩國，即國府與美國。目前這些資料已多解密，雖然尚有缺失，例如：

⑴曹文彥在一九六一年四月間寫給張其昀的信，即控告葉大使「逆跡」之函件，我尚未看到。

⑵蔣先生在要處置葉大使時，在一九六一年十月二十七日寫給陳誠先生的手函以及所附之葉先生「逆跡」清單，今猶未能得見。〔編按：王丰先生於二〇〇九年曾於《亞洲週刊》二十三卷二期上刊出〈葉公超被蔣介石罷黜內幕〉一文，其中引用《大溪檔案》中一份曹文彥向蔣先生密報葉先生「反動言行」之文件節文（由張其昀代為抄錄上交蔣先生者），現錄於附錄，讀者有興趣亦可參看王丰先生的全文。〕

至於父親的消息來源，他老人家從來不告訴我他由何得知許多祕聞的。不過在細讀蔣先生一九六一年九、十、十一這三個月的日記時，我發現此時參預「葉案」、「外蒙古案」與「聯合國案」的蔣先生之智囊團中，每一位成員都與父親有深交，皆是說得上話的。此即：

⑴「葉案」——陳誠、張羣。

⑵「外蒙古案」及「聯合國案」——陳誠、張羣、王雲五、沈昌煥、許紹昌。

當然某些消息來源另有一個可能，就是葉先生本人。因此，我也無從去猜測或判斷父親的消息來源究竟是這個六人名單中的那一位或是那幾位的了。

三、學兼中西與太過洋派

二〇〇九年葉先生的兒女把家藏祖傳的文物捐給了舊金山的亞洲博物館，該館乃為之舉行特展，我專程去看了兩次。

我第一次去參觀時，看到館方把葉先生的履歷與生平製作成英文介紹，張貼於掛在牆壁的大型看板上，供人閱讀。我發現在一九四九年以後，他們把葉先生列為中華人民共和國之子民。那麼先生所擔任的外交部長及駐美大使都是北京政府所派任的了，這真是一個令人啼笑皆非的天大錯誤。我立刻把館員找來，提出糾正，那個洋人卻不予置理。後來我第二次去時，發現依然如故。我很好奇，難道葉家親人沒有發現這個錯誤嗎？

美國搞漢學或中國文物研究的洋人，往往有這種半調子式的錯誤，這使我想起另一個類似的故事。幾年前，紐約的大都會博物館舉辦中國書法特展。有一間展室標示為「明末之山林遺逸與抗清志士」。展出的有倪元璐、黃道周、張煌言、傅山等人的作品，大致不差，我卻赫然發現王鐸（孟津）亦在其列。此人是投降清朝的貳臣，怎麼能稱之為「山林遺逸與抗清志士」呢？我即向在場的館員提出糾正，他們找了一個會講華語的「專家」來。此人竟說王鐸與其他各人時代相近，所以同列一室。當我指出王鐸是貳臣，與其他各人之抗清是大不相同的，此白人竟然聳聳肩膀，施施然而去也。

由此可見在中西文化之間是難以兼長的。葉公超先生則是一個例外，他是國人中少數能精於英文文學者。問題出在他是以西學為主，還是以中學為主？

先生少年時即出國，赴美長住，其間雖曾回國數年，又回美國去唸中學，一直到唸完碩士回來，因此他是一個甚為洋派的中國人。其行事作風，言行舉動都與眾不同。

大多數的中國留學生是在唸完大學以後才出國的，與葉先生之類的小留學生是大不相同的。大家多為「中學為體，西學為用」，而像葉先生這種小留學生，則往往是反其道而行之。

在蔣中正先生出國留學的時代，即清朝末年，留學日本者遠多於留學歐美的。即使到了葉先生那一代，留學歐美的人雖然增加了，但是像葉先生那樣的小留學生並不太多，而其中回國後廁身政壇中的則更為少見的了。

我認為葉公超先生與蔣中正先生的衝突，是種因於彼此間的文化背景及行事作風大不相同。蔣先生是留日與多讀中國古書的，軍人出身，自律很嚴，謹言慎行。葉先生是留美而多讀西洋書的，文人習性，風流儒雅，而言行不拘小節。因此說葉先生犯了「大不敬罪」，口沒遮攔，在蔣先生背後對元首口出不敬，我認為是非常可能的，我相信經國先生亦應深知其事也。只是這種事雖然可大可小，可算不得是「賣國」。

葉先生自視甚高，對上級命令並不一定唯命是從，公然抗命，我相信也並非在「外蒙案」中是第一次。這種事，若愛其才者則引以為其不畏權勢，志氣高人一等，惡之者則以其為目中無人，「侮辱政府」。在「外蒙案」中葉先生並沒有忽然改變其一向之言行作風，依然故我。但是蔣先生從一九五〇年代欣賞其才華，任命他做外交部長、駐美大使，到了後來漸漸嫌惡其言行，只是拿他無可奈何，只得置之不理。到了開通第二管道，已不必只倚靠葉先生與白宮交涉之後，蔣先生乃立下重手除之而後快了。

伴君如伴虎，此是一個例證。可是葉先生恃才傲物，言行不夠謹慎，也有自取其辱之處。

四、陳誠與葉公超之關係究竟有多深厚？

在寫完本文之後，我仍有一個不能明白之處，即葉先生與陳誠先生在政治上的關係究竟是何種性質？彼此之間的關係有多深厚呢？我判斷蔣先生疑心他們已相結合，可是實況又是怎樣的呢？陳先生為葉先生緩頰，代為爭取出任政務委員，是因為：

㈠純為愛護人才？

㈡顧及國際觀瞻？

㈢保護其派系中人？

在蔣先生與陳先生為安排葉公超出處的對話中，陳先生是用第二點去向蔣先生進言的，可是蔣先生在任命了葉先生為政務委員後，卻說是「因內外關係」，而不是「因國際關係」。這「內外」二字中的一個「內」字，是比陳先生所進言的多出來者，實為關鍵也。如果是像我判斷的，這個「內」字即是指陳誠，那麼我認為葉先生之下台，「外蒙古案」只是因緣際會，替蔣先生找到一個免除他駐美大使職務的藉口罷了。

在蔣、陳之間因為蔣先生在一九六〇年連任第三任總統而發生了隔閡以後，在一九六一年，蔣先生當然不會再安心讓陳先生在美京華府有葉先生這條管道去直通美方的了，由這個角度去看，我們或許可以了解到蔣先生何以會在十月底的日記中說了：

「已：公超問題乃因對美外交而亦得如期解決，此乃袪除了政府內奸與後患也。」

總之，我手中沒有陳誠與葉公超兩位相互往來之資料，這只是我心中的一個疑點，提出來請研究此段時期國府歷史者來共同探討陳、葉兩人的政治關係之真相為如何者也。

附錄一：阮毅成《中央工作日記》民國五十二年十月二十三日日記

「中央政策委員會總裁致詞紀錄稿」

一、聯合國大會如依憲章第十八條之規定，對我代表權作重大問題處理，經出席會員三分之二票決確定後，他日國際情勢轉變，聯大有無可能改變是項決定。此點外交部曾作詳密研究，美國提出此項策略，乃迫於當前情勢，認係可得歐洲國家支持之唯一途徑。其步驟為先組織一委員會，對我代表權問題先加研擬，而於明年聯大中提出辯論表決。聯合國對憲章第十八條所謂重大問題之處理，尚無前例。如我國代表權果能得三分之二多數票決確定，則既經決定之後，如無重大情勢轉變，當不致輕易予以推翻。

二、安理會中表決新會員國申請入會案時，如俄帝對茅利塔尼亞之申請，使用否決權，我對外蒙古是否仍使用否決權？余意此事我國既經承諾，即不宜有所改變。蓋此時如我使用否決權，反使俄帝有所藉口，謂彼之使用否決權以阻止茅國入會，乃知我國之必然否決外蒙古之申請而起。

三、非洲法語集團國家，今年如因茅國之終得加入聯合國而承諾在聯大中，支持我國代表權，明年以後對我是否續予支持問題。此次要求我國不使用否決權者，除美國外，當有數亞洲國家。此等國家均曾與非洲法語集團國家交涉，要求保證對我代表權，連續予我以較久之支持。余意會後一年為我代表權問題最關重要之時期，此一年內，非惟世界局勢將有重大發展，大陸匪偽政權趨於崩潰之形勢，亦必益形顯著。祇須吾人能掌握時機，倍加努力，一年時間必可為我反攻復國，帶來新機運。

四外蒙古入聯合國後，民心士氣，將受不良影響，殆為無可爭辨之事實。惟我不否決外蒙之申請，並非即謂贊成其加入聯合國。安理會表決此案時，我代表可退出會場，不參與投票，以示我始終反對立場。且證之敘利亞併入阿聯時，立即喪失聯合國會籍。脫離阿聯宣告獨立後，亦即恢復其會籍。可知聯合國對會員國國土主權之改變，僅能承認其既成事實。將來我國光復大陸，自可收復外蒙，不致因外蒙有聯合國會籍而受約束。且處理外交問題，宜權衡得失，捨小成大。我對外蒙入會，不予否決。於民心士氣或不無影響。反之，如我斷然否決外蒙入會，雖可使民心逞一時之興奮，惟因此而得罪聯合國中歷來對我同情之國家，並使中美友誼遭受相當損失，且為共匪製造混入聯合國之機會，則兩者相較，孰得孰失，亦至顯然。

五、過去吾人何以堅持運用聯合國憲章所規定之一切方法，阻止外蒙入會。余個人自當負此重責。惟前次決定，亦有其不得不爾之理由。蓋自美國詹森副總統訪華及陳副總統訪美前後，美國雖一再表示其支持我代表權之政策，惟美國國務院及其駐聯合國代表團之實際作為，並未與其政府政策相一致。所謂「兩個中國」及「主權繼承論」等謬說，既時有所聞，而「中國代表權明年終將不保」等言詞，亦自其聯合國代表中傳出。美國代表團對我有所承諾，亦多不能信守實踐。於此情勢下，即使我不否決外蒙入會，美國亦將任由共匪混入聯合國。則我何不堅持立場，不惜使用否決權，阻止外蒙入會，此維護聯合國憲章於萬一。

今者，甘迺迪總統既已公開聲明「一直認中華民國政府為唯一代表中國之合法政府，且全力支持中華民國在聯合國之地位，與所有權利。因此，堅決反對中共參加聯合國及聯合國之任何機構」，此為民主黨政府對我國關係之首次重大聲明，亦顯示甘迺迪總統願與我竭誠合作，以維護我在聯合國地位之決心。吾人自應予以重視並接受。蓋吾人對外蒙之入會申請是否堅持使用否決權，最基本考慮，如此舉對我完成反攻復國之使命，為有所助益，抑有所損害？且我在聯合國之地位，與美在聯合國之成敗，息息相關。如我國否決外蒙入會而喪失代表權，因而使美國在聯合國招致重大挫敗，則美國朝野及整個自由世界均將因此懷恨我國，則我外交處境，非惟臨於孤立，且有遭受世界兩大陣營左右夾擊之可能，於此不利情勢下，何能再言反攻復國。

總之，中央過去之堅強政策及立法院所作對本問題之決議，均已有重大貢獻。吾人審度國際情勢，為國家民族之久遠前途計，在始終反對外蒙入聯合國之不變原則下，方法上實有另採適當措施之必要。

「中央政策委員會關於外蒙入會案決議文」

關於聯合國我國代表權問題，與外蒙古加入聯合國問題，兩者間已發生密切連帶關係。本會經聽取外交部從政同志報告最近國際情勢之發展，並恭聆總裁訓示後，更深知此不僅攸關我國代表權之前途，抑且足以影響民主自由國家在聯合國內力量之消長。自應由行政院從政同志在始終反對外蒙古入會原則下，因應情勢，採取適當措施，以鞏固我國在聯合國內外之國際地位，並擊破俄帝抵制茅利塔尼亞入會之詭計與牽引共匪混入聯合國之陰謀。一面由立法委員同志在立法院院會中，對於行政院有關本案措施，予以支持，藉示全國態度之一致。

附錄二：《蔣中正日記》有關葉案記載之摘要表

一九六一年九月

重點提要：

一、沈昌煥部長在九月十二日即赴美，自此葉公超先生在蔣中正先生心目中所犯的罪行乃節節增高。

二、此月中在台的蔣夫人並未參預對美外交。蔣先生的智囊團為陳誠、張羣、王雲五與沈昌煥四人。

日期	大意摘要	蔣對葉之批評	備註
一日星期五	美國務院對我覆甘函不表滿意，以此為美方之必然反應，不足介意。	葉「驚惶」不敢正色直言相告，可恥。	
二日	與陳誠（辭修）、張羣（岳軍）、沈昌煥等談聯合國代表權與對外蒙古否決權案的決案，嚴令蔣廷黻、葉公超態度堅決，不可令外人疑為尚有轉變之可能。		1. 蔣夫人不在場，此時她人在台北。 2. 張羣與蔣廷黻、陳誠與葉公超各為可以談私己話者。
三日	據報美國務院對我覆甘函的反應惡劣，葉公超又大驚小怪，認為危機已臨之報告，閱之痛心。		葉公超修養不足，應切戒之。
七日	對甘迺迪八月二十六日覆函，表示其感失望。未刻接葉電，「魯丑」又向國府壓迫甘將覆我之函意，乃作準備，勿為所動也。		1.「魯丑」是指時任美國務卿之魯斯克。 2. 魯向葉先生通報甘函之內容，足證二人之交好。
八日	上午召集陳、張、王、沈等研討甘迺迪來函之函意與覆函要旨，一小時畢。正午擬覆甘函，下午召見沈昌煥，指示外交工作。		1. 王即王雲五，時任行政院副院長。 2. 蔣夫人仍沒參加。
九日星期六	中常會通過否決外蒙古案，使即將赴美之沈昌煥外交部長有所遵循。重修覆甘函。		因之，在十月二十日中常會必須再作決議，以改為投棄權票。
十日	重修覆甘函，原擬之部分文句為張羣與陳誠等刪去。		可見蔣先生並非一意孤行之獨裁者也。
上星期反省錄	一　本週為考慮對甘迺迪來函與覆稿要領，心神貫注，乃至八九兩日自覺腦筋刺痛矣。		可見蔣先生對爭取甘迺迪之好感甚為重視。

	一　對「魯丑」大加批評，本擬在覆甘函中予以「揭發」，後為張羣等刪去。		
十一日星期一	昨接美國來息，葉公超威脅各方，如國府不接受美國政策，則美援皆行停止。正午，沈昌煥來辭行，告之以「我政府只有否決外蒙，乃為死中求生唯一道路，令其轉告廷黻與公超，切勿再有猶豫餘」。	威脅各方。	蔣以此與雷震案相比，認為美國在干涉內政。沈昌煥隨後即赴美矣，此日為星期一。
本星期反省錄	一　覆甘函後，心安理得。 一　美國務院為外蒙古入會案對我方行施壓力以阻止我否決之，尤其是葉公超更為美助戰吶喊，企圖動搖我決策，更為痛心，但亦惟有置之而已。美國務院對我之陰謀，思之寒心。	1.已自前述之指責葉先生不敢對美方強硬，改成「為美助戰吶喊，企圖動搖我決策」。 2.亦即在沈昌煥赴美後，葉先生之罪名較前為嚴重了。 按此為沈赴美後六日之紀錄。	1.蔣先生此時已將「魯丑」所領導之國務院視為敵人。 2.但是蔣先生仍寄望於白宮，並不把美國視為敵人。 3.在第二管道開通之前，此時蔣先生仍得倚靠葉大使，乃只得對葉「惟有置之而已」。
十八日星期一	聯合國大會開幕日。非洲法語系十一國揚言若茅國被俄國否決，則彼等將杯葛中華民國之代表權。此乃美國務院所散佈之威脅行動，並非敵人俄共所為也。		下午四時蔣先生與蔣夫人飛高雄。以後數天分別在南部及日月潭，遠離台北。
二十日	接報告，法語系非洲國家正式集會對茅案表態。仍堅決否決外蒙案，寧為玉碎，不為瓦全。		蔣先生夫婦在日月潭。二十四日為中秋節。

二十五日星期一	接陳誠電話報告，聯合國蔣廷黻代表報告，「美國與非洲法語國家壓脅倍至，不許我使用否決外蒙入會案。」乃手擬電稿，令沈昌煥、蔣廷黻不計成敗得失，必須貫徹中央決議方針。		美國為了有轉圜之機會，乃將聯合國安理會對外蒙案之投票日期自九月二十四日延至十月二日。
二十六日	俄方與法語非洲集團妥協，以俄方不否決茅國入會而要求對方支持中共入會。		蔣先生自云不為所動。此即其已決心否決外蒙而不惜玉石俱焚矣。
二十九日星期五	魯斯克威脅蔣廷黻，彼將公開發表美反對國府否決外蒙入會，此示雙方外交決裂，乃評之曰「殊可笑」。認為「美國務卿對我國侮辱，而毫不認識我傳統精神至此，可知其他外交也如此，焉得而不失敗耶？」		1. 蔣先生批評魯斯克與美國人之自大，而不去了解他國是正確的看法。 2. 可是蔣先生在此案中也不了解美國人，參見正文之剖析。
上星期反省錄	一 本月最感困擾者為外蒙古加入聯合國問題，「魯丑」始終饒舌不休，且威脅無已。 一 除外有「魯丑」之壓迫外，內有內奸葉公超，借外力以自重，其對內欺詐恫嚇之外，且以其勾通白宮，自誇以壓迫政府依照其主張外蒙入會問題，而對政府之政策置之不理。更不敢對美提起政府之嚴正抗議，認為美國所不願者提出無益，徒增美國之怒。且對政府不斷侮辱，此其賣國漢奸之真相畢露，秦檜、張邦昌不謂過也。對美外交至本月最後一週，進入微妙之惡境矣。	1. 內奸。 2. 勾通白宮。 3. 對美方軟弱。 4. 置政府之決策於不顧。 5. 不斷侮辱政府。 6. 是賣國漢奸，可比秦檜與張邦昌。	1. 此時第一次提起葉先生犯了大不敬罪與賣國罪。 2. 不明說「侮辱元首」而是「侮辱政府」。 3. 是「不斷侮辱政府」，即是累犯，不祗一次。

一九六一年十月

本月分為「葉案」及「外蒙案」兩者發展最重要之一個月分。在列出蔣先生十月分日記摘要之前，請注意下列日期及事項：

一、原先在九月二十四日外蒙案要列入安理會議程，第一次改為十月二日，後又改到十月二十六日，因此爭取到中美雙方達成協議之關鍵時刻。

二、在美國紐約十月二日前夕，蔣先生乃啟動第二管道，直接與白宮甘迺迪總統交涉，以避開美國務院。

三、美方在接到第二管道傳來之音訊後，仍選擇與葉大使往來，白宮幕僚長彭岱在美國十月四日夜訪葉大使。因之國府仍以葉先生為代表與白宮交涉。

四、蔣先生在台北的十月六日與美大使莊萊德長談，明白告訴美方必須做出之保證，國府才會考慮放棄否決外蒙，以與之交換。

五、十月八日莊大使回報，是國務院之回應，拒絕蔣先生之要求，談判幾近破裂，國府乃召葉大使回國述職，以示決絕。

六、於是白宮被迫全面使用第二管道，避開美國務院，由CIA駐台站長克萊恩，與蔣經國在台北以私人關係方式研究解困之道，雙方乃迅速達成協議，大體上美方完全同意蔣先生在六日所提出的六項要求，或以公開聲明，或以書面祕密保證為之。

七、因之蔣先生認定葉公超與美方不能達成六項之協議，是因為葉氏賣國，立場有問題也。

八、之後，到十月二十六日外蒙入聯合國為止，只是雙方逐步完成協議之手續，以及國府在內部作成修改決策必須辦理之步驟而已。

九蔣夫人宋美齡女士當時人在台北，蔣先生提及她參預對美外交時，只有一處，即在十月二十四日雙方已達成協議，塵埃落定，蔣先生要寫信給甘以表謝意時，請夫人修改譯文。在交涉中沈昌煥身在美國，為蔣先生作智囊者是陳（誠）、張（群）、王（雲五）與許（紹昌）。

日期	大意摘要	蔣對葉之批評	備註
一日星期日	一　要求美國聲明其對共匪加入聯合國時實施否決，與我對外蒙入會案放棄否決之約交換，可乎？		此為「雙重否決交換」之想法初次出現於日記中。蔣先生用了「可乎？」二字，可見此是他人之建議，而先生對之猶為存疑也。
二日星期一	決令經兒轉告其駐台情報主管，屬其代達甘迺迪，美國務院強迫態度及我國堅決方針，使其了解。十時張羣與王雲五來談否決外蒙案，重新考慮其建議。此時美駐華大使莊萊德以私人資格求見，乃在當天下午召見之，表示「如果美國誠意合作，雙方澄清兩國政策以後，似對此案並非不可重新協商也，望以此意轉告甘總統可也。」		1.此為第二管道之由來。 2.以前之日記並未談及張、王二人之建議，我判斷此即昨日首次提出之「雙重否決交換」一事也。 3.蔣先生對莊萊德談話之結語有兩個重點，即外蒙案有轉圜之餘地，望能讓甘總統知道此點。
三日	晨初醒，對否決外蒙案，必須美國公開表態，即： ㈠共匪入會討論時，予以否決，或 ㈡共匪加入時，美即退出。 如此，則我方對外蒙案亦可不否決。		1.此即「雙重否決交換」之具體方案。 2.重點在美方須作公開聲明。
四日	在寓考慮對美交涉情勢，與否決外蒙案方針不變之決定，擬電沈部長一切工作		1.第二管道雖已啟動，美方之回音尚未收到。

	應照既定方針進行，勿誤。		2. 在此之前，第一管道仍須表態，堅定否決外蒙，以便在第二管道中討價還價也。
五日	莊萊德對外交部轉達「魯丑」對我在十月二日談話之回音，並未見到甘總統之保證，乃指示外交部拒其轉達，因為「蔣總統對其所說的，乃要其對甘轉達者，而非對其國務卿所說也。」 本晨接公超電，稱美總統祕書長彭岱夜訪葉，代表美總統談話，表示其對余誠摯之情意。 入府後與張羣、王雲五商定電葉交涉。		1. 莊大使及美國務院屆至此時為止，並不知道第二管道之啟用。 2. 白宮在接到克萊恩傳來之訊息後，並不知道蔣中正對葉之不滿，仍以葉為對手。 3. 彭岱夜訪葉，一來是避人耳目，二來可證他們雙方私交深厚也。 4. 因之，蔣先生乃以葉為對白宮之交涉代表。
六日星期五	昨日（五日）召張羣、王雲五、許紹昌討論對美交涉方針畢，即照預定之意見實施。 經國來告克萊恩亦接彭岱復彼之電，已經其日報告甘迺迪詳閱矣。此或彭岱前夜訪葉之由來，而非其國務院之示意乎？ 五日正午許次長面報莊萊德以甘總統有電面呈，余約其十六時來見，余乃懇切說明我對甘派彭岱與葉談話後，所接葉電，對甘誠摯之感動，以及決定辦法，要求美政府宣佈對共匪使用一切權力反對其加入聯合國（連使用否決權在內）		1. 此即在第二管道啟動後，美方仍以第一管道為重心。 2. 蔣先生五日下午對莊萊德大使之談話，第一次把「雙重否決交換」的新構想告訴了美方。

	之具體政策，然後我國方能商討如何對外蒙不使用否決權之辦法，約談一小時半，彼允轉告政府而辭。		
六日星期五	當時並由許次長接葉公超兩次通話說，甘已允許下星期三（即十月十一日）照我方之意見，對新聞記者宣佈。然察其內容，此言者仍是空洞反對共匪入會，而非我所要求者，其間且大有出入，此乃公超欺上賣國之慣行，思之痛心。乃令許轉告其切不可如此，必照昨今兩日所電之原文進行交涉，勿誤。	葉公超「欺上賣國」之慣行。	1. 即蔣先生要求甘迺迪公開宣稱將不惜動用否決權以阻止中共入會。 2. 美方只公開泛言反對中共入會而不談行使否決權。 3. 蔣氏認為葉公超想矇騙過關。
七日星期六	本晨手擬致沈、葉各一電，上午主時中常會後，訪辭修（陳誠），再轉入府，與張羣（岳軍）談外交。		
十一日星期三	七時半回寓，陳誠來商對美交涉方針與公超是否回來？認為公超再在美國，不惟無助於交涉，只有妨礙交涉，以其自定政策壓制政府，獻媚於美，且必須由其一手包辦而決，非執行其政府之政策也，可痛極矣。據報，公超應召即來。	1. 葉公超妨礙對美交涉。 2. 葉要一手包辦，若其在美必定妨礙第二管道之遂行，不如召回。 3. 葉以己見為重，壓制政府之決策，即不聽命令。	1. 蔣先生對召回葉乃有助第二管道進行之判斷，以事實發展言之，是正確的。 2. 蔣先生啟動第二管道時並未知會葉，是白宮在接獲訊息後主動與葉接觸，此示並非葉氏要一手包辦也。
十二日	十時入府，經兒來談，克萊恩接甘迺迪密電，屬與經國以私人非正式研究，解		1. 召回大使在外交界言之，是非常嚴重之事，雙方外交關係有破裂

	決中美間對外蒙古入會問題之辦法，此乃甘迺迪以我召葉回國以後，急求解決之表示。		之可能。 2.蔣先生召回葉大使，目的在打通第二管道。
十三日	朝課後一手擬對美商討解決外蒙案之方針，為「雙重否決之交換」策略，即美國必須向中華民國提出書面保證，在必要時使用否決權阻止中共入會，而中華民國對外蒙案不用否決權為「最低之條件」。 甘迺迪必須認中華民國為中國惟一合法之政府，作公開之聲明，至於前述行使否決權之書面保證，則可用祕密方式為之。以此方針令經國與克萊恩作私人商談之要領。……據報，葉公超已到台北矣。		1.此要領即為「外蒙古案」雙方所達成協議之藍圖。 2.此要領具體寫成六項，甘迺迪全面同意。
十四日	一　公超急欲離台回美，且其神經已顯露緊張不安之情緒，是賊膽心虛乎？上午與公超談話，聽取其對白宮與國務院交涉經過之報告，約四十分畢。即往中央主持中常會。正午經兒攜與克萊恩討論白宮彭岱來電譯文回條，除甘迺迪聲明文中加入「中華民國政府為中國惟一合法政府」外，餘皆同意，尤其第四條甘對余作書面保證，說明阻止共匪入會不惜使用否決權一節，更且誠意，殊為	「賊膽心虛」	1.彭岱來函中美方開列之四條，即成為雙方協議之六條具體條文。 2.蔣中正、陳誠、張羣三人共同商定，而蔣夫人不在其列。

	可感。下午約辭修與岳軍密商後，決以同意復之。		
十五日星期日	一　當四十七年十月底，「中美共同宣言」中，我以不憑藉武力光復大陸，而葉竟以不使用武力允美方，並謂全照我意定稿，及其發表，完全與我憑藉之意相反之痛心事，葉又想重演一次詐欺乎？ 經兒來告，克萊恩六時電話稱，白宮覆電昨日台北所同意之建議，甘亦同意，須於星期一作正式文件，經由外交途徑辦理云。十時後召見公超（岳軍在座），問其昨擬對美方案，在祕密保證中不敢提其使用否決權，在其公開聲明中（連中華民國政府為代表中國之惟一合法政府）亦不敢要求，則當有何意義？彼始終認為美必拒絕也。	對美方過於軟弱，而蔣先生所採的強硬態度，經由第二管道已獲得葉先生認為不可能獲得之成就。	蔣於前一天，即十四日令葉在台北擬一草稿，作為我方對美之方案；葉未將此二條件寫入，是因為葉認為美方絕不會同意。可是經由第二管道，蔣已獲得美方之認可，乃在今日重責葉氏。
本星期預定工作課目	四　星期日（即八日）接美國拒絕我對共匪使用否決權之要求時，交涉幾乎中止，面臨最後關頭，乃令公超回國述職，其實彼在美決不敢要求美國作任何讓步之可能。彼果遵令回國，此乃解決內部困難，防止其對外賣國之一大關鍵，與對美外交之成功，同樣重要，而且非彼離美回國，外交決無轉機也。	賣國	1. 蔣先生說對美外交要有轉機，葉非離美返國方才可以也。以後來事實之發展言，是正確的。 2. 葉大使回台述職，沈外交部長仍在紐約，美方不以其為交涉對象，而啟用第二管道，值得玩味。

	彼星期三歸來，星四日美乃自動要求甘與我作直接解決之道，及至星期六幾乎依照我過去要求條件，予我祕密保證之理想實現。		
十六日星期一	經兒來告，美甘總統已訓令克萊恩來見，親遞其前次所擬定之辦法，要求我面諾，以完手續。乃約其九時來見，約談一小時。十時見岳軍，屬告如約準備一切，對內尤其立法院覆議案之手續。		1. 對美，此時協議已口頭約定。 2. 對內則須重啟修改原來行使否決權之手續。
十七日	昨日訪張其昀談曹文彥在四月間報告葉公超函中之要點，並請其手錄見示。四時召見莊萊德，奉其甘總統之訓令，口頭向我「保證其阻共匪入聯合國，有效使用否決權」作祕密保證，以及另作公開聲明，始終認我中華民國政府為中國之惟一合法政府云。余答其中國對外蒙不使用否決權，並要求美國在安理會對外蒙古不投其贊成票為要。		1. 曹文彥為駐美大使館之文化參事，因與葉大使有心慊，乃上告，詳見本文。 2. 蔣先生已準備撤葉之大使職，此時在搜集葉之罪證。 3. 此乃是蔣經由第二管道所得之口頭協定，經由外交途徑作正式之約定。
十八日	令外交部許紹昌次長向莊大使要求美方出具書面紀錄作為祕密保證。令經國訪克萊恩詳告莊大使有不提書面保證之意圖，以及告莊書面保證上若有提洩密此事，美將作外交之否認等字樣，則我必不能接受，勢必退還之警告。後知克訪莊檢閱該書稿，果有此		蔣對「洩密」條文之敏感度，並非杞人憂天。由本文可知，在十月二十日，蔣先生即對消息外洩一事大怒，令張羣調查此事。

	語，勸莊不提，十時莊提該件，並無此語。則此一中美間重大關鍵鬥爭，幾近半年，至此得告一段落矣。		
十九日	昨（十八日）許次長報告莊大使遞來甘保證文件，一如余言，此心乃安。自四月起美國務院以承認外蒙准許其進入聯合國，製造兩個中國，允許共匪進入聯合國，以及台灣為台灣獨立國案等民主黨行動委員會之十二年來對我之陰謀，全盤托出。		此為蔣先生對美國民主黨政府，即杜魯門、甘迺迪兩政府國務院之不信任也。此種因於一九四九年美國發表對華關係白皮書，將大陸失守完全歸罪於國府之故也。
二十一日星期六	葉逆之處理步驟： 甲 下週末暗示其自動辭職，行政院派為顧問，與 乙 令其自反自新，安分修養。 丙 駐美大使人選： （子）廷黻。 （丑）之邁。 丁 人選未定前，派員暫代館務。 十時主持中央常會，討論外蒙加入聯合國時我在安理會投票之方針，詳加辯論，約二小時半，最後結論反對外蒙之政策不變，而投票時准由行政院訓令代表團應予權宜行事。（其意在不行使否決權也。）	1. 稱之葉逆。 2. 開始考慮葉之出處。 3. 只願意給與行政院顧問之虛職，此與後來特任為政務委員相差甚遠。	1. 葉公超之出任政務委員是由陳誠代為爭取到。此點為先君口頭告知，蔣先生日記對此點並未記載。 2. 陳之邁先生比蔣廷黻、葉公超在外交界要晚了一輩。 3. 九月九日中央常會通過否決外蒙案，因此今日（十月二十一日）中央常會之決議乃是在修正前次之決議案也，以完成改變決策之手續。 4. 依據先君之《中央工作日記》，將此次會議經過錄在本文中，以明國人政治運作之巧妙也。
上星期反省錄	一、星一，克萊恩來見，提其甘總統對		其實葉先生反對使用否決權，是為

	我之保證內容文件，面報是否同意，余允之。星二，莊來德將其甘總統行使否決權之祕密保證先作口頭代達，次日再作書面正式保證。星三，甘在華府發表其公開書面保證，於是數月來中美之糾紛，至此乃告一段落。而對外蒙入會問題，余仍以反對方式行之，惟不使用否決權，乃舍小全大，為轉敗為勝，轉危為安之惟一樞記也。		了確保中華民國在聯合國之代表權，也是「舍小全大」。只是蔣先生以放棄否決外蒙去換到了美國保證使用否決權以阻止中共入會，而葉乃是一面倒向美方之要求，無條件放棄否決外蒙也。我認為這是兩位對美國態度的判斷不同，葉並未賣國，只能說他判斷錯誤，對美方過於委曲求全，要價太低。
二十三日星期一	往國防研究院主持中央政策委會三小時半之久，最後分析國際局勢與我否決外蒙入會後之孤立與夾擊下，更使我反攻復國總目標之絕望，其要因為美民同情於我者與世界輿論皆將對我反友為仇也，於是決議，得全體一致通過。		1. 一篇文章全看怎麼寫，蔣氏日記中所寫放棄否決權之理由，早已存在。 2. 真正改變決策之理由，即美國之祕密保證卻一字不提。 3. 中政會是黨政軍及五院首長共同參加之會議，至此已完成改變外蒙案決策之內部手續。
二十四日	修正致甘函稿，並告知今日立法院同意我對外蒙不使用否決權之經過。下午重修致甘函稿，並囑夫人修正英文稿。		此為幾個月中，蔣夫人第一次參預對美外交事務，唯此時雙方已交涉完成矣。
二十五日	此為蔣先生七十五歲舊曆生日。上午令經兒感謝克萊恩，並代轉對彭岱之謝意。		彭岱為甘迺迪總統白宮之幕僚長。克萊恩與彭岱為第二管道美方之經手人。
二十六日	聯合國大會投票允許外蒙入會，中華民國不參加投票，表示不承認其為一個獨	仍稱之為葉逆。	陳誠對葉之看法與蔣先生不同，故要處分葉時，須考慮陳之反應。

日期	日記		備註
	立國家，保留我不放棄主權之意。上午入府與岳軍討論公超處理問題後，……下午考慮處置葉逆問題，辭修在病中，何說明使之諒解而且不增其憂慮也。		
二十七日	一、處理葉逆問題從速解決。 一、繼任美使人選，蔣廷黻、陳之邁、陳立夫。 上午致辭修函，為處理葉逆問題之商討，並附葉逆之逆跡一份，使知其事實也。 批閱簽發甘迺迪函件。		1. 陳立夫先生作為可能駐美大使之人選僅出現過這一次。 2. 蔣先生寫給陳誠此信及附件，不知雙方有一方留下原信或備份否？此當為葉案較為重要與珍貴之史料也。
二十八日	外蒙昨在聯合國通過加入該一世界組織，我國代表仍正式聲明其為俄共附庸，無獨立資格加入此一組織後，不參加表決，以為我國主權並未放棄之作用。		當時聯合國會員中頗多俄共之「附庸」，例如東歐各國。
二十九日星期日	十時，與岳軍談葉逆處理問題。	稱之為葉逆。	此為星期日，蔣、岳二府乃背貼背之鄰居，張羣推開兩家之間圍牆的一扇不上鎖之小門，即可穿過兩個後花園，不須預約而去和蔣先生「串門子」聊天者也。
三十一日星期一	致辭修函，對駐美大使人選以蔣廷黻為宜之意告之。 經兒來講，公超今晨與其講話，承認有		1. 蔣先生在二十七日寫給陳誠有關對葉指控「逆跡」之信件已發生作用，葉乃致電給蔣經國以自

	過而無罪，尚望其辭職後予以國策顧問名義，在台思過，最好准其先返美交代云。 十時半入府，……復與岳軍談公超事之處理，認為對外尚有顧慮也。 下午與妻經橫溪，訪辭修病。		辯。 2. 葉打電話給經國先生，而彼亦代轉其要求，可見經國先生與葉乃是有深交者。老蔣先生過世後，經國先生於公於私對葉先生甚為厚道，由此可見兩人是朋友也。 3. 葉先生所求者只是一個虛銜的國策顧問，他做過外交部長，有此資格。 4. 終蔣先生之世，葉先生再也沒有離開過台灣。
本月大事記	為外蒙案對美交涉之經過。 甲　第一週：即二日清晨對外蒙否決政策作最後重新之考慮，有鑒於三日安理會即須決定此案，乃令經國與克萊恩提出對白宮之最後警告。 乙　第二週：即八日因莊來德對我要求之拒絕，交涉又告中段，乃令葉公超回國述職，亦示美以決絕之意。 葉於十二日離美，甘乃自動與我作直接解決之提議。十三日葉回台，十四日甘乃同意要求，惟其對共匪入會時美使用否決權之要求，改為祕密保證。余即允其所求，而公超尚誇稱其與白宮能如何接近，與交涉之有力，安知甘已完全依	1. 二日經由第二管道開啟之談判，在五日由葉接管後，至八日迄無進展，乃指葉在對美談判方面無助反而有礙，予以召回。 2. 稱之為「內奸」。	1. 甲即開啟第二管道。 2. 安理會對外蒙之討論延至十月二十六日。 3. 乙項，即當時由第二管道遞交之議案，美方仍沿第一管道之外交途徑談判。我方仍由葉大使代表，自五日起至八日迄無進展。 4. 召回葉大使，使甘迺迪經由第二管道與蔣氏父子直接交涉，因之避開了國務院，使得雙方談判迅速。 5. 事後去看，蔣先生對美採取的高姿態是比葉先生採取的低姿態對國府遠為有利。不過此種姿態之

日期	大意摘要	蔣對葉之批評	備註
	我要求，直接解決，此即公超認為徒增反感，決難提出之條件也。 丙 第三週：（十七日至十九日）甘之公開與祕密各保證，皆如議完成手續。於是，個月來中美外交之微妙關係，乃得告一結束。 丁 第四週：外蒙加入聯合國。 在此項本月大事記後另有一紙寫本月工作，另書甲乙丙丁各等事項，在其已項有文曰： 已 公超問題乃因對美外交，而亦得如期解決，此乃祛除了政府內奸與後患也。		有高低之分，並非蔣愛國而葉賣國，而是雙方對外交情勢研判與估計之不同而已。

一九六一年十一月

重點提要：

一、葉公超在十月十二日奉召返台述職，自此即不曾返美回館任職。

二、十一月十八日葉公超被免除大使職務，改任政務委員，「葉案」乃告一段落。

日期	大意摘要	蔣對葉之批評	備註
一日星期二	史汀文生又作其排華容匪進入聯合國之威脅，此乃自甘迺迪作雙重保證不到十日，美方之外交代表特作其相反之言行，尚能與之合作乎？此當果真為此，則寧可決心退出聯合國，而不為共、俄等之俘虜也。		1. 所謂之甘迺迪保證，即在十月裏經由第二管道所作之口頭保證。 2. 史汀文生所作之「威脅」，乃是指將中國代表權定為重大決議案恐未能成功。

二日	與張羣談蔣廷黻取代葉公超任駐美大使事，因蔣廷黻不願就此職，乃以張羣名義致電勸彼接受也。		1. 蔣廷黻與張羣同屬政學系，可以講知心話。 2. 蔣廷黻之拒絕代葉，可能是不明白葉獲罪之理由，張羣可用電話私下告知其中之真相也。 3. 蔣先生對葉先生所加之罪名，不宜書之於官方公文中，也不宜由蔣先生親自告訴蔣廷黻，乃由張羣代行，使蔣廷黻能釋疑也。
四日	蔣廷黻接受駐美使命。		張羣勸進生效也。
五日	葉之名義應否在此時給予，亦應考慮。		葉去蔣代已成定局，因此蔣先生乃開始考慮葉公超出處之安排，唯此時尚未 有腹案也。
六日	陳誠病重，住入榮民醫院。		
七日	與張羣談葉事。		對葉之出處未有定案。
上星期反省錄（六—十二日）	一　美國外交毫無誠意，史汀文生對中國代表權必欲組織審查會為附帶條件，此乃「兩個中國」之幽魂未息。我既不否決外蒙入會，則對我代表權列為重要議案之通過已有足夠票數，不必再付審查也。		1. 十月二十五日國府在外蒙入會案中，即是實現了葉公超之主張，所以在十一月裏蔣先生在日記中很少批評葉公超。 2. 蔣與葉的分別是雙方對美成交的價格有不同認知，蔣認為葉對美方過於牽就。
十六日星期四	正午訪陳誠夫婦病。		此時陳乃為葉緩頰，得蔣先生之允許，代為安排葉公超出任政務委員，詳見本文。此為蔣先生日記中沒有記載者。

十七日	美國同意蔣廷黻使美，故葉案問題處理已告段落。		
十八日	明令發表蔣廷黻取代葉公超使美，葉公超改任行政院政務委員。		葉之出任政務委員，並非蔣先生之腹稿，不過蔣先生日記中亦未記載其原因。據先父所告，是陳誠代為爭取。詳見本文。
上星期反省錄	一　因內外關係，仍任葉為政務委員，使葉案暫告段落。但其奸詐罪行，恐難改變，姑再試之。 一　對美外交，雖因葉逆調離美國，舊事略告段落，但聯合國代表權為重要問題……。	1. 稱葉先生為「葉逆」。 2. 指其奸詐。 3. 仍留用其為政務委員是「基於內外關係」。	內外關係四字中之「外」字，當是指美國；但「內」字所指何意？殊堪玩味也。我判斷是指「陳誠」。

附錄三：《蔣中正日記》有關葉案記載之原文

一九六一年九月一日　星期五

美國務院克里夫來對葉公超說，對我覆甘函，認為我方對美就商於我策略，均未獲我同意，今後於必要時，美或將採取單獨策略上之行動，或難每事商討於我云。此為其國務院第一必然之反應焉，不足介意。惜葉乃即以此為美對我態度惡劣，並以此反來對政府表示其驚惶不了之詞，而不敢對克正色直言相告，徒覺可恥而已。

九月二日

下午與辭修、岳軍、昌煥等談聯合國代表權與對外蒙否決的政策，嚴令廷黻與公超態度堅定，不可令外人疑為尚有轉變可能之影象也。

上星期反省錄

二　據報美國務院對余覆甘函的反響惡劣，因之葉公超又大驚小怪，認為危機已臨的報告，閱之痛憤，此乃修養不足之表現，應切戒之。自知性燥心急，為一生之大病，尤其是輕易發怒，不但傷神，更是為下所輕，能不戒慎？

九月七日　星期四

一　甘乃迪（甘迺迪）覆我廿六日函，表示其感失望，並稱不容諱言其結語□如責我雙方不能獲致協議，而吾人必須保留自由，以採吾人認為適於達成共同目標之途徑云。此乃其國務卿「魯克斯」壓迫我最後之一著，應慎重研究，依理依法以覆之，不可作意氣用事也。

下午批閱公文，約見法國代辦，屬其轉達我對聯合國外蒙入會案必須否決之原則，而對「茅利塔尼亞」因之不能入會，乃咎在俄共，務使法語非洲各國能得諒解之意。未刻接葉電，□「魯」丑又向我壓迫甘將覆我函意，乃作準備，勿為所動也。

九月八日

上午為甘乃迪來函，召集陳、張、王、沈等研討函意與覆函要旨，一小時畢。

正午擬覆甘函稿，下午召見昌煥與孟緝，分別指示其外交與軍事工作。

九月九日

上午重修甘函稿及主持中央常會，聽取昌煥對聯合國十六屆大會所定政策，特予決議，使之有所遵循也。下午續修函稿。……回，仍續修函句，對此未敢有一字一義之疏失，故修改頻繁不已。

九月十日　星期日

六時未明起床，朝課後重修覆甘函稿文句，對於余「亦將保留自由行動」一般之詞意，再三研究，改為以問句「當在從此對我即各不相謀而為彼此雙方各別自由行動之開始乎？」認為比前婉轉，惟心仍不安，後經岳軍、辭修等刪去，而以必須否決外蒙入會說理代之，余乃將順其意，即時定稿。三日來不安刺激之情緒，至此方得平眼為快。九時與妻到劉瑞恆追悼會。十時召見陳、張、王、沈作覆甘函定稿。

辭修以為不予小人計較為仇也，此則消極方面精神之輔佐，實亦有益也。

上星期反省錄

一　本周為考慮對甘乃迪來函與覆稿要領，並手擬函稿，心神貫注，不敢稍解，乃至八、九兩日又感腦筋刺痛矣。

一　朱子以「急迫浮露」自戒，此正我一生之痼疾，必須時記「寬緩深沉」以箴之。此次甘之來函，自為「魯」丑所主動與促成，故對「魯」對華報復陰謀，以及其襲「艾其生」一筆勾銷之傳統政策，必須揭發，使甘氏有所領悟，乃手擬覆函以報之。後經岳軍等略去，而以外蒙入會為我國格自尊，不能不予否決之大道正義答之，更覺穩妥。故照改正，乃定稿，甚感心安理得。

九月十一日　星期一

本日接到美國來息，尤其是公超對各方威脅恫嚇，如我不能依照美國政策要求而否決外蒙入會，則美援皆行停止。霍華德亦改變其原來助我反蒙方針，今忽間接勸我切勿否決外蒙等警告，可知美國務院對各方運動，以期達到其逼迫我轉變否決政策之目的，思之痛心。此比之去秋雷震問題在美之壓力，以期動搖我政策，干涉內政之情勢相同。正午當昌煥臨行來別時，余告以我政府只有否決外蒙，乃為死中求生惟一道路，令其轉告廷黻與公超，切勿再有猶豫餘地也。

九月十五日

美國務院一面宣布與外蒙停止建交的談判，而一面又全力阻止我否決外蒙加入聯合國。其意在先使外蒙入會，而後再加承認，似更為便捷。即使我再反對，亦可不理，其將說外蒙既加入聯合國，則美不能不加以承認矣。此一陰謀之打破，必須此次否決其加入聯合國會也。美國務院對我國「一筆勾銷」之政策，必須時時防制，與不斷奮鬥也。

上星期反省錄

一　覆甘正稿決定後，心安理得，不為其重壓所屈，惟一本以理、以法且以情復之，未曾動氣甚望其對外蒙問題自此再不另作壓力乎？其中對於我國自第二次大戰以來，歷經強權政治之摧殘，其勢微弱，至今已極不堪再受任何之重壓與剝削一段，認為弱中見強，使甘有此警悟乎？……

一　美國務院對我為外蒙請求加入聯合國案，對我多方面行施壓力阻止我否決此案，尤其是葉公超更為美助戰吶喊，企圖動搖我決策，更為痛心，但亦惟有置之而已。美國務院對我之陰謀，思之寒心。

九月十七日　星期日

脯，為否決外蒙入聯合國時簡短說明要旨有得，頗感興趣。

九月十八日　星期一

明日為聯合國第十六屆大會開幕之期，在此前夕，聯合國中空氣皆籠罩著我國如否決外蒙，必受非洲法語十餘國家以茅國因此不能入會之反感，亦對我代表權案上採取報復，即反我行動。此乃美國務院所散布之最後威脅行動，而並非為敵人俄共之所為也。而且美首席代表史汀文生亦於今日向記者公開作此威脅的勸告，殊為可痛。不論其空氣與環境如何險惡，吾人惟有依據既定方針，貫澈到底之一途，且信必可克服此一邪惡環境，達成預定任務也。上午原擬否決外蒙時，我代表簡要說明之五點，召見六員。

下午四時與妻起飛來高雄……

九月二十日

昨夜接蔣思愷由馬達卡斯卡首都來電稱，此次非洲法語十二國在馬國開其最高會議，成立「馬非」集團，即加入馬達卡斯卡國，共為十二國。決議如我國否決外蒙入聯合國，以致其茅國為俄共所否決，則該十二國對我絕不僅反對我在聯合國代表權而已。余接此並不為駭異，乃以泰然處之。此乃我否決外蒙的前後各種重壓與包圍必然之理勢也。余惟有貫徹其既定之政策，否決外蒙，並作最後撤退聯合國之準備。祇要此一決心不為所動，則最後勝利必屬於我，公理與正義之一方，何足為憂。……後與妻來日月潭脯，記事。

九月二十一日

我國在聯合國大會以六十票當選為副主席。

上星期反省錄

(二)對外蒙入聯合國之否決問題，美國直至周末，仍施行其間接直接之壓力，要求我改變政策，更感其羅斯克毫無政治品格之小丑矣。

九月二十五日　星期一（在日月潭）　**中秋節後一日**

辭修來電話稱，聯合國蔣代表來電，美國與非洲法語國家壓脅備至，不許我使用否決外蒙入會案，有□□，乃以此案昨日即須接安理會表決，故其仍想用最後壓力，使我臨時屈服也。余乃手擬電稿，令沈、蔣（廷黻）不計成敗得失，必須貫澈我中央決議方針，切勿為任何艱危或重壓所動搖，加以激勵，此實為我國對國際上最後一次之考驗也。

九月二十六日　星期二（回台北）

下午至晚，頻接聯合國中法非集團與俄共妥協，並以俄不否決茅國入會而要求法非集團在會中助匪排我之議案，仍望我不否決外蒙也，余不為所動。

九月二十九日

一　美魯斯克今日又對我蔣廷黻代表在紐約重壓，甚至將公開其美對我發表其宣言，反對我否決外蒙入會政策，且有中美兩國外交決裂之含意，殊可笑。美國務卿對我國侮辱而毫不認識我傳統精神至此，可知其他外交必也如此，焉得而不失敗耶？

上星期反省錄

一　本月最感困擾的，就是外蒙參加聯合國問題，與蘇俄要脅法語非洲十二國，以茅利塔尼亞入會為其外蒙入會的交換條件。因之美國務卿魯丑始終饒舌不休，且威脅無已（要求我對外蒙入會不用否決），本來在廿六日可以決定，乃忽延至下月二日。此一卑劣邪惡之問題未決，令人最為悲痛。但此如已決，神明泰然，並未為其壓迫所動搖，只有對魯丑之性格卑劣，為美國不幸所惜耳。

一　除外有「魯丑」之壓迫以外，尚有內奸葉公超，借外力以自重，其對內欺詐恫嚇之外，且以其勾通白宮，自誇以壓迫政府依照其主張外蒙入會問題，而對政府之政策置之不理。更不敢對美提起政府之嚴正抗議，認為美國所不願者，提出無益，徒增美國之怒，且對政府不斷侮辱，此其賣國漢奸之真相畢露，余認為秦檜、張邦昌不謂過也。對美外交至本月最後一週，進入微妙之惡境矣。

上月反省錄

（未）聯合國本年大會，紐西蘭以善意提出中國代表權問題之討論案，而俄共乃提其所謂恢復「中華人民共和國」之席位案，可謂厚顏無恥已極，其實此兩提案皆成為我國在歷史上無窮之恥辱，如何方能湔雪此恨耶？

十月一日　星期日

一　要求美國聲明其對共匪加入聯合國請求時實施否決，與我對外蒙入會案放棄否決之約交換，可乎？……並審閱上週記事，甚感魯丑之無恥行動，下午與妻車遊淡水回，對聯合國的各方壓力，土耳其等二國本允我對外蒙案在安理會棄權之約，今亦為美國態度而動搖，因此深受刺激。

十月二日

一　今晨四時初醒，突思外蒙案，對美國壓迫無理言行，不堪忍受，亦無可轉變。但將國務卿強迫態度與我國堅決方針，在其最後否決外蒙案以前，不能不使甘乃迪了解其經過事實，故決令經兒轉告其駐台情報主管，屬其代達甘乃迪，使其了解。使對今夜外蒙案討論以前，或可由甘轉令電其外交人員對我政策有所協調助益也。十時岳軍與雲五來談否決外蒙案，重新考慮其建議。正在此時，莊大使轉抵外交部，代詢其可否以私人關係進謁，余乃允之。正午見莊，先詢其來見意見，聽其陳述後，余即嚴正駁斥其不當之詞，並將要求美國對此案與對華根本政策之證明澄清。彼既以私人資格來訪，余亦以私人資格告彼，今日我國對此案決策已無考慮餘地。我國對各國關係與聯合國之得失問題，皆已不計一切後果，而且此因於我國乃身外之物，更無所謂。此時惟一問題，乃為如你所說，我國退出聯合國與〔於〕美國打擊，及甘乃迪大失威望之一點。以我們立在反共陣線上，對於其領導國家元首的維護，是其義務，此在應予特別考慮。如美國對華果有合作誠意，則不應一如現在單獨行動，且施行其我所從未受過之壓迫態度。過去日本、蘇俄亦不敢對我政府作此種不堪忍辱之威脅也。須知我國民族性與革命精神，決不能受強權之壓力也。當然，如你美國誠意合作，雙方澄清兩國政策以後，似對此案並非不可重新協商也，望以此意轉告甘總統可也。

十月三日　星期二（阮按：四日補記）

昨（三日）晨，初醒，對否決外蒙案，必須美國公開宣佈其如共匪入會討論時予以否決。或共匪加入聯合國時，美即退出之聲明，則我可允其此次對外蒙案亦可不否決，作為交換之條件。否則對我代表權，僅作過去之籠統的支持諾言，實不足取信，仍照原計劃否決外蒙。如此，對美甘乃迪亦盡我應盡的情義之表示。對於我國立場只有加強也。

本（四）日，在寓考慮對美交涉情勢，與否決外蒙案方針不變之決，擬電沈部長一切工作應照既定方針進行，勿誤。

十月五日

聞莊乃德（莊萊德）在我外交部轉通其國務卿「羅丑」對我所要澄清的六點答覆，而未見其甘總統對匪共政策予我以保證，故拒其轉達，並明告其，蔣總統對其所說的，乃要其對甘轉達者，而非對其國務卿所說也。可知「魯丑」不敢以我的話直告其甘總統也。因其內容完全責備魯丑之無理壓迫，以致演成今日之僵局也。其責全在魯丑，必將為甘所斥責耳。

本晨接公超電，稱美總統祕書長彭岱昨夜訪葉，代表美總統談話，表示其對余誠摯之情意。余對此乃不待其來電，決要求美國務院作阻止共匪加入聯合國，使用一切方法（連使用否決權在內）之聲明，則對外蒙不使用否決問題，方有考慮之餘地也。入府後，與張、王商定，電葉交涉。

十月六日　星期五（阮按：因五日所記過長，五日之日記補在六日之頁次上）

昨（五）日召岳軍、雲五、紹昌討論對美交涉方針畢，即照預定之意實施。經國來告克來因（克萊恩）亦接彭岱覆彼之電，已將其日報告甘乃迪詳閱矣，此或彭岱前夜訪葉之由來，而並非其國務院之示意乎？

（五）日正午許次長面報莊乃德以其甘總統有電面呈，余約其十六時來見，除面遞甘函外，並報告其美國務院之意見。余乃懇切說明我對甘派彭岱與葉談話後，所接葉電，對甘誠摯之感動，以及決定辦法，要求美政府宣佈對共匪使用一切權力反對其加入聯合國（連使用否決權在內）之具體政策，然後我國方能商討如何對外蒙不使用否決權之辦法，約談一小時半，彼允轉告政府而辭。

當時並由許次長接葉公超兩次通話說，甘已允於下星期三，照我方之意見，對新聞記者宣布，然察其內容，此言者仍是空調反對共匪入會，而非我所要求者，其間且大有出入，此乃公超欺上賣國之慣行，思之痛心，乃令許轉告其切不可如此，必照昨今兩日所電之原文進行交涉，勿誤。因之憂鬱沉悶，不可言喻，夜間又失眠。

十月七日

本晨手擬致沈、葉各一電，上午主持中常會後訪辭修，再轉入府，與岳軍商談外交，下午心情寬後，乃與妻東遊山上，在森林公園散步，晚九時寢。

十月十一日　星期三

（下午）七時半回寓，辭修來，商對美交涉方針，與公超是否回來？余認為公超再在美國，不惟無助於交涉，只有妨礙交涉，以其自定政策壓制政府，獻媚於外，且必須由其一手包辦而決，非執行其政府之政策也，可痛極矣。……據報，公超應召即來。

十月十二日

十時入府，經兒來談，克萊因（克萊恩）接甘乃迪密電，屬與經國以私人非正式的研究，解決中美間對外蒙入會問題之辦法，此乃甘以我召葉回國以後，急求解決之表示。

十月十三日

朝課後，手擬對美商討解決外蒙案之方針：

甲：必須對我聯合國地位有一確實保證，美於必要時使用其否決權之政策，對我作書面保證，則我對外蒙案不用否決權為最低之條件。

乙：如其總統不作公開聲明，則由其國務卿代表政府作此聲明亦可。若其有難作公開聲明之苦衷，則至少要予我以書面（不公開）之保證。惟其甘總統仍須認我政府為中國惟一合法之政府，作公開之聲明也。

以此方針令經國與克萊因作私人商談之要領。

……據報，葉公超已到台北矣。

十月十四日

一　公超急欲離台回美，且其神經已顯露緊張不安之情緒，是賊膽心虛乎？上午與公超談話，聽取其對美白宮與國務院交涉經過之報告，約四十分時畢。即往中央主持中常會。正午經兒攜與克萊因討論白宮彭岱來電譯文四條，除第二條甘乃迪聲明文中加入「中華民國政府為中國惟一合法政府」外，餘皆同意，尤其第四條甘對余作書面保證，說明阻止共匪入會不惜使用否決權一節，更具誠意，殊為可感。下午約辭修與岳軍密商後，決以同意覆之，晚膳前後皆獨自散步於庭園時，以辭修病，深為憂也。

十月十五日　星期日

一　當四十七年十月底，中美共同宣言中，我以不憑藉武力光復大陸，而葉竟以不使用武力允美方，並謂全照我意定稿，及其發表，完全與我憑藉之意相反之痛心事，葉想又重演一次詐欺乎？

上午朝課後，散步遊覽庭園，在靜觀室中經兒來告，克來因六時電話稱，白宮覆電，昨日台北所同意之建議，甘亦同意須於星期一日作正式文件，經由外交途徑辦理云。十時後召見公超（岳軍在座），問其昨擬對美方案，在祕密保證中不敢提其使用否決權，在其公開聲明中（連中華民國政府為代表中國之惟一合法政府）亦不敢要求，則當有何意義？彼始終認為美必拒絕也。下午以辭修病重為憂，乃以白宮同意消息與內容告之，使其可以安心養痾。

本星期預定工作課目

四　星期四即八日接美國拒絕我對共匪使用否決權之要求時，交涉幾乎中止，面臨最後關頭，乃令公超回國述職，其實彼在美決不敢要求美國作任何讓步之可能。彼果遵令回國，此乃解決內部困難，防止其對外賣國之一大關鍵，與對美外交之成功，同樣重要，而且非彼離美回國，外交決無轉機也。彼星期三歸來，星四日美乃自動要求甘與我作直接解決之道，及至星六幾乎依照我過去要求條件，予我祕密保證之理想實現。此為本週成敗存亡攸關之一週，實亦五十年國慶雙十節重所未有之險境，乃蒙上帝保佑，竟在此際得能轉危為安，是國運昌隆之預報。

十月十六日　星期一

朝課後七時，經兒來告，美甘總統已訓令克來因見我，親遞其昨前次所擬定之辦法，要求我面諾，以完手續。余乃約其九時來見，約談一小時，其電文內容如前，只有一條附錄，稱第一條美國對外蒙入會不投贊成票一節，略有保留，彼註明此為中國代表權有利而或須投贊成票時，祈請諒解云。余認為此一附註如美對外蒙投贊成票，表示中美兩國對外蒙在精神上仍不一致，予我人民又留著一條不需要之痕跡，甚不合理。但此事可由中美代表團協商，非萬不得已時，必照原約不改也。至此交涉初步已告段落，心雖沉重，然認為幸事。十時見岳軍，屬告如約準備一切，對內尤其立法院覆議案之手續。

十月十七日

昨（十六日）十時後上陽明山與曉峰談，曹文彥在四月間報告葉公超之函中之要點，請其重錄示余後，獨自車遊後小道上，即回。……後與妻車遊市區，談葉奸事，傷心痛憤。

本日……四時召見莊乃德，奉其甘總統訓令，口頭向我「保證其阻共匪進入聯合國，有效使用否決權」作祕密保證，以及另作公開聲明，始終認我中華民國政府為中國之惟一合法政府云。余答其中國對外蒙不使用否決權，並要求美國在安理會對外蒙不投其贊成票為要。

十月十八日

昨日莊大使口頭補述其甘總統祕密保證後，余以為必有其書面紀錄其訓詞正式遞送我為祕密保證，孰知莊於辭出時，與我許次長談話之意，即以此口頭保證而已，言下似乎再無書面保證也。余乃令許立告莊，必須補遞書面，方得謂之祕密保證也，莊乃允補遞，此一經過可知外交不能有絲毫客氣與放鬆，如一不留意，即可造成口說無憑，等於空言，毫無根據之交涉矣，危矣哉。本日朝課後，令經國往訪「克來因」詳告莊大使有不提書面保證之意圖，並告其如莊今日書面保證或提「洩漏此事，美將作外交之否認」字樣，則我必不能接受，勢必退還之警告。後知克訪莊檢閱該書稿，果有此語，勸莊不提，十時莊提該件，並無此語，則此一中美間重大關鍵鬥爭，幾近半年，至此得告一段落矣。

十月十九日

昨（十八日）十一時前，許次長報稱莊大使遞來甘保證文件，一如余言，此心乃安。自四月起美國務卿以承認外蒙，准許其進入聯合國。製造兩個中國，允准共匪進入聯合國，以及台灣為台灣獨立國等等民主黨行動委會之十二年來對我之陰謀，全盤托出，在此六個月間對美之奮鬥，悲痛誠不知所止，最後卒能依照預定方針實施無誤，其大部關係在於經國與克來因二人合作之為也，竟使此一已成失敗之局，得轉危為安，感謝上帝保佑，不忘。正午訪辭修病於橫溪，甚覺其病狀嚴重為憂。

十月二十日

昨（十九）日午睡甚酣，約一小時半，此為數週來最能安眠熟睡一次也。以對美外交問題得能如此解決，不僅對外可以建信，更是對內得以消萌耳。內奸葉逆自不敢撒狡抗命矣。

本日各報已見甘乃迪之特別聲明，即「一向認中華民國政府為中國的惟一政府，及其堅決反對共匪加入聯合國各機構」之宣佈，九時後入府會客，十一時主持宣傳會談，討論外蒙入會與甘乃迪聲明事約二小時，指示對此宣傳要旨後散會。

十月二十一日

一、葉逆之處理步驟：

甲：下週末暗示其自動辭職，行政院派為顧問，與

乙：令其自反自新，安分修養，

丙：駐美大使人選

（子）廷黻

（丑）之邁

丁：人選未定前，派員暫代館務。

朝課後輪閱各報對甘乃迪聲明之社論，大體反應頗佳，十時主持中央常會，討論對外蒙加入聯合國我在安理會投票之方針，詳加辯論，約二小時半。最後結論反對外蒙之政策不變，而投票時准由行政院訓令代表團應予權宜行事（其意在不行使否決權也）。

上星期反省錄

一　星一，「克來因」來見，提其甘總統對我之保證內容文件，面報是否同意，余允之。星二，莊來德將其甘總統行使否決權之祕密保證先作口頭代達，次日再作書面正式保證。星三，甘在華府發表其公開書面保證，於是數月來中美之糾紛，至此乃告一段落。而對外蒙入會問題，余仍以反對方式行之，惟不使用否決權，乃舍小全大，認為轉敗為勝，轉危為安之惟一樞記也。

十月二十三日　星期一

往國防研究院主持中央政策委會三小時半之久，最後分析國際局勢與我否決外蒙入會後之孤立與夾擊之下，更使我反攻復國總目標之絕望，其要因為美民同情於我者與世界輿論皆將對我反友為仇也，於是決議，卒得全體一致通過。

十月二十四日

本日上午記事，修正致甘乃迪函稿，表示對其公開與非公開各保證文件收悉，與我立法院今日同意我對外蒙不使用否決權之經過，詳告，乃得解決此一共同困難問題，互相慰勉之意。……下午重修致甘函稿，並屬夫人修正英文稿。……立法院六時終結，大多數皆支持對外蒙放棄否決之政策，至此本案乃告一段落矣。

十月二十五日

立法院同意對外蒙政策後，無異如釋重負，心神頓覺輕快，三週來對外、對內此一激烈轉變，終能達成此預期目標，而且毫無缺失，不僅為平生奮鬥在政治上一件大事，而且國家民族安危存亡攸關之大事，如此解決，自覺欣幸為慰，特別是在七十五歲（舊曆）生辰正日之一天，更可告我先慈在天之靈矣。

本日上午……令經兒勉克來因，並屬其祝謝「彭地」（彭岱）對此次中美外交關係斡旋努力之成就也。

十月二十六日

昨日聯合國對於外蒙入會案，我國不參加投票，表示不承認其為一個獨立國家，保留我不放棄主權之意，但外蒙乃因我不使用否決權而竟得入會，此乃俄共十五年來併吞外蒙政策之實現。我國惟有在此國恥重重國土未復之際，勉勵全國同胞益加發奮圖強，在冷酷嚴肅之中，同仇敵愾，誓復失土，湔雪恥辱也。

上午入府與岳軍討論公超處理問題後，……下午考慮處置葉逆問題，與辭修在病中，何說明使之諒解，而且不增其憂慮也。

十月二十七日

一　處治葉逆問題從速解決。

二　繼任美使人選，蔣廷黻、陳之邁、陳立夫？上午致辭修函，為處理葉逆問題之商討，並附葉逆之逆跡一份，使知其事實也。……批閱簽發甘乃迪與池田等函件。……上午聞「魯斯克」訪日不能便道來訪，其表示謝絕對我在外蒙問題不滿之意乎？聽之。

十月二十八日

一　偽蒙昨日在聯合國大會通過加入該一世界組織，我國代表仍正式聲明其為俄共附庸，無獨立資格加入此一組織後，不參加表決，以為保留我國主權並未放棄之作用，此一問題之最後決策改變否決政策者，雖為美國總統之公開與祕密之二種保證，使共匪不得參加聯合國，而且消除其兩個中國之陰魂，而實則最後衡量乃亦為美國一般民心須待我國到了共匪加入聯合國時，乃作決絕退出聯合國之舉，非此不能得其朝野諒解，以為我國有意與美為難，以破壞聯合國之組織由我而起，反使其抱怨於我耳，故最後作此斷然之改變也。

十時主持常會，作沉痛訓示（為外蒙入會）。

本星期預定工作課目

一　上週乃為我政府對偽蒙加入聯合國改變其否決政策之最後決定，亦為俄共對聯合國的破壞與對我勒索之侵略陰謀得逞的紀念，實為我政府十五年來為外蒙問題重受恥辱失敗之結果，沉痛何如？

十月二十九日　星期日

十時後與岳軍談葉逆處理問題。

十月三十日　星期一

致辭修函，對駐美大使人選以蔣廷黻為宜之意告之。經兒來講，公超今晨與其講話，承認有過而無罪，尚望其辭職後予以國策顧問名義，在台思過，最好准其先返美交代云。十時半入府，……復與岳軍談公超事之處理，認為對外尚有顧慮也，下午與妻經橫溪，訪辭修病。

本月大事記

一、為外蒙案對美交涉之經過

甲　第一週，即二日清晨對外蒙否決政策作最後重新之考慮，有鑒於三日安理會即須決定此案，甚感對美外交之微妙的危機，乃令經兒向克來因提出對白宮最後之警告，以盡我應盡之道義也。此或亦為自我作其智能與靈心之考驗，又進一步乎？

乙　第二週，即八日因接莊對我要求之拒絕，交涉又告中斷，中美關係頻臨最後關頭，乃令公超回國述職，亦示美以決絕之意。忽於十二日當公超離美之時，甘乃自動與我作直接解決之提議。十三日公超回台，十四日甘乃依我從前要求，惟其對匪入會時美使用否決權之要求，改為祕密保證，余即允其所求，而公超尚誇稱其與白宮能如何接近，與交涉之有力，安知甘已完全依我要求，直接解決。此即公超認為徒增反感，決難提出之條件也。

丙　第三週，（十七至十九日）甘之公開與祕密各保證，皆如議完成其手續。於是八個月來中美外交之微妙關係，乃得告一結束，而我不否決外蒙入會之政策對將來為成為敗，須待今後反攻復國行動推移而定。然為本身與美國以及聯合國大局計，則此政策之轉變，乃為唯一可循之道路也。

丁　第四週，此為外蒙加入聯合國，亦為俄共對聯合國與對我國之勒索，與侵蒙陰謀得逞，我十五年來為外蒙問題奮鬥失敗之結果乎？心情沉痛無已，惟期復國有成，最後仍得收復此外蒙失土，雪此恥辱乎？

（阮按：其後另有一紙寫本月工作，另書甲乙丙丁等事項，在其（己）項有文曰：）

己　公超問題乃因對美外交而亦得如期解決，此乃祛除了政府內奸與後患也。

十一月一日　星期三

一　美史丁文生（史汀文生）又作其排華容匪進入聯合國之威脅，表示彼對廷黻稱前約中國代表權在大會表決時擬提為重要性質問題，現則不成云。可知美國民主黨左派對外交絕無信義可言。此乃自甘乃迪作雙重保證後不到十日，而其外交代表特作其相反之言行，尚能與之合作同群乎？此當果真如此，則我應決心退出聯合國，再不多作一〇三國之奴隸，以致最大敵人共、俄等之俘虜矣，能不自立乎？

十一月二日

……與岳軍商談蔣廷黻職務，及其與史丁文生商議代表權為重要性質與決議案、與程序案的戰術，聽取許紹昌報告分析後，其問題似不嚴重也。電令廷黻速受駐美大使任務，以岳軍名義轉達方式行之。

十一月三日

上午入府會客後，接廷黻來電，與美交涉對代表權決議文之問題，最後電稱美國自動恢復其原有之主張，作為原則性之決議，即承認重要性質之案，而取消前日所提程序性決議案，可知美國政策無主（不定）為危，此必由其白宮改正其國務院對華失信而不當之政策，以為不能再對我失信乎!?

十一月五日　星期日

一　對外蒙案經過，與美交涉前後得失及所提條件之檢討，特別對於中美協防條件之修正問題，可否在當時提出要求，更應研究也。

二　葉之名義應否在此時給予，亦應考慮。

本晨閱報，「魯丑」在日對記者宣佈，共匪今年不能進入聯合國，即為其對我中華民國明年能否仍在聯合國之意，識者皆認為其對我國之侮辱。而《中央日報》反以美國永不放棄我國為標題，不勝憤慨，於是又暴氣動怒，其實不必如此，徒自傷神而已，戒之。

十一月六日　星期一

辭修今入榮民醫院。

十一月七日

與岳軍談葉事。

十一月十一日（記上星期反省錄）

一　美國外交對我毫無誠信，而以其駐聯合國代表國史丁文生為甚，其對我代表權必欲組織審查會為附帶條件，則其兩個中國之幽魂未散，更為明顯，余應嚴正告誡，並示最後之決心。

甲　我不否決外蒙入會後，對我代表權為重要案之通過已有足夠票數，不必再付審查也。

乙　如審查小組之設立，不僅美為此更自找其困擾，且為俄共集團牽引共匪入會保留其有利的地步。

丙　此為美國兩個中國政策復活之作用。

丁　此與甘乃迪宣言認我為中國惟一合法政府，始終反對共匪入會之精神完全相背。

戊　犧牲否決外蒙，實為體視美國之艱難，而今所得結果，反予我以重大恥辱。

己　美如不欲設置此一審議會，則無以通告我一年後不能保證共匪不入聯合國，暗示我早作退出聯合國之準備也。吾人自當好自為計，決不願吾作他人之附庸，而更不願成為聯合國內各國之奴隸與俘虜耳。

本星期預定工作

一　本身工作：

甲　美對我代表權為重要案件之約定，忽而反約要改為程序問題，最後卒因我之反對而仍允照約實施，未知其後尚有變化否？

乙　駐美大使人選，已由廷黻接受，決定矣。

十一月十三日　星期一

上午分別召見乃建、經國與岳軍，指示修正中美協訪條約之提案等要旨。

十一月十六日

正午訪辭修及其夫人病，並商談常委自由選舉方式，與九全大會案。

十一月十七日（阮按：十六日中全會閉幕日。）

續昨（十六日）致閉幕詞一小時完。

本日……美國務院同意蔣廷黻為駐美大使案，此乃對葉處理問題已告一段落矣。下午與昌煥談美外交與聯大代表權，對其組織委員會決反對，並召莊大使明日談話，予以警告。

十一月十八日

駐美大使蔣廷黻兼任，與任葉為政務委員，使此事暫告一段落也。

上星期反省錄

一　美國於週四日同意蔣廷黻使美，乃於週六日明令免葉大使職，任蔣為駐美大使。因內外關係，仍任葉為政務委員，使葉案暫告段落。但其奸詐罪行，恐難改變，姑再試之。

二　對美外交，雖因葉逆調離美國，舊事略告段落，但聯合國代表權為重要問題的一事研究委員會的條件，美國務院兩個中國陰謀仍在，不能不繼續苦鬥也。

一　與美大使（星六）談聯大代表權，組設委員會之陰謀，以為玩弄我國之把戲，以及痛斥其國務院此表現之言行完全違反其甘總統對中國最近聲明之精神，我國決反對此委員會之設立，屬其正告甘總統與國務院也。

附錄四：〈曹文彥報告〉

報告出處：國史館《大溪檔案》，檔案號碼：005-010208-00022-002-009a 及 005-010208-00022-002-012a。

去年某日（曹自註：在日記中有記載——日記未帶在身邊）葉在大使辦公室談及哥倫比亞大學用口述方法，作中國名人傳，關於陳立夫先生時，彼謂「陳立夫應將蔣當年在上海經營交易所如何失敗，在廣州嫖那幾個妓女敘入，才有意義」等語。（此節已於去年十二月間專約立公在紐約敘晤時面告。）其信中侮辱元首，往往而是，不一而足。

葉大使乃元首之代表，經常辱罵鈞座，殊難想像。彼於雙橡園大使館官邸宴客時，每效鈞座談話，刻畫鄉音，並謂陳立夫應將鈞座在滬經商失敗經過，列入名人傳中，又有其他惡言。（此為立夫面告曹君者）

民族雜誌有台灣獨立之謬論，蓋假託台灣某君投書。（亦由用邱創壽君之名去函，邱為台灣學生）曹君所擬辯正書，彼予公開刪改，內有“While I do not whole-heartedly support the Chang Kai Shek Government now on the island.”（我雖非全心擁護島上蔣介石政府）之語，竟用「蔣介石政府」字樣。並對淩參事崇熙說，一字不能改，經曹君力爭，謂設使該刊斷章取義，這足助長倡台灣獨立謬說者之氣燄。葉聞言怒形於色，以英語對曹君說：

“In America no one whole-heartedly support the government, Chang Kai Shek is nobody-a dog!”

在美國沒有人全心擁護這政府。

蔣介石是什麼東西——一條狗！

曹不為所動，結果仍照曹君之意發信。（曹並附有葉親筆刪改之原件，已退還，未拍照。）

據文化參事處處長顏絜密告，葉在紐約某處宴客會中，亦曾發如此狂言。謂得之於外交界某人。未說明何人。

葉常在辦公室辱罵「國民黨是臭的」。華府人士如郭鴻聲先生等，均深鄙其為人。

葉於每日下午四時到辦公室，辦公時間約四小時。

本年三月間葉與經濟參事王蓬及總領事數人，在雙橡園官邸豪賭，至午夜後三時方散，接連二夜。

曹君曾蒙總統兩度召見嘉勉。復在陽明山親沐熏陶，難安緘默，經與朱公使撫松在芝加哥密商後，在波士頓旅館中作此報告。

第四章 雜 俎

- 引 言
- 蔣中正強迫汪精衛出任國民黨副總裁之經過
  ——兼評張發奎將軍回憶錄有關此事之記述
- 一石擊破水底天——初聞蔣中正逝世之雜想
- 法律與人情孰重？——由毛夫人與蔣夫人說起
- 一九四九年蔣中正抵台行止略記
- 一九四九年蔣中正神祕的「台南之旅」
- 由魏大銘回憶錄解析戴笠墜機身亡之謎
  ——兼談八德鄉滅門血案與此之關聯
- 一九六三年蔣中正日記中的三條令人驚奇的記載

引　言

一、本編各文內容之簡介

這本《放聲集》之出版是一時之偶然，當我在報章雜誌上發表拙文時，事先並沒有打算將之結集成書。因此在集合各文一起出版時，分門別類，有些可以合成一個聚落（set），自成一章，有些卻因題材各異，而且篇幅又不夠長，便成了無所適從，乃集合在一起而名之曰「雜俎」。這些篇章並非因之分量不夠，只是在事後編輯時因技術問題而產生的離群之馬而已。

在本章中所包括的七篇文章之內容介紹如下：

㈠〈蔣中正強迫汪精衛出任國民黨副總裁之經過——兼評張發奎將軍回憶錄有關此事之記述〉仁按：此事發生在一九三八年四月一日，於武漢所召開的國民黨臨時全國代表大會中。當時先父毅成公擔任了汪先生的特務祕書（即機要祕書），是此事之目擊證人，拙作是根據先父在一九八〇年代口述的回憶而寫成的。

㈡〈一石擊破水底天——初聞蔣中正逝世之雜想〉，寫於一九七五年，是用隨筆方式寫的。其中所言，至今猶為如是。

㈢〈法律與人情孰重？——由毛夫人與蔣夫人說起〉。這篇文章是我在二〇〇三年重新拾筆後，用「夏宗漢」的筆名替台北出版的《法令月刊》所寫的「如是我聞」之專欄中所發表的。寫的雖是蔣中正家之私事，亦可以用芥子之小以觀大千世界，是屬於軼事逸聞之小品文字也。

㈣〈一九四九年蔣中正抵台行止略記〉。這篇短文是為了答覆《傳記文學》月刊的一位讀者車守同先生之質疑而寫的。起因是在一篇拙作中我引用了張佛千世伯告訴我的一個故事，談到蔣中正、孫立人與彭孟緝三人同車同座的趣事，車先生乃提出疑問。我去查閱了蔣先生日記，結論是無可考查。在蔣日記中於那段日子裏並無召見彭孟緝之記載，而召見孫立人則有兩次，目前只能存疑。

㈤二〇一三年四月裏，承陶希聖先生的三公子恆生兄出示，陶公留下的「小日記本」及「日記摘存」之節錄本，都記載了在一九四九年五月二十日夜八時半，蔣中正先生到達台南。我稱此為蔣先生的「台南之旅」。蔣日記中沒有記載此事。並承沈克勤大使面告，那次孫立人將軍去高雄左營接艦，我將沈著《孫立人傳》、陶先生的日記所載，及蔣日記三相比對，寫成了〈一九四九年蔣中正神祕的「台南之旅」〉一文，發表於傳記文學月刊。

㈥在前文「台南之旅」發表之後，傳記文學月刊的一位讀者樓文淵先生來書，引用了蔣先生官邸內衛人員的工作日誌，樓先生認為前文中我所引用的陶希聖與沈克勤兩位先生之記載為不足，此文則是我的回應，把樓先生所記述者與陶、沈二位之記載逐條比照，證明三者之間是可以相容，並無矛盾之處。此後承樓先生再次來信作出回應，因為《傳記文學》月刊決定不再予以刊出，而將信轉寄給我，我乃即刻回信，並將對樓先生之再次回應在此刊出。

㈦〈由魏大銘回憶錄解析戴笠墜機身亡之謎〉。發生在一九四六年三月十七日的戴笠座機撞山事件，對國共內戰的影響甚大，而其成因至今猶未能定案，可以說得上是為眾說紛紜，莫衷一是。本文是根據戴先生生前重要助手之一的魏大銘中將晚年的回憶錄所寫成的。令人驚奇的是，戴先生此次先去北平，回程經過青島過夜，再飛南京之原因，是在他於即將出任國府海軍總司令之前夕，去北平招撫偽滿之數十萬大軍以便轉組成其所屬之海軍陸戰隊，並去青島與美海軍第七艦隊司柯令克上將會面，以取得美軍儲存在青島之大量武器之清單，再飛回南京去向蔣中正先生當面報告也。

本文也附帶說明了一九六〇年代震驚台灣的「八德鄉滅門血案」與戴先生意外身死一事之關係。

㈧〈一九六三年蔣中正日記中的三條令人驚奇的記載〉，這三條記載分別是：一、時任中華人民共和國水利部長的傅作義將軍向蔣中正先生表態，要「悉貢所能」，支持國府反攻大陸。二、蔣中正表達悔意，自認當年錯怪了胡漢民先生。三、蔣先生痛罵日本之侵略中國。

二、尾聲

以上本書各編各章所收之拙作，是以蔣中正先生之生平為核心，大多採用了他的日記為資料去分析各種史事，其實這方面我尚未擱筆，而且與蔣先生有關的已經發表過的拙作也未完全收入本書中。例如一九七〇年代，針對當時日本《產經新聞》所主稿，由台北《中央日報》翻譯連載而成書的《蔣總統祕錄》，我曾連續發表了許多篇評論。可是在整理存稿時，至今我只找到了一篇，此即〈張之洞、李鴻章與台灣民主國——評蔣總統祕錄之五〉。因此在本書中只有暫時從闕，將來如有機會，再予另出一輯，把此次未能收入的篇章，以及未來可能發表者再予以收輯成書可也。

蔣中正強迫汪精衛出任國民黨副總裁之經過

——兼評張發奎將軍回憶錄有關此事之記述

一、前言

香港鄭義（胡志偉）先生翻譯及校註的《蔣介石與我——張發奎上將回憶錄》第二五七頁有文曰：

我們所期待的事終於成為現實，蔣先生當選中國國民黨總裁後，他陪同汪精衛走上講台說：設立副總裁職位是個好主意，而汪先生是此職位的最佳人選。你看，如果副總裁由黨代表選舉產生，汪精衛可能選不上。「誰會當選？陳果夫。蔣先生知道CC系的實力，這才指定汪出任副總裁」。「汪先生熱淚盈眶」。國民黨左派很不高興。「他們流淚，我也哭了。我感到，站在國民黨的立場，汪精衛應該當選總裁，而不是蔣先生。依據黨的歷史，汪先生比蔣先生資格老得多。蔣先生無權獨攬黨政軍大權。他在政治上否定了汪先生，沒有提及軍權，同樣不賦予汪先生黨權，太過分了！」

這段文字是記載一九三八年三月汪精衛先生在武昌出任中國國民黨副總裁的故事，其重點為：

一、當時ＣＣ反對汪氏出任副總裁。

二、如果由黨代表選舉產生，則汪氏當選不了，可能由ＣＣ派領袖陳果夫先生出任副總裁。

三、汪精衛當了副總裁後「熱淚盈眶」。

其中第一及第二點並非實情，至於第三點雖是事實，卻須要加以說明，此即汪先生的「熱淚盈眶」是悲憤之極的痛心之淚，絕非感激之淚也。

先君當時擔任了汪先生的「特務祕書」——即替他拎皮包的機要祕書，在一九八〇年代，即此事發生了四十多年以後，先君曾口述其經過給我聽。由是可知，汪精衛在一九三八年是被蔣中正先生半騙半逼鴨子硬上了架，才會出任國民黨副總裁的了。

二、先君曾擔任過汪精衛的特務祕書

一九三八年一月先君辭去浙江省第四區行政督察專員兼區保安司令之職務，由金華去了武漢。當時首都南京已經被日軍攻佔，國民政府遷都重慶，但是軍政重心則在武漢。

根據先君的自述，他在三月出任軍委會政治部設計委員，部長為陳誠將軍。五月兼任國民黨中央宣傳部祕書，部長顧孟餘先生未到任，由次長周佛海先生代理。七月出任國民參政會特務祕書，參政會議長為汪精衛先生，副議長為張伯苓先生。八月任浙江省政府委員兼民政廳長，離開武漢，返回浙江戰時省會金華。因之先君此次在武漢停留了七個月。一九六〇年代先君根據其生活日記在台北補記了這七個月的工作日記，裝訂成一冊，題為：《中央工作前記(一)——軍事委員會政治部、中央黨部宣傳部，二十七年二月至七月》，迄今未對外發表。

或許因為汪精衛先生在一九三九年春天後投靠日本，成立了南京的「偽政府」，先君在這本「中央工作前記」中就不曾記載他擔任汪先生「特務祕書」的那段短暫的工作經過。

先君在一九七三年三月另外寫了《毅成自撰年譜及自述卷二》，這是一份並未對外公開發行的打字本，只在親友間傳閱。關於他在一九三八年去參政會工作的經過，其間曾有簡單的記載，今節錄如下：

六月下旬，國民參政會將要成立。二十八日，我忽奉派為該會的特務祕書。同時奉派的，有端木愷、李迪俊、張廷休諸兄。我究竟是由何人推介，到現在事隔數十年，仍不知道。議長為汪精衛，我只於抗戰前在南京見過一次，那是交通部在中山路的新建大廈落成，我去道賀，適汪亦在場。朱騮先先生時任交通部部長，為我介紹，彼此寒暄了幾句。副議長為張伯苓先生，他一向在北方辦學，我從未見過。因以汪、張二人，不會提到我。祕書長為王雪艇（世杰）先生，副祕書長為彭浩徐（學沛）君，我也問過他們兩位，他們都說並未為我提名。

國民參政會參政員名額，原定為一百五十人。因不足網羅時賢，乃於審議名單時，臨時修改組織條例，增為二百人。在籌備期間，沒有任何人來與我談過參政員提名的事。浙江省的參政員，由浙省黨政雙方向中央推薦，我既已離開了浙江，也不會有人想到我。待全體參政員名單於六月十六日公布之後，有人對我說，在浙江省學術類參考名單中，曾將我名列入，但我事先並未知之。

六月三十日午刻，國民參政會正副議長，在漢口商業銀行宴請祕書處重要工作人員，這是我第二次見到汪精衛。汪見面就問我是否尚在辦刊物？因為我們當年所辦的時代公論，對汪的不抵抗政策，攻擊得很利（厲）害，可能他內心頗以為憾。

先君這段文字寫於一九七三年，與他在一九八〇年代對我所作的口述回憶相比較，有兩點不同之處。首先即在時間上什麼時候他開始做汪先生的祕書，兩者有了出入，詳見後文。其次則是與先君同時奉派去參政會擔任祕書的還有一位，即是雷震（儆寰）先生。可能因為在一九七三年時雷先生已入獄，所以先君在書面回憶中就把他的名字漏列了。其實這項任命對雷先生的仕途極為重要，他此後長期停留在這條「統戰」戰線為國民黨服務，先後擔任了抗戰中及其後的參政會副祕書長，與行憲後的國大副祕書長。至於其他幾位，包括先君在內，例如端木愷、李迪俊、張廷休等人在日後都離開了這一類工作，各有發展，分別在法律、教育、外交與政治等方面各有所成也。

此外，並非由蔣中正先生這一邊所委派，而是汪精衛先生自己派用的祕書群中，先君特別提到了史良女士的名字，她是中共在一九四九年建國後的第一任司法部長。

先君並未告訴我是誰向汪先生推薦他的，我判斷應該是周佛海先生。周先生當時是蔣中正先生侍從室的副主任，是陳布雷（主任）的重要助手，而陳先生一向看重先君。此外周先生兼任了中宣部次長（代理部長），先君則是部中的祕書，以今日已公佈的周佛海日記去看，他當時甚為倚重先君也。並且在一年後，即一九三九年春天，周佛海跟隨汪先生出走去組織南京政府，可見此時他們兩位已走的很近的了。

可是汪先生為什麼會接受先君去擔任他的「特務祕書」呢？我判斷可能是基於下面幾個原因：

㈠汪先生與先祖父阮荀伯公在清末光緒年間，是留學日本東京法政大學的同學，對汪先生來說，先君是故人之子也。

㈡他讀過先君的文章，知道先君的才氣與中文程度。

㈢先君是法國巴黎大學的碩士，而眾所周知汪先生非常喜歡法國，在國內政壇一受挫折，便遠走法國去也。

總之，先君就成為了汪精衛先生的「特務祕書」了，雖然為時短暫，卻讓先君有機會去了解到汪先生出任黨副總裁一事之經過了。

此處我要指出來的，是先君的口述回憶與書面回憶有其不同之處，亦即先君是在什麼時候開始進入汪先生的幕中的？書面資料寫的是在一九三八年七月，先君擔任了新成立的國民參政會之特務祕書，汪先生是議長。可是先君在口述回憶中告訴我，在同年四月一日那天，黨代表大會推選正副總裁時，他已經坐在主席台上汪先生座位的背後，而且台上只有他們兩人。

我判斷情形是這樣的。

先君在一九三八年一月底到武漢，不久即進入國民黨中宣部擔任祕書，周佛海先生為次長（代班部長），汪先生是黨的中央政治會議主席，是中宣部的頂頭上司，大約是汪先生此時須要再找一個新的機要祕書，周先生就推介了先君，不過此時先君的職缺是黨職，而且仍在中宣部。一直要到七月初，先君才奉到國府明令去兼任參政會的特務祕書，成為汪先生在政府單位中名符其實的機要祕書之一。然而才做了一個月，先君就奉令出任浙江省政府民政廳長而離開了武漢，也就不論在黨或政兩方面，都不再留在汪先生的幕中了。

因此在一九七三年先君在台灣寫下書面的自述時，為了減輕他與周佛海及汪精衛兩位的密切關係，把自己進入中宣部的時間延後到五月，而入汪先生幕中的時間就延後到七月初了。

終先君一生，他從來沒有在我面前辱罵過汪精衛先生，並且始終尊稱他為汪先生，而不直呼其名。此與他數十年中稱呼蔣中正先生為老先生，蔣經國先生為小先生一樣，是一體待之也。

先君是堅決抗日反日的民族主義者，即使在抗戰結束後的幾十年中間，終其生不用日本貨。在汪先生組織南京偽政權後，先君時任國民政府的浙江省民政廳長，是浙省政壇的第二號人物。汪先生曾寫私信託人轉交給先君，要先君去出任他手下的浙省省長，也為先君當場口頭堅拒，亦置之不理而不予寫信作答。由此可見先君對汪先生個人雖然一直保持禮貌，但是在民族大義方面，是堅決抗日，決不會有苟且之想的。

先君自言生平見過三位美男子，即汪精衛、周恩來與梅蘭芳。他離開武漢回金華時，汪先生寫了一個小楷扇面送給他作為留念。戰後汪已逝世，先君請余紹宋先生畫一幅扇面，將之與汪先生的書作合裱而成一把摺扇，珍藏之。按汪先生與余先生在清末留學日本法政大學，都是先祖父的同學。此扇面今在舍妹大杭手中。

先君在書面回憶中沖淡了他與汪精衛及周佛海兩位的關係，但是也因此使我發現了與他口述回憶中有了時間上的矛盾之處，謹記於此。

三、蔣中正強迫汪精衛出任國民黨副總裁之經過

在孫中山先生在世時，他以總理的身分個人領導全黨。一九二五年孫先生逝世後，國民黨改為集體領導制。到了一九三八年，即行之長達十三年後，蔣先生忽然提出設立總裁職位，要恢復集大權於一身的個人領導。當時汪先生是國民黨中央政治會議主席，此會相當於今日的中常會，是黨的最高權力機構，因之汪是名義上國民黨的領袖。那麼除非由他出任新設的總裁，否則便是在無形中把他降了級。

蔣先生當然要自己做總裁，因此要汪出任新設副總裁，這是名為第二，實則是虛位，汪當然不願屈就。

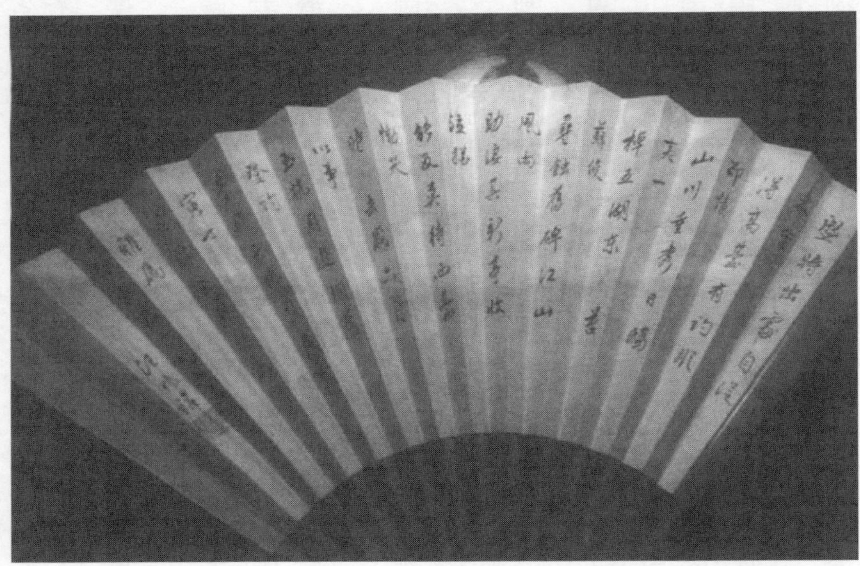

◀上圖為余紹宋的畫作。下圖為汪精衛送給阮毅成的小楷扇面，兩首過桐廬登釣台的絕句，頗見其心中志業。

誠如前述所引用張發奎將軍回憶錄所記載的，當時支持汪先生的國民黨左派都認為總裁大位非汪莫屬。

也就是說國民黨的右派支持蔣，左派支持汪。只是在一九三八年抗戰中間，蔣先生的實力遠大於汪先生，此時已成「槍桿子出政權」，戰時軍人的勢力大漲，然而這是違背國民黨的歷史傳統的。如果理應如之，則蔣先生不必等到一九三八年才心生此念，在一九三〇年中原大戰之後，他就可以搶奪黨權了。

在此雙方爭權之際，先君卻成為一個歷史的微妙見證人。作為蔣先生支持者的右派人士，他卻是左派領袖汪先生的機要祕書。在此事發生了四十多年以後，大約在一九八〇年代，先君口述回憶，告訴我，有一天汪、蔣會面之後，汪先生很高興地向他說：「委員長答應我了。」原來這一次汪去見蔣，便是要求蔣允諾他的請求，汪不願出任副總裁，蔣乃面允此事。

那一次國民黨的全國黨代表大會的場地是在武昌，台北傳記文學社出版的《陳布雷回憶錄》一二九頁有文曰：

> 三月舉行臨時代表大會於武昌，（先時議決開會地點後，林主席等尚懷疑，以為應在國府所在地開會，蓋誤以為汪所主張也，及知為蔣公意，乃欣然贊同。）在珞珈山武漢大學開會，會期先後十日，蔣公有極痛切之開幕詞，會議中會場一致議決修改黨章案，推蔣公為總裁，而汪副之。蓋蔣公意存謙讓，以汪為革命舊人，望其兼負領導革命之責，然汪於接受推舉之即席演說中，即有不自然之情態見於詞色，余等皆察覺之，頗引以為憂。

據先君說，四月一日的場景是這樣的。

當天的全代會在推選總裁與副總裁時，蔣先生為了迴避，並未出席，所以由汪先生擔任大會主席。

偌大的主席台上只坐了兩個人，放了一張桌子，汪先生作為主席，坐在桌子正中的後方，先君作為他的祕書，則坐在他身子後面，大約一肩之距。

台下坐了黑壓壓的一大片代表們，以及列席的黨政人士。只見坐在第一排的吳稚暉先生站起來，大聲宣讀他的提案；他提名蔣中正同志為總裁，汪兆銘同志為副總裁，列為一案，一時全場掌聲如雷響，全體起立以表支持。

坐在台上的汪先生此時臉色鐵青，亦隨眾起立鼓掌。先君因為知道先前的蔣、汪密會，蔣先生在事先已答允汪先生不擔任副總裁之事，當然深為意外，因之也了解汪先生何以「有不自然之情態，見於詞色」。可是不知情者如張發奎將軍甚至會以為那天汪先生在主席台上接受副總裁職務時的「熱淚盈眶」，是出於感激者也。至於陳布雷先生在他的回憶錄中沒有談起蔣、汪之間的祕密諒解，是蔣先生欺騙與侮弄了汪先生一事，是陳先生不知道，還是故意不提起此事以維護蔣先生的聲譽，就不得而知了。

▲汪精衛與蔣中正貌不合神亦離。

四、由蔣先生日記去看此事

為了查證先君所說的蔣、汪會面，我到史丹福大學胡佛研究所去查閱今已公佈於世的蔣中正先生的日記。

先君是在一九三八年一月二十七日到達武昌，而蔣、汪兩位在四月一日的國民黨臨全會當選了正副總裁，因此前述的蔣、汪之會如果發生過，應當是在二月與三月這兩個月之間。謹將蔣先生日記這兩個月內有關設置總裁以及與汪先生會面之記載，逐條抄錄如下（按：蔣先生日記原文沒有標點符號，因此引文中的斷句及標點是我加上去的）：

二月十七日　預定（欄）　五、黨務改革。

二月二十五日　注意（欄）　二、黨制與政制。

二月二十七日　與汪先生談外交、黨務、政治與代表大會宣言大意，皆有決定。

三月十一日　黨改領袖制。

本日與汪先生協商全國代表大會案，彼實不願黨魁制也。

三月二十一日至二十八日之本週準備重要事項：

甲：總裁制之研究（對外與對內）。

三月廿九日　提要（欄）　此時設立總裁，至少可以表示本黨不妥協之決心，與敵人以精神上之打擊。

本日本黨開臨時全國代表大會，提案多主張確立總裁制，為抗戰與黨國計則有益，為個人計則有損也。

四月一日　本晚大會推余為總裁，惶恐慚愧，明知責任重大，不敢謙辭也。

注意（欄）　對總裁責任應當仁不辭，以救國與對外之道，已無他法。此為最後一著，實與抗戰增加實力不少而確定黨團重心，無異與敵精神與其策略上一大打擊也。

以上是逐條抄錄蔣先生日記中，二月、三月至四月一日有關黨務、全代會與選舉總裁之文字。其間蔣、汪二人曾一對一見面兩次，即在二月二十七日與三月十一日。蔣先生在日記中通常只記載見面者之名字，往往用其別號，如稱呼陳誠為辭修，張羣為岳軍等，並且甚少記載與之見面時的談話內容。可是對汪精衛先生則是例外，蔣有時尊稱為汪先生，有時只寫「汪」一字，而且每每記載當時的談話重點。

按照蔣先生的記載，在二月二十七日那一次會面中，沒有談到設置總裁一事，而且兩人的談話在各方面「皆有決定」。可是在三月十一日那一次會面，蔣先生要設置黨總裁，而汪「實不願黨魁制也」。

我判斷先君所說的蔣、汪那一次會面，蔣先生面允汪先生的請求，答應汪先生不出任新設的副總裁一職，應該是在三月十一日的會面。

比較合乎情理的判斷是汪在會面中反對設置正副總裁，而且為了表示他的主張並非為一己之私，他會說這兩個職位我都不要。汪氏明著說是兩個，其實總裁非蔣莫屬，那就是在表示不要副總裁了。而蔣則順水推舟，表示同意，也就是說你汪先生自己不要做總裁，那由我來當，你可別生氣。

換言之，我判斷蔣志在總裁，而汪的本意在辭副總裁而不就，兩個人對汪的發言各有所取，都只聽進去了自己想要的那半句話。汪離開會場後告訴先君「委員長答應了我」，是只顧著想他自己心願的半句話，殊不知蔣聽進去的卻是汪先生另外那半句話也。

當然這只是我的判斷，現在蔣、汪二位都已作古，兩位對此會面有關副總裁一事都沒有留下書面的文件。而先君的證詞只是出乎汪先生個人對此會面所作結論的了解，先君並不在場，我在此也只有說到這裏為止了。

查看蔣先生在那一段時間中的日記，我發現了下面幾點，足供分析：

㈠當時蔣先生思考的重點是軍事，並非黨務，一如前述，在兩個月內有關黨務者只此寥寥幾條文字。

㈡在那段日子裏蔣先生在日記中從來沒提起過「副總裁」這三個字，不論是在四月一日選舉之前或以後都沒有，可見在他心目中，汪先生之出任副總裁一事絕非重要，我判斷在他看去，請汪先生出任此職，是對汪在國民黨中的歷史與政治地位表示尊重，有個交代，他要把汪先生像個泥菩薩一樣供在那裏，我不認為蔣先生此舉含有惡意。可是他沒有想到，去出任這個一人之下，萬人之上的副總裁職位，對汪來說，卻是深感屈辱，寧可不要的了。

㈢不過在汪先生當面辭讓副總裁一職，而蔣先生又面許此請求以後，蔣先生卻利用吳稚暉先生出面，把蔣、汪兩人分任正副總裁之兩案併成一案提出來，逼汪就範。其行事手法實為可議，如此蔣先生所有的好意，對汪先生來說，都扭曲成了侮弄的惡意了。

請允許我對此事提出個人的分析與看法：

政治鬥爭一如用兵，是不動干戈的戰爭。

兵法有言，「知己知彼，百戰不殆」。在此方面，汪遠不是蔣的對手。他一心相信蔣會遵守承諾，顯然在全代會前並未做過沙盤推演，沒有準備應變之策。

蔣則不然，他之所以要吳稚暉先生出面提案，便是留下了應變的後手。因為：

⑴吳先生在黨內是西山會議派，是大右派，從孫先生晚年起，便與左派領袖汪先生積不相容。因此吳先生不但樂於充當與汪鬥爭的先鋒，而且由他這個右派來提名汪去做副總裁，象徵著全黨一致的擁戴。

這使支持左派的張發奎將軍誤會了，他因之認為汪氏在台上接受副總裁職位時流的是感激之淚也。

⑵蔣氏判斷以汪的個性，事出突然，他不會當場攤牌，拒絕隨眾起立鼓掌。因為二案並列，汪不起立支持，便是汪在公開表態反對蔣去出任總裁，而不是在表態他自己不要做那個副總裁也。蔣先生這是「知彼」，判斷是正確的。

⑶萬一汪先生公開翻臉，蔣先生應當另有備案，只是因為汪先生沒有這樣做，所以這個備案沒有拿出來。為什麼我會有此判斷呢，即是提案人竟會選上了吳先生。須知吳先生平素就是一個言行不太正經的詼諧之人，如此大事，豈可用他？當時在場的國民黨右派元老比他分量重、更受尊敬的實為所在多有也。例如時任國府主席的林森（子超），他也是西山會議派中人物也，蔣先生在此場合竟會選上了吳先生來提案，我認為便是因為如果出現僵局，大家對吳先生的話可以看成失言的個人行為，即刻另由他人提出另一個折衷案來也。我認為蔣先生的政治手腕確實比汪先生來得高明的多，然而兩案併成一案這種強迫汪就範的手法，幾近無賴，實為不可取，亦不可法也。

五、先君參加了ＣＣ的確證

張發奎將軍回憶錄記述汪精衛先生在一九三八年三月出任國民黨副總裁一事，有關ＣＣ在此事中所可能扮演的角色說：

㈠當時ＣＣ反對汪氏出任副總裁。

㈡如果由黨代表選舉產生，則汪先生當選不了，可能由ＣＣ派陳果夫先生當選。

這兩點是錯的。

誠如前述，蔣先生費盡心機，幾近欺騙手段，才如願以償迫使汪精衛先生出任副總裁。ＣＣ是蔣先生的嫡系，此時完全聽命於蔣，怎麼可能敢出而反對汪氏？況且以當時ＣＣ在明裏的領導如陳果夫、陳立夫、朱家驊等人，以及暗裏的核心如陳布雷先生，都只夠做部長，連五院的正副院長都不夠，哪有資格去做坐二望一的黨副總裁呢？

外界都認為先君是ＣＣ的一分子，可是先君從未在我面前談過此事。為了寫作本文，我翻讀了其遺作《中央工作前記（一）》，卻意外地發現了先君確是ＣＣ成員的證據，容我引用有關此點之全文如下，再略予評論：

一九三八年四月二十九日

本日，總裁下令解散黨內小組織，嗣後不得再有派系。

先是於四月三日，得徐恩曾、張厲生二人通知，於當日下午八時到漢口市黨部談話。時已值臨時全國代表大會閉會不久，多省市代表多數在漢。是晚到者，將近二百人。因組織向係祕密，彼此不知誰究竟在內與否？是晚一見，即可了然。

徐恩曾先分別將列會諸人互為介紹，次由葉溯中、張沖、周伯敏先後報告共產黨活動情形。陳果夫與立夫二氏因臨時受總裁召見，至十時始過江趕到。

開會時，首由果夫先生致詞，謂：本黨現已有總裁，一切應歸統一。以前小組織，應行解散，次由立夫先生演說，長達一小時，大意謂我們擁護蔣先生的主張，已完全達到。在黨已為總裁，在國已為公認的領袖，足證我們最初的目光係屬正確，亦屬遠大。國難而後，領袖遣兩支生力軍向敵人包抄，不期彼此均負有任務，但兩不接洽，反致誤會。自信過去的摩擦均係為公，從未作個人之謀。

果夫先生再起立宣讀上總裁書，聲明自請解散。羅霞天當起詢黃埔方面為何？果夫先生謂總裁自有明斷。

按我係於今年三月二十八日晚八時，在南京秣陵路洪蘭友宅宣誓加入青白團，介紹人為吳挹峰，監誓人為陳果夫。同時宣誓者為趙蘭坪、壽勉成、王世潁、陳仲明。不久，薩孟武等亦在洪宅宣誓參加。蓋皆為中央政治學校同時任教之教授。

對此我的評析如下：

㈠這次祕密會議中到會者二百人，時在全代會閉會不久，各省黨代表猶在武漢之時，可見CC在全代會中代表人數並沒有像張發奎將軍推測的已多到可以控制全代會會場也。

㈡黨內派系確為祕密性質，先君參加CC，不但在他生前沒有告訴過我，到了二〇〇八年，也就是在他過世了二十年之久，我才無意中在遺留的文件堆裏找到前文的。

㈢前文末段中先君自述參加CC的時間有誤，因為一九三八年三月二十八日南京已經淪陷，為日軍所佔領。按先君是在一九三一年到一九三七年在南京擔任中央政治學校的教職，並一度兼任法律系主任。先君在前文末句說：「蓋為中央政治學校同時任教教授。」那麼先君在洪蘭友先生家中宣誓參加CC的年分應該在一九三一年到三七年之間，其確切的年分則待考。我判斷先君之所以有此筆誤，是在前文中引用了其生活日記時，抄寫時沒有考慮到年分的不同，因此誤記了。

㈣在前文中所提到的人名中間，最令我感到意外的是一九四九年以後台大法學院的名教授薩孟武先生，他竟然也早已是CC中人，因為薩先生在台灣久以主張思想自由、言論自由而聞名於世也。

以先君在一九三一到三七年長期在中央政治學校（今之政大）任教之經歷，世人多以之為CC一分子，是合理的推測。可是在一九三八年汪精衛先生明知於此，卻會任用先君為其機要祕書，可證當時國民黨內雖有派系之爭，彼此之間，並非你死我活的殊死鬥也。

我認為黨派之屬性，只是中國人人際關係中的一環，還有其他許多關係，例如同學、同鄉、親戚、朋友等等。在這麼多錯綜複雜的關係之中，孰輕孰重，是毫無定規，完全因人時地而異的。這也是東方社會，包括了中國、日本、韓國、台灣、香港及東南亞地區等在內，之所以令人難以窺其真相之原因所在也。

六、小結

因為張發奎上將在回憶錄中所記述的汪先生於一九三八年出任國民黨副總裁一事，與我所知者不同，遂草成此文，以供讀者參考。

楊天石兄近來在史丹福大學胡佛研究所抄讀與研究「蔣中正日記」，我在下筆前，先告訴了他本文的重點。他說：「我不知道毅成先生做過汪精衛的機要祕書，也沒聽過此事。」他要我趕快寫出來。

袁偉時兄、呂芳上兄等歷史學者也勸我把我所知道的許多史事趕快寫出來，以免失傳。

寫作是我業餘的嗜好，目前我雖然自商場退休，雜務猶多，下筆的時間甚少。更有進者，我通常是讀到或見到旁人的作品中所記載的與我所知者不同，因之勾起我腦海中久已深藏的記憶，才會想寫出我的見聞所思。這就像是一面大鼓，不敲不響也。因此如何要改過來，主動寫文章，我得好好想一想了。

以本文所記述之史事，即

㈠在一九三八年四月一日汪精衛先生是被迫出任國民黨副總裁。

㈡先君在抗戰前於南京洪蘭友先生宅宣誓參加「青白團」（CC前身）。

親如同志如張發奎之於汪先生，父子如先君與我，都是久久不知也。那麼在至少隔了一個世代以後的今天，與之毫不相干的後人又如何能在一大堆檔案、文件中去爬梳出真相來呢？這真是戛戛乎其難為矣哉！可是「士大夫不知國史，是為國恥」，此乃顧亭林先生之名言。我們為了國族，必須抱著明知不可為而為之的信念，各自努力，多聞闕疑，盡量去找出歷史的真面目來，願與有志於此者同勉之也。

一石擊破水底天
——初聞蔣中正逝世之雜想

誰能赤手斬長鯨
不愧英雄傳裏名
撐起東南天半壁
人間還有鄭延平
丘逢甲詩

一九七五年四月五日友人打電話來通知說蔣中正逝世，扭開無線電收音機聽之果然。

不論每個人對他的批評如何，就二十年代至今的五十年中，他是影響中華民族命運的巨人之一。他是民族救星還是反動階級的發言人，是好漢還是賣國賊，這要看評者主觀的立場而論，也視評論時的情勢而定。海內外左派一直攻擊蔣中正，但是在七二年裏為俄國借用澎湖被他拒絕，毛澤東與周恩來公開說他是「好漢」「台灣唯一有民族主義的人。」即是一例。

我無意於讚揚或貶責蔣中正。像他這樣的人物，蓋棺並不能論定，要在時代變遷，資料公開，批者不受他影響之後，才會有詳盡公正的史評出現。

孫中山與毛澤東亦如此。

蔣中正對中華民族最重大的貢獻是領導中國抗戰，打敗了日本，阻擋了日本自明治維新以後，近百年對亞洲大陸的侵略。

以中國在軍政財經上之劣勢對日本之優勢，所持者是中國人民的不屈精神。然而同樣是中國人民，為什麼只有八年抗戰是堅持到底，而自鴉片戰爭起到九一八都不是呢？國際形勢，內外政情等都是因素，然而我們想一想，如果蔣中正也像汪精衛一樣走上妥協的路線，抗戰會是怎麼樣的局面？

蔣中正對中華民族最大的錯誤是過於自信，以一新舊交替時代的軍人，不能感覺到億萬中國農工人民的需要，軍人干政，造成一連患的分裂與內戰。

但他的功過是一刀兩面的。他若不是一個傑出而有極強自信心的軍人，他若不干政，就不會先有領導北伐，繼之以抗戰的功業。北伐與抗戰非軍人主政不能竟其功的。

我們無法求全，希望他只有功而無過。

在沒有合理的制度與組織，沒有實質的法治精神的社會裏，我們沒有辦法阻止領導人的缺點影響到人民。

很不幸地，不論國共目前還多少停留在這種人治的狀況下。

一個八十七歲的老人之生死會影響到中國的未來，也是因為他是在人治社會中的領導者。

他的死亡對台灣的未來是具有廣大的影響的。台灣的政經外交軍事等多年來都是在緩進而類似僵化的形態下發展，然而不論島內外都有巨大的潮流迫使台灣須要改變，蔣中正的逝世替求變者打開了大門。

門是打開了，變向如何，變幅多大，卻是未知數。這也是人治社會的缺點，當領導權改變時，無法以過往推斷未來。

蔣經國先生雖然已經在過去三年實際領導台灣，但是蔣中正之存亡，對台灣政局是有影響的。例如，須不須要維持不能改選的立、監、國大？獨不獨立？在內部權力分配時，老一輩的大陸人與中年或青年人之維持平衡等，都成了未知數。

因為僵化了太久，壓制的太深，許多求變的暗流不為我們所知，即使限於所知者，已複雜到無法作肯定推斷地步。

「一石擊破水底天」。蔣中正的逝世替表面平靜的台灣社會打破了水底天，但是水底的事物，何者浮現，何者依舊沉沒，不是由水面可以看出來的。

乍聞蔣中正的死訊，不禁想起了丘逢甲先生寫鄭成功的名句，蔣氏在軍事上的成就，例如北伐與抗戰，都是以劣勢對抗優勢的敵人，「誰能赤手斬長鯨，不愧英雄傳裏名。」他在內戰失敗後，退居台灣，能開創出今天的局面，「撐起東南天半壁，人間還有鄭延平。」

他還有一個優點，是一般討論中國現代史者所忽略的，就是敗而不亂。諸葛亮在後出師表中特別推介向寵，就是因為在蜀吳交戰時，劉備全軍覆沒，只有向寵能夠偏師全退。抗戰時蔣先生選擇四川為基地而拒絕遷向西安，國共內戰時，不退四川而退台灣，此在當時國民黨主流派內部是居少數者，而且抗戰前的四川與初光復的台灣，對國民黨言都是新附而敵友未明的，然而蔣先生近乎獨斷的裁決，就國民黨言，是深深了解地理與國情的果斷，也是影響中國現代史的重大決定。

本文寫的只是初聞對蔣中正先生逝世的雜想。往者已矣，我們應當注意的是此事對台灣未來的影響。

法律與人情孰重？

——由毛夫人與蔣夫人說起

一、毛夫人與蔣夫人那一個才是蔣中正先生的大房夫人？

俗語說：法律不外乎人情，又說：天理、國法、人情。

法律是由人制定去規範人的行為的條律，既然是人為的，當然要合乎人情。在逐步西化的東方國家，因為東西方文化的衝突，所以每有法律與人情相違的情形出現。儒家文化是以禮為本，反對以法治國的，孔子說的：子為父隱、父為子隱，直在其中矣。便是一個例子。

我們的法律是仿照歐洲大陸法制度所引入的，自從清末沈家本引進日本與德國的民法開始，已超過一百年，其間每有法律與本國傳統儒家文化相違背而引起掀然大波的例子。

民國早期因為新制法律規定父債子不必還，便產生大量的訴訟。父債子還，天經地義，我國已行之數千年，民間債務關係原來一直是本著這個精神在運作的，今忽然一旦廢止，當然會造成混亂，訴訟乃起。

又如今日的台灣，本省人的習俗是女兒無權繼承父母的財產，這顯然是不合現行的民法的，也是容易造成訴訟的。

這一段雜文要談的是蔣中正先生與毛夫人及蔣夫人的三角關係，這牽涉到法律上的離婚、結婚與民間如何認定那一位夫人才是蔣先生大房配偶的問題。

一般人會說，在宋美齡女士入了蔣家門之後，毛夫人既然已經與蔣先生簽了離婚證書，那麼在法律上及政治現實上，中外都應該公認宋女士是蔣夫人了，應無疑義。

可是，事實是這麼簡單嗎？真的嗎？

周宏濤先生最近發表了他的口述回憶錄，《蔣公與我》，這本書透露了許多當時的政壇祕事之關鍵資料，例如蔣經國先生與劉自然案、群眾暴動攻打美國駐台大使館一事的關係；以及任顯群案的蛛絲馬跡等等，容我以後慢慢道來。這裏要談的是此書在第四六三頁有一段話：

▲蔣經國伉儷與生母毛夫人懷抱孫子孝文。

在溪口老家，蔣家族人排斥不是親生的緯國，同情毛夫人，把蔣夫人視作姨太太，至於經國先生的血緣就沒人懷疑。

因之法律上的蔣夫人與人情上的毛夫人，到底那一個才是人們心目中蔣先生的大房夫人呢？

蔣先生是怎樣才能讓兩位夫人各安其位，和平共存的？這個局面，最後是如何解決的？

毛夫人是在抗戰時被日本飛機空襲溪口蔣家故宅時炸死的，由她的喪事，又引起了一場暗地裏兩個夫人的名分之爭，其間由浙江省政府左右為難的微妙處境，可以看出官場之奧妙，以及為官之不易。

我國傳統習俗上有七出之條，男子可以依此休妻。但是元配妻子沒有失德，丈夫不能無故休妻。包公刀鍘負心郎陳世美，便是一個深入人心的故事。

元配妻子與妾侍，也就是姨太太的地位不同，妾侍與奴婢一樣是家主人的財物，金瓶梅中西門慶死後，他的妻子把他的姨太太潘金蓮賣掉，便是一個例子。

毛夫人是蔣先生的元配妻子，在蔣先生無故與她離婚後，她並沒有離開蔣家老宅，仍然是蔣氏豐鎬房主中饋的女主人，那麼毛夫人與蔣夫人倒底那一個才是當時人們心目中蔣先生的大房夫人呢？讓我們從法律與人情兩個不同的層面去思考這個問題吧。

二、溪口鎮遊人多如過之鯽

近來到大陸旅遊的台胞，有一個熱門的景點，就是浙江省奉化縣溪口鎮，那裏是蔣中正與蔣經國父子的故鄉，他們兩位先後擔任中華民國的總統，掌政了幾十年，在台灣可以說是家喻戶曉的人物。吾從眾也，因此在三年內曾兩次去溪口旅遊。

第一次是我一個人遊杭州時，承當地的朋友熱心，開了自用小轎車專程陪我去參觀的。第二次是在幾個月前，與內子參加了一個美國華人的旅遊團去的。

我發現了一些有趣的事。

一、溪口鎮的遊覽景點很多，有十幾個，如王太夫人墓、雪竇寺、妙高台、文昌閣、蔣氏豐鎬房故居等等，因為這些景點並非都是相互鄰近，遊客一天是看不完的。然而溪口鎮的旅館設備很差，外國遊客很少在當地過夜。換句話說,即使是走馬看花,匆匆到此一遊,遊客往往在一天之內只能看到一部分景點。

二、溪口鎮的景點是採取聯票制的,每張人民幣一百元,兩天有效。人民幣一百元目前相當於新台幣四百元,或美金十二元,對台胞或外國客人來說,不貴,所以大家只看了一部分景點,也就算了,很少人第二天再跑回去看,因此溪口鎮政府就賺到了。對大陸人來說,人民幣一百元的票價是很貴的了。大陸各地單一景點的參觀票價,大多是在二、三、四十元之間。

三、票價雖貴,可是大陸人到溪口旅遊的人數,是大陸最多的一個地方,甚至超過了北京的故宮及湖南韶山毛澤東的故居,這真是一個值得分析的社會現象。

當我們參觀蔣家豐鎬房故居的時候,恰巧是星期日的下午,人潮之洶湧,真可以說是多如過江之鯽,而且多數是旅遊團。

當時人聲的嘈雜,連導遊用擴音器所說的介紹都聽不清楚了。

這使我想起了我曾參觀法國巴黎近郊的凡爾賽宮,當時也是旅遊團為數眾多,但是管理單位經驗豐富,計算好時間,間隔了入場的群眾。結果是在宮殿的每一間房間中,同時只有一個旅遊團在場,因之互不干擾,參觀者也可以靜靜地聽取介紹了。

兩相比較,可以看出來,東方國家在發展旅遊時,還是有許多軟體管理方面是要向歐美學習的。

三、溪口人心目中的蔣先生大房夫人是毛福梅女士

周宏濤先生最近發表了回憶錄,講他在蔣中正與蔣經國父子兩位總統身邊任職從政的經過,他說

在奉化鄉親心目中，毛夫人至死還是真正的蔣先生大房夫人。

周先生是奉化溪口人，他的祖父曾經擔任過蔣中正先生的小學老師，後來也在蔣先生的政府中任職。

蔣中正先生的元配是毛福梅夫人，比他年紀大，是蔣先生的母親王太夫人替他作主所娶的。蔣先生與毛夫人的感情並不融洽，後來他又離鄉從軍，在外地久居，因此這個婚姻也早就名存實亡了。

在蔣先生與宋美齡女士結婚之前，蔣先生已另有姚冶誠女士與陳潔如女士兩房妻妾。後來因為宋美齡女士的堅持，蔣先生分別處理了毛、姚、陳三人的婚姻關係，才能娶宋女士入門。蔣先生與毛夫人是正式辦理了離婚手續的，至於姚、陳二位，依照蔣先生的說法，是本來就不曾有正式的結婚手續，分開了就算了事。

這當然是蔣先生片面之詞，陳潔如女士在她的回憶錄中當然自認是合法的蔣夫人。至少在宋美齡女士尚未取而代她之前，蔣先生在廣州擔任黃埔軍校校長及北伐初期擔任北伐軍總司令時，她是公開露面的蔣夫人。

至於毛夫人的地位，就更為微妙了，周宏濤先生在回憶錄中指出來，奉化的老鄉們，仍然公認她是蔣家豐鎬房的主婦，並沒有承認宋美齡女士已經全面取而代之。

也就是說，當中外各國都已經稱呼宋美齡女士為蔣夫人時，在蔣先生的故鄉，毛夫人仍然是鄉親們心目中的蔣家主婦，宋美齡只是二房姨太太，蔣先生與毛夫人的那張西方式的離婚同意書是不算數的。

按照中國的習俗，如果蔣先生休掉了毛夫人，也就是中國式的離婚，那麼毛夫人就得回娘家，搬出蔣家的豐鎬房。當時毛夫人的大哥還健在，一度做過寧波的公路局長，毛夫人並非無處可去的。可是在宋美齡女士進了蔣家門，成為法律上及公開的蔣夫人之後，毛夫人仍舊是住在蔣家，是豐鎬房主中饋的主人，更且是蔣先生及宋美齡回溪口的時候，也並沒有住入豐鎬房，而是另外住在新修建的文昌閣。這在溪口鄉親的心目中，等於是承認毛夫人主持豐鎬房的地位，難怪大家都公認毛夫人還是蔣家的女主人。（本文發表之後，承王丰先生賜告，在蔣先生與毛夫人簽字離婚之後，王太夫人收養毛夫人為義女，因此毛女士乃得繼續留在蔣家居住。）

四、宋家兩姊妹難處相同

由法律來說，蔣先生與毛夫人既然簽署了正式的離婚協議書，又與宋美齡女士正式公開結婚，那麼自此以後，宋女士是蔣夫人，應無異議。

可是當時中國才實行西方式的法律制度未久，一般人的看法，仍是認為法律不外乎人情之常的。在奉化鄉親們的心目中，毛夫人孝心侍奉王太夫人，替她送終，又替蔣先生生了兒子蔣經國，平時主持家務也井井有條，並無任何犯七出之條，有虧婦德的事。你蔣先生長年在外，事情做大了，要人服侍，儘管另討妾侍，姚氏也好，陳氏也好，只要蔣家的人不說話，大家也無異議。可是你怎麼忽然要無故休妻，只因討新歡的開心，這就過分了。你官大，在外面由你去說，可是在溪口這個小地方，還是有公道人心的，不能由你一個人自說自話就算數了。

這是中國數千年來的清議之風，由春秋戰國的子產論政、聽鄉社的公論、到東漢的望門投止思張儉、一直到今天兩岸的學生運動，一脈相承，數千年綿延不斷，套一句老話，公道自在人心，人言可畏呀。

無獨有偶，宋美齡女士的姊姊，孫中山夫人宋慶齡女士，也面臨了她同樣的困境。

當孫中山先生娶宋慶齡女士為妻的時候，他的元配盧慕貞女士還健在，而且已經為他生了一子二女。

我在上海參觀宋慶齡女士故居及孫中山先生故居時，館方的職員在介紹兩位生平時，都強調兩位成婚時，孫先生已與盧女士離婚。我當場都提出異議，與之爭辯。他們的立場，當然是站在宋慶齡女士這一邊的。

有趣的是，同樣在大陸，我去參觀廣東省中山縣翠亨村孫中山先生故居的時候，博物館內將孫先生一生的三位伴侶，盧夫人、馮女士及宋夫人並列，並沒有說孫先生與盧夫人曾經離婚。如果孫先生在與宋女士結婚之前，沒有與盧夫人離婚，那麼他與宋女士的婚姻，在法律上是不成立的了，而宋女士充其量只是姨太太的地位。

由中山縣孫先生故居博物館展出物去看，至少在當地主事者心目中，盧夫人所佔有的孫先生元配地位是一直存在的，這與奉化人認為毛夫人始終是蔣先生的元配夫人的看法是一樣的。

我認為這是他們那個時代所特有的現像，也就是依照新式法律，中國由西方引進的法律，所認定的事物，並不一定為我國固有傳統文化與習俗所能接受的。

這並不限於大人物如孫中山、蔣中正兩位先生與宋氏姊妹的婚姻，與他們時代相近的人許多也有這種煩惱。例如著名的詩人徐志摩先生，他離棄了元配張幼儀女士，可是他的父母及鄉親，始終都以徐夫人的地位看待張女士，而不能接受他後來再娶的陸小曼女士是徐家的人。

宋慶齡女士顯然感受到這種壓力，她遺言要葬在上海的宋家墓園，而不是要葬在南京的中山陵以長陪孫中山先生於地下時，曾經說過類似這樣的話：有人可以說我不是孫先生的夫人，但是沒有人可以說我不是宋家的女兒。

那麼蔣夫人宋美齡女士是否也有類似的感受呢？她能閉眼漠視毛夫人的存在嗎？

五、毛夫人的喪事是公事？還是私事？

孫中山的元配夫人盧慕貞女士活的很久，一九四九年國府撤退到台灣時，她猶健在，與她的女兒孫婉女士及女婿戴恩賽博士同住在澳門的孫先生故居，也就是今日澳門的國父紀念館。

蔣中正的元配夫人毛福梅女士在抗戰中，住在溪口蔣家的豐鎬房老家，被日本人空襲時炸死的。當時抗戰已經頗久，奉化靠近寧波港，如果日本人在此登陸，很快就可以進佔溪口鎮，把毛夫人抓去。這不是空言恫嚇，那一帶海岸，從明朝起，就發生過倭寇來襲的事情。我的家鄉就在那附近——餘姚縣的臨山衛。江浙沿海很多地名是軍事名詞，如定海、鎮海、海寧及各種衛所等，就是明朝防倭寇的遺跡。

因此浙江省政府為了防範於未然，曾建議中央在雲貴擇一小縣，任命毛夫人的大哥為縣長。以中國的習俗，他可以攜帶已經離婚的妹妹毛夫人去就任的。

這個建議被在重慶的中央留中不發了；也就是不置可否，不予答覆。那是因為宋美齡女士不願多事，以免在西南地區的各國記者注意到另有一位蔣先生的夫人的存在。

不料日本人並沒有登陸寧波港以進攻溪口，而是派了飛機去轟炸。

蔣家的豐鎬房是構築了防空洞的，毛夫人那天已經躲入了，卻又想到房門沒有加鎖，回去鎖了門，再走回防空洞去。在路上，日本飛機投彈所引起的強風吹倒了一道磚牆，壓死了她。

換句話說，她是可以不死的。

在空襲中回去鎖門本來就是多此一舉，再加上纏足的老太太走的又慢。

當她的喪訊由奉化縣政府電告在金華的浙江省政府時，包括時任省主席的黃紹竑先生在內，衮衮諸公緊急會商，如何向在重慶的蔣委員長中正先生報喪，一時實在難以下筆。

依常情言之，只有兩種方式。

第一種是承認毛女士依然還是蔣先生的夫人。

第二種是否認毛女士依然還是蔣先生的夫人。

如果是第一種，那就稱之為毛夫人不幸逝世，而且喪事應當由省政府主辦，是公事。

如果是第二種，那就稱之為毛女士不幸逝世，而且不是公事，喪事應由蔣家的親人辦理，是私事。

然而這兩種方式都有缺點，在政治上遺害甚大，都不可行。

第一種方式會得罪了在重慶的蔣夫人宋美齡女士，怎麼在浙江還有一位毛夫人？那我豈不是妾侍，姨太太嗎？明明是已經離了婚的前妻，怎麼還稱之為毛夫人？

第二種方式會得罪了在贛南的蔣經國先生，你們怎麼稱呼我的母親做某女士，而不尊稱她為委員長的夫人？難道是我們蔣家死了一個無足輕重的女眷，草草治喪了事嗎？

這真是兩難之局。

也就是說行之多年，公私分開，相安無事的兩個蔣中正的夫人的局面，這次因為毛夫人的治喪，必須攤牌了。

本來，在中外及國際上，宋美齡女士是公開的、合法的蔣夫人。可是在奉化溪口鎮這個小圈圈裏，私下毛夫人依然是鄉親們心目中的蔣夫人。這是大圈圈裏有了個小圈圈，各有各的地盤，互不侵犯。即使偶而宋美齡女士來到溪口，也尊重老宅豐鎬房是毛夫人的地盤，她與蔣先生也避開不住在老宅，而住在離此不遠新建的文昌閣。

這種和平共存的局面，本來已行之多年，相安無事。以天下之大，宋美齡女士已名至實歸做了蔣夫人，又何在乎去和毛夫人爭溪口此彈丸之地？而毛夫人足不出戶，本來就無意於溪口之外的天下，只要能繼續執掌豐鎬房的中饋，與丈夫蔣中正先生能一年見個幾次面，此與宋美齡女士出現之前的局面，實質上又有什麼不同呢？所謂離婚，對她來說，只是失去了一個空名而已。

可是這次毛夫人的喪事，就迫使蔣中正先生必須攤牌了。她的喪事要怎麼辦理，是以委員長夫人的身分？還是蔣家私了？蔣委員長心中究竟怎麼想呢？

這是浙江省政府袞袞諸公一時拿捏不準的地方，因此就連一個簡短的報喪的電報都無法下筆，大家議論紛紛，舉棋不定了。

六、蔣中正先生，你兒子的媽死了

最後大家想出了一個巧妙的方式，就是避開毛女士是否是蔣夫人的兩難局面，採取了一個中性的立場，讓蔣委員長自己去決定怎樣稱呼她好了。

這封報喪的電報是打給蔣先生辦公室主任陳布雷先生的，電文是：

> 經國兄令堂不幸逝世。

說的白一點，是在說：蔣中正先生，你兒子的媽死了。這話不會錯，宋美齡女士既無從挑剔起，蔣經國先生也不能有怨言，真是巧妙極了。

中文的奧妙，由此可見一端。

子，也是喪主毛夫人的兒子，蔣經國先生就近從贛南回老家奉化治喪。

做官之難，也由此可見也。

陳布雷的回電來得很快，請經國就近辦理。這是說，蔣先生遠在重慶，國事繁忙，不能回奉化治喪，就要他的兒子，蔣經國先生就近從贛南回老家奉化治喪。

這話有兩個含義。

一、她目前還是蔣中正先生個人的親人，是蔣家的人。

二、但她不是蔣委員長官方身分的夫人，所以不要浙江省政府來治喪，否則以蔣先生統帥全國的身分，難道會有遠近之分嗎？

也就是說，毛夫人在逝世時，至少在蔣中正先生的心目中，已經不是他的夫人了。但也不是已離棄逐出門的前妻，還是蔣家的人，否則喪事可以讓她娘家毛姓的親戚來辦理。那麼她在蔣家的身分到底是什麼呢？我想不但浙江省政府的袞袞諸公難以認定，恐怕蔣中正先生本人也無從界定了。這是中西文化交會，新制法律與傳統習俗相衝突的狀況下，所產生的一個奇特現像。

七、法律與人情之間拿捏眞難

傳統上婦人的閨名不外傳，因此國人的家譜上女眷只寫上姓氏，而不寫名字。如果丈夫姓蔣，本人姓毛，像毛福梅女士這種情形，一般的稱呼是蔣毛氏。如果稱夫人，通常只冠以娘家的姓；如紅樓夢中的王夫人，邢夫人等，三國演義中劉備的太太孫夫人、糜夫人等等皆是。所以孫中山先生的元配盧慕貞女士，人稱盧夫人；而蔣中正先生的元配毛福梅女士，人稱毛夫人。蔣中正先生另外兩位配偶姚冶誠女士及陳潔如女士也被稱為姚夫人及陳夫人，這都是合乎習俗的。而蔣先生的生母王采玉女士也被稱為王太夫人，而不是蔣太夫人。可是宋慶齡女士被稱為孫夫人，而不是宋夫人，同樣的，宋美齡女士被稱為蔣夫人，而不是宋夫人。

這有兩個可能，一個是自英文翻譯回來的。因為歐美的女人在婚後是採用丈夫的姓氏為姓氏的，娘家的姓氏即使保留下來，也成為 MAIDNAME。宋氏姊妹是洋化的，因之由英文翻譯回中文是可能的。

第二種可能是因為兩位都不是元配，必也正名乎。所以宋慶齡女士對孫夫人這個孫字，及宋美齡女士對蔣夫人這個蔣字都很珍惜與重視了。

當然這只是我的推測，只是提出來供大家參考。

在那個新舊社會交替，中外思想並陳的時代，小小的分別，像稱呼及名字上的分別，也可以發微知漸，看出當事人對西方文化浸染程度深淺的不同。

毛福梅女士是蔣中正先生的元配，叫做毛夫人，卻不叫做蔣夫人。宋美齡女士是蔣中正先生的繼配，卻叫做蔣夫人，而不叫做宋夫人。

由這一點小小的不同，可以看出這兩個女人的大不同處是身處在一個傳統的鄉下地方——奉化溪口與十里洋場的上海與南京的大不同。

蔣中正先生與她們的不同，是在他身處兩者之間；既不能像毛夫人之安守一隅，拒絕西化，也不能像蔣夫人之遨遊國際，全盤西化。蔣先生處在新舊之間，往往國法人情難以兼顧。例如蔣先生曾經三次擒獲廖承志先生，卻因他是故友廖仲愷先生之獨子而不殺，雖明知他是共黨之高幹，卻下不了手。

由此看去，蔣先生在處理毛夫人的事情，並不限於她的喪事，也是夾在中西之間。雖離而不休，尊宋而不逐毛，並且默認毛夫人在豐鎬房主中饋的地位，長期維持了公開的蔣夫人是宋美齡女士，而在溪口卻是毛夫人為尊的兩位夫人和平共存的局面。

這是法律與人情兩相衝突時，法律上的蔣夫人與人情上的毛夫人共存的局面。其實這僅是在近百年來，因為西式的法律與傳統社會不合，兩相衝突時，有時必須相互妥協才能並存的一個例子。其他的例子也所在多有，例如台灣習俗女兒不能繼承父母的財產，這明顯的與現行民法相違背，可是行之已久，至今猶為風行。

法律不外乎人情，兩者之間的拿捏，真不容易。

蔣中正先生處在毛夫人及蔣夫人，兩個女人之間，又得顧及奉化鄉親的清議與中外的觀瞻，卻能做到兩全其美，那是因為他當時控制的地區甚大，所以可以隔開兩個女人的地盤，平安無事。

試想，毛夫人如果不被日本人炸死，而是像孫中山先生的盧夫人，或是蔣中正先生的姚夫人一樣，在一九四九年國府遷台以後，還是健在，那麼蔣先生就非得把兩位夫人放在台灣這個小島上了。或是她比蔣先生還長壽，活到了她的兒子蔣經國先生掌權繼位之後，那將是什麼樣的一個局面呢？

後記：

在本文發表後，承香港的李龍鑣兄賜告：孫中山先生要與盧慕貞夫人離婚時，命令他的兒子孫科先生赴澳門去報告此事，孫科先生以難以開口，請當時澳門的一位朱姓僑領陪同去，盧夫人聞訊，只是淡淡地說「知道了」，不置可否，也沒有簽署任何有關離婚的文書。雖然依照中國傳統，男人要休妻時，並不須取得女方的同意，但是仍須立下文字的休書方可。

一九四九年蔣中正抵台行止略記

讀者車守同先生的來函提到，已在《傳記文學》九十八卷第二期上讀到，有關蔣先生一九四九年赴台，孫立人及彭孟緝與之同車，他們二位在車中的對話之故事，我本已聽聞過，後來在一九九〇年代承張佛千世伯又面告我孫將軍拒絕讓座的故事。

車先生是對的，當時彭將軍已晉階中將，並已離開高雄要塞司令的職務，此當是張佛老或我誤記了。

不過蔣先生在高雄有沒有同時召見過孫、彭兩位將軍呢？我去胡佛研究所查了蔣先生的日記，沒有找到召見過彭將軍的記載，至於孫將軍則有兩次。

今抄錄與此相關之日記如下，此都是發生在一九四九年的：

五月六日　在復興島登江靜輪商船休息……，五時半到舟山縣城。

本星期預定工作項目　馬公島設住處。

五月十日　七時半船由岑港啟碇……

五月十一日　昨日下午在倒斗泊二小時，即啟碇向普渡。

本星期預定工作項目　移駐馬公島。

五月十七日　一時半起飛至四時五十分到馬公島降機。

仁按：即在上海戰事進行中時，蔣先生自五月六日到五月十七日，都是乘船在浙江舟山群島各地及其附近的地區，如定海、普陀等巡弋，在五月十七日則飛抵馬公，即澎湖。

五月十八日　朝課後，以對台灣電報、話皆不通，福州情況始終未能明瞭，為慮。

五月二十日　陳辭修赴粵，多日未回，不勝系懸之至。

本星期預定工作項目　進駐台灣。

五月二十一日（星期日）　辭修與銘三（蔣鼎文）忽由穗飛來相晤，甚慰，數日來所焦慮者至此釋然。

仁按：此即在五月二十一日以前，因為蔣先生「對台灣電報、話皆不通，為慮」。到了五月二十一日，時任台灣省主席的陳誠將軍從廣州（穗）飛到馬公來晉謁蔣先生，同行者有蔣鼎文上將，蔣先生這才放了心。

問題是：

▲美國陸軍參謀長泰勒（中）訪台，由孫立人（左）與彭孟緝（右）接待。

㈠從那一天起，蔣先生與台灣電報、話開始不通了呢？

㈡通訊開始中斷時，陳誠是在台北？還是廣州？如果陳誠不在台北，替他看家而中斷了與蔣先生通訊的人又是誰呢？

㈢蔣先生由舟山飛馬公而不直飛台北，便是一個「不應該發生而發生了的事。」我判斷蔣先生與台北通訊中斷應該是在五月六日到十七日之間，即他坐船在舟山群島海域巡弋之時。因為與台北失去聯絡，蔣先生才先落腳馬公，而不直接去台北。

㈣即使在陳誠將軍於五月二十一日由大陸飛馬公晉謁蔣先生之後，蔣先生「數日來所焦慮者，至此釋然」，但是在五月二十五日蔣先生仍然由馬公飛去台灣南部的岡山，而不是台北。

此時台灣的防務，北部是由陳系的一個軍防守，而南部則由孫立人系的第八十軍（軍長唐守治）負責防守，因此我認為蔣先生此舉還是以安全為重的了。

一如車先生所說的，是王叔銘去岡山接機，不過有沒有其他人在場，蔣先生沒提，此即：

五月二十五日　到岡山下機，叔銘來迎，直上高雄要塞之壽山官邸，……至下午見呂司令國楨與吳司長嵩卿（慶），討論高雄地形與下月軍費收支要領。

此處蔣先生的文意不夠精確，以呂與吳二位將軍之職掌，在討論軍費時，呂將軍是不宜在場的，所以應該是：

㈠蔣先生與呂國楨將軍（或許吳嵩慶也在場）談高雄地形。

㈡另外與吳嵩慶將軍單獨談下月軍費收支要領。

那一次，蔣先生住在高雄是從五月二十五日到六月二十一日。

六月二十一日　三時後，由高雄出發至岡山上機，約一小時到桃園機場，辭修夫婦來迎，到大溪駐公會堂，風景甚美也。

在此大約一個月的時間裏，日記提到孫立人者有三處，其中兩次是召見他，第一次是在五月二十九日（星期日）：

午前，以孫立人不願上海之部隊撤退來台，令其設法代籌駐地及讓出若干該部營房，彼詞搪塞，並多說無謂攻訐之語，令人悲傷矣。

其次是在六月十二日：

自九時至十四時，召見（林）蔚文、（陳）辭修、（周）至柔、（桂）永清、（湯）恩伯、（孫）立人各將領，分別談話。

即蔣先生自五月二十五日到六月二十一日，他住在高雄的那段時間內，其日記所載，曾召見孫立人兩次，而彭孟緝的名字則從來沒有出現過。

當然，蔣先生寫日記，並不是像流水帳一樣把每天發生的所有事情，見過的每一個人都鉅細無遺地記載下來的。因之沒有記載，並非表示不曾發生過。

這是我去查閱了那段時間裏蔣先生日記，有關坊間傳聞蔣、孫、彭三位同車之故事的所得，即從日記中看不到任何有關之紀錄，目前只能存疑、待考了。

一九四九年蔣中正神祕的「台南之旅」

一、前言

㈠緣起

一九四九年大陸易手之際，蔣中正先生在五月十七日自浙江定海搭飛機到台灣澎湖的馬公島，五月二十五日則自馬公搭機到台灣本島上的岡山。此後不久蔣先生乃定居於台北，一直到一九七五年四月逝世為止，長達二十六年之久。

在馬公這短短的八天之中，蔣先生曾否在五月二十日那天離開過這個小島，去了台南一趟，住了一晚，在二十一日從台南又飛回馬公去呢？

在本文中我簡稱此事為蔣先生的「台南之旅」。

有關此事之記載可見諸於陶希聖先生的「小日記本」；陶先生生前並非每天寫日記，可是卻留下二個文件，一個是小本子，簡稱為「小日記本」，另一個則是根據此小本子而得的「日記摘存」。在這兩個文件裡，陶先生把大事簡單紀錄下來，今皆在其長公子泰來兄處，我所取得的資料乃是得自於其三公子恆生兄處之打字節錄本。

陶公寫了：「五月二十日……下午八時半，委座到台南。」可是蔣先生日記則絕不提此次他在馬公與台南之間，來來去去的一夜之旅。此外，在沈克勤大使的大著《孫立人傳》中也有一段相關的記載，唯其所記之日有了十一天的誤差。

我之所以留心蔣先生在這段時間裡的行蹤，是因為要釐清坊間盛傳的一個小故事，亦即有一次蔣先生來台灣，孫立人中將與彭孟緝中將去迎接，他們三人在車中的一次對話之故事。

恆生兄在二〇一一年三月的《傳記文學》上發表了一篇文章，題目是〈先總統蔣公從溪口到台北的漫長旅程〉，開題就說：

民國三十八年先總統蔣公從浙江奉化溪口啟程赴台灣，未直接到台北，而是先到南部再轉台北。阮大仁先生在〈由蔣中正日記分析一九六三年行政院長陳下嚴上之原因（上）〉中寫道：「按「蔣先生那次是乘飛機到高雄入境……。」車守同也在〈陳下嚴上一文的補充〉中寫道：「蔣總裁係於民國三十八年五月二十五日由馬公飛高雄」，蔣日記：「到岡山下機，叔銘來接，直上高雄要塞之壽山官邸。」先父曾兩次隨同蔣公長途旅行，一次從溪口到台南（二十六天），另一次從台北到重慶、成都再回台北（二十四天），溪口台南之行，得自蔣公下野說起。

為了答覆車守同先生的質疑，我曾去查閱蔣先生在這段時期的日記，寫了〈一九四九年蔣中正抵台行止略記〉，發表於《傳記文學》二〇一一年三月號。因為蔣日記中並沒有記載他那次「台南之旅」，所以在那篇文章裡我也無從予以查考。二〇一三年四月五日我去恆生兄府上，承其賜贈陶公「小日記本」以及「日記摘存」之節錄打字資料，我才能將之與蔣先生日記兩相對照，草成此文。

㈡本文之宗旨

蔣先生曾否有過那一次的「台南之旅」，有下列三點可以考量，即：

1. 此是否是事實？即在一九四九年五月二十日晚上八時半，蔣先生是否到達台南？
2. 如果有過，那麼蔣在日記中為什麼一字不提？如果沒有過，陶先生為什麼會有誤記？
3. 如果有過，蔣先生來去匆匆，在台南只住了一夜，又悄悄飛回馬公，所為何事？此與坊間盛傳他與孫、彭兩位中將車中對話之故事是否相關？

依照本文之推論，我認為蔣先生是有這次「台南之旅」，若然，那麼下列兩點考量就是事關重大了，此即：⑴當時蔣中正對陳誠的猜疑有多深？⑵「台南之旅」沒有寫在日記裡，此示「蔣日記」之可信度發生了問題。因為這種省略只能看成蔣先生是在故意隱瞞事實真相，不能僅僅看成是一個省略。

依照本文之記載與評析，蔣先生日記雖然對一九四九年五月二十日的「台南之旅」沒有明文記載，但是也沒有故意說謊，說自己一直是人在馬公，只是語焉不詳。可是因為有了下述的兩個文件，使我們在比照蔣日記時，才能明白真相。此即沈克勤《孫立人傳》指出蔣先生那次是坐太康艦從馬公到左營，孫立人去接艦；以及陶希聖小日記本指出五月二十日王叔銘與他住在台南的鐵路飯店。

據蔣日記：

五月二十日

（中午）與黎玉璽艦長聚餐。（按：黎上校時為太康艦長。）

五月二十一日

昨午……與叔銘談話，屬濟時飛台北籌劃運船，以備撤退之用。晚課。

由以上兩條可證沈大使與陶先生所述為事實也，即蔣先生在一九四九年五月二十日是有過那一天一夜的台南之旅。

二、蔣陶沈三位相關的記載

㈠各位當事人之簡短介紹

在記述蔣、陶、沈三位有關一九四九年五月二十日左右的記載之前，先簡述各位當事人之相關資料：

彭孟緝：時任台灣防衛總司令部中將副總司令，駐在台北，隸籍湖北，黃埔五期砲科出身。

陶希聖：湖北人，其夫人萬冰如女士是國軍中湖北宿將萬耀煌將軍之堂妹。當時侍從蔣先生到馬公的幕僚群中，陶先生當是少數的湖北人。

蔣經國：作為蔣先生的長公子，他擔負了父親個人代表之身分，在大陸東南沿海穿梭訪問，與各地方之黨政軍首長會談。因此他雖然掛名為國民黨台灣省黨部主任委員，一時人卻不在台北。

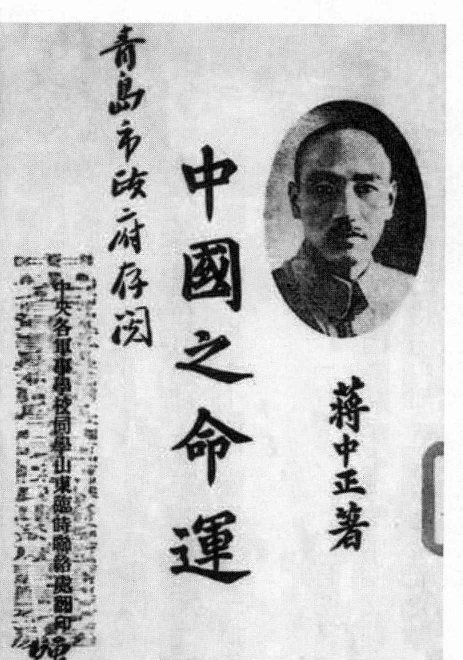

▶《中國之命運》發表於一九四三年三月，一般認為是蔣中正與陶希聖共書而成。書中反映了蔣中正的治國思想體系和根本政策。

陳誠：作為東南行政長官兼台灣防衛總司令部上將總司令，他是實際掌控了台灣軍政大權之首長。因為他在那段時間裡切斷了台灣與蔣先生之間的無線電訊與電話，使得蔣先生在五月十七日從浙江定海搭機飛往澎湖之馬公島，而不是降落在台北。

王叔銘：空軍中將副總司令，一直陪同在蔣先生左右。當時的空軍總司令周至柔上將因與陳誠不和，去了廣州與李宗仁代總統在一起。

根據蔣日記（一九四九年）：

五月十二日

下午到達舟山泊也，假眠後，空軍高級幹部十多人來見，表示其：

一、台灣行政希望交由空軍負責。

二、語意中不信仰王叔銘而擁護周至柔為空軍領袖。余斥其驕情自大，對空軍表示悲觀，而以訓勉作結論。至柔行動不正，甚可憂。

五月十七日

據報福州情況亦甚混亂，又稱空軍站在閩者已撤銷，語言紛云，未知真相，亟欲親臨福州與朱主任紹良晤面。在閩上空呼叫，其站台不應，無法降落，乃即飛澎湖停機降落。

由以上兩條記載可知，當時王叔銘只能掌控一部分之空軍，並且空軍內部對蔣先生來說，也已有不穩狀態。

由下文可知，陶希聖與王叔銘在五月十九日由馬公飛台南時，是由王將軍親自駕機，而且乘客只有陶先生一人，是專機。此示：

1.此行陶先生之任務，非但屬於機密性，而且有急迫性及重要性。

2.陶先生此行，是去台南及香港，他去香港轉往廣州，是為了要在六月一日出席立法院院會，以投票反對居正出面組閣，此事在五月二十日並非有急迫性。

3.陶先生在反對居正組閣一事上之重要性，不僅是因為他身為立法委員，自己有投票權，也是因為他與居先生是湖北同鄉。蔣先生要釜底抽薪，要他去廣州在湖北籍的立法委員中大唱反調去鬆動居正的「鐵票」。

（按：六月一日，立法院在廣州開院會以審議居正先生之組閣。居先生為李宗仁代總統所提名，以取代原有之何應欽行政院長。蔣先生大力反對居先生出面組閣，結果在那天院會中，出席委員們以一票之差，不予同意居先生組閣。後來蔣、李妥協，改由閻錫山先生繼任行政院長。）

4.此即陶先生在台南之任務，才是有急迫性的。

孫立人：時任中將陸軍訓練司令，駐在台灣高雄縣鳳山鎮，此地與台南鄰近。當時南台灣之守軍為孫系之唐守治軍（第八十軍），北部則由陳誠系之第六軍防守。

(二)陶希聖小日記本相關之記載

陶先生的日記記載如下：

五月十七日

泊定海，晨有霧，今日起飛（下午一時半）本擬降杭州，機場電台聯絡不到，乃直飛馬公島，下午五時到。澎湖為海中無砂島，皆平地多山，只產高粱白薯，無米菜，只有魚。海風平掃，颱風來時人不能行走，余等倉卒到此，台省府及要塞司令來不及布置，菜肉米皆來自台南，蚊帳被單均臨時借用。

五月十八日

此間電訊與外間尚未聯絡就緒，全不知上海及各地情況。（按：此時蔣先生切斷了他與外之電訊往來。）

五月十九日

上午請示往台南、香港。下午三時隨王副總司令專機由馬公機場起飛，半小時到台南。看台南行腳，與王副總司令同住鐵路飯店。熱甚。

往中華日報，盧冠群在台南，同遊赤崁樓及安平古堡。

晚王宴空軍諸人及卓市長及余。

（按：當時馬公機場無夜航設備，因此在白天起飛，到台南後，陶先生當天並無重要行程，乃與友人同遊古蹟。兩天後，即二十一日，陶先生離開台南，飛往九龍，此地為英國所屬，中國的空軍飛機應當不宜飛往，此示陶先生所搭乘者當為民航班機。陶先生說：「看台南行腳」，意指他與王叔銘是在替蔣先生到台南先作打探與布置。）

五月二十日

上午參觀（台南）工學院（今之成大），卓市長、盧社長陪同。下午參觀稻米試驗所，甘蔗楂製白報紙漿，甚感興趣。下午八時半，委座到台南。在盧社長存總裁特撥三民主義研究會基金。

另據陶希聖年表，在一九四九年部分有文曰：

> 五月十七日隨總裁乘飛機到澎湖馬公島。
>
> 總裁原擬在馬公島設立訓練機構為黨的幹部訓練的場所，但是馬公的氣候、建築和補給，都感困難，在此小住數日之後，遂轉往台南。
>
> 「點滴」，我在馬公島小住三四天，即搭飛機去台南。
>
> ……
>
> 我由馬公飛台南，那架飛機是王叔銘將軍自己駕駛，客座上只有我一人。這次飛行，叔銘與我永在記憶之中。

此處之記載，第一段文字是指蔣先生「在小住數日之後，遂轉往台南」，此非事實，陶先生之所以有此誤記的原因，容我在下文予以分析。至於第二段文字，指的是陶先生本人，則為事實。因為在五月十七日到馬公，十九日飛台南，二十一日飛九龍之後，陶先生隨後並沒有再回馬公去了。

以陶先生所寫的內容，他在十九日是去遊赤崁樓及安平古堡，二十日上午參觀台南工學院（今之成功大學），下午參觀稻米試驗所。這三個行程怎麼會需要蔣先生派專機送他去台南呢？而且是由王叔銘中將副總司令親自駕機呢？陶先生要去九龍，馬公沒有民航班機，須乘軍機到台南轉機，可是蔣先生為什麼會安排用專機送他去台南？讓他在台南遊山玩水一天半？

我認為關鍵是陶先生沒有寫出來的一個行程，即他在二十日中午午餐是與誰一起見面進餐的呢？

陶先生清楚記載了「五月二十日下午八時半，委座到台南。」在研究蔣中正日記之前，容我先記述沈克勤《孫立人傳》下冊第五六二頁的一段記載。

㈢沈克勤《孫立人傳》的記載

二〇一三年四月二十四日我去沈大使府上，向他當面請教孫立人在一九四九年五月「接機」之事。不料沈大使說，那次蔣先生是從澎湖乘太康軍艦（艦長為黎玉璽上校）到達高雄（左營）靠岸，並指示我去查閱《孫立人傳》中的相關記載，今先抄錄其原文如下，再予評析：

當上海陷共後，蔣總裁有意來台，曾派一位參軍來台試探孫立人態度。孫當即明確表示：擁護蔣公來台，主持反攻大計。蔣總裁於三十八年五月二十五日從象山港登上太康艦啟航，自舟山致電台灣省政府陳主席，告有赴台之行，二十四小時內未獲復電，太康艦在海上巡弋三天，六月一日改航駛往高雄靠岸，孫立人聞訊前往迎接。蔣公由桂永清、蔣經國陪同，步下軍艦，面容疲憊。見到孫立人就問，「我在這裡安全吧？沒有人講甚麼吧？」孫將軍聽到，不禁亢聲道：「我在這裡負責軍事，由我保護，誰敢講甚麼？」隨即陪同蔣公驅車至壽山官邸休息。

▲《孫立人傳》由台灣學生書局於一九九八年出版發行。

比照下文所引之蔣日記，以及上文所引之陶希聖日記，沈先生大文有下列需要修改之處：

1. 蔣先生在陳誠沒有覆電之後，在五月十七日從浙江定海乘飛機飛到台灣澎湖之馬公島。在此之前，蔣先生是坐著太康艦在舟山群島沿海巡弋了幾天。
2. 蔣先生在五月二十五日是坐飛機從馬公去岡山，此為公開之行程，可見其日記。

3. 沈大使當時為上尉官階，在孫將軍位於高雄鳳山的陸軍訓練司令部任職，是張佛千少將的部屬。據沈大使告訴我，這些記載是孫將軍回到司令部親口告訴他們的故事。

我認為除了日期有誤以外，接艦與蔣孫對話這兩件事是確有其事。接機及接艦是不相同的，而且去左營接艦與去岡山接機當為不同。也就是說孫立人去接艦是有其事的，只是並非在六月一日，而是在另一個日子。

由沈大使所記之蔣與孫的對話，與張佛千世伯告訴我的蔣與彭孟緝及孫立人在車中的對話相比照，在孫立人的部分，兩個說法大同小異。只是沈大使在著作中，及我當面請教時，都說不記得有聽到過彭孟緝的那一段故事。此事發生在一九四九年，而且沈大使當時並不在場，只是轉述孫將軍的口述故事，因此與張先生在一九九〇年代轉告我的故事，有了差異，也是可能的。況且張先生當時是少將，沈先生是上尉，孫立人中將在告訴他們兩位同一件事情時，對張說的多些，對沈說的少些，也是人之常情。

沈大使這段敘述，點出來了一個關鍵人物，即是太康艦長黎玉璽上校，因為比照下文的蔣日記，在五月二十一日，蔣說：「昨午前……即驅車回賓館，已近正午。與黎玉璽艦長聚餐。」這是黎先生的名字在蔣先生住在馬公的這一段時間裡，少有的出現過的一次，而且此與這一段日記的上下文完全無關。

(四)蔣日記未提及五月二十日去過台南

據蔣日記（一九四九年）：

五月十八日

> 朝課後，以對台電報電話皆不通，福州情況始終未能明瞭為慮。
>
> 五月十九日
>
> 九時後朝餐、記事。與希聖、叔銘分別談話甚久。午餐後，經國由福州回報。

此與陶先生之小日記本相比照，兩相湊合，陶先生說「五月十九日上午十時請示往台南、香港。下午三時隨王副總司令專機由馬公機場起飛，半小時到台南。」蔣經國此時人不在台北，所以蔣先生須經由他人以明瞭台北之狀況，因為此時「對台電話及電報皆不通」。

又陶先生與王將軍二人同飛台南，但是在台南其任務並不相同，因此蔣先生是「與希聖、叔銘分別談話甚久。」此外陶先生去香港是要轉往廣州去參加立法院院會，此部分任務與王將軍無關，因此蔣先生也需要分別與他們談話。

下面五月二十日及五月二十一日的蔣日記分別是記載前一天的活動，非常奇怪。因為通常蔣先生是在第二天清晨去寫前一天的日記，也就是說五月二十日的日記應當是在二十一日清晨寫。同樣二十一日之日記是在二十二日去寫。此時蔣先生在馬公，甚為清閑，又不是在兵慌馬亂，無暇寫日記之時，怎麼會出現這個現象呢？今先抄錄其中相關的文句，再予評析。

> 五月二十日，星期五，晴。
>
> 昨午假眠不成……陳辭修赴粵多日未回，不勝繫念之至。晚課後入浴，餐後與鴻鈞、經國在海濱散步，十時寢。

此篇日記所寫者全是十九日之活動，談的是蔣先生在馬公島視察地方之情形，二十日的活動則見下一天即二十一日之日記。此時蔣經國仍在馬公，不在台北。

五月二十一日，星期六，晴、風

昨午前巡視崎金山營房要塞……即驅車回賓館已正午。……與黎玉璽艦長聚餐，下午接恩伯、逸民、至柔各函，對青島撤守之顧慮甚多也，立作處置。……與叔銘談話，屬濟時飛台北籌劃運船，以備撤退之用。晚課。

至此為止，這篇日記寫的都是五月二十日的活動，大約佔了五分之四的空間。此時，蔣先生乃在那張紙上端，通常是留作空白以供寫眉批之用處，開始另寫一文以記述當天（即五月二十一日）之活動。其文曰：

本二十一日朝課後，寫恩伯、至柔各函後，令曹祕書飛穗……上午遊覽要塞、營房與市街，到漁港及碼頭而回，記事。

這一段文字很長，上端空白處不夠寫了，乃延伸到正文結尾處前文末用之空白篇幅，約佔五分之一。蔣先生用黑線將之與前述第一段寫前一天（五月二十日）者隔開，因此使得前文之結尾被截斷，只寫了「晚課」二字，文意不夠完整。也就是說，在這一天的日記本之同一張紙上面，蔣先生寫了兩天的活動，因此其墨跡與平常寫的不同，字要小的多。不過此與一九三五年日記本受潮後，蔣先生命人補抄處的情形不同。那些篇章的墨跡所用的字型是正方型的工筆小楷，與蔣先生字跡不同，而在此處所用的是扁扁的長方型之黃庭堅體小字行楷，仍是蔣先生親筆所寫之字跡，只是其字比常見者要小的多，每個字比一半還要小些。在此紙中，第一段寫五月二十日的部分，蔣先生寫了：「與叔銘談話，屬濟時飛台北……。」

這是一條非常重要的線索，因為按照這段日記（即五月二十日及五月二十一日那兩張日記紙）中的其他文句，我們只能說在五月二十日及二十一日蔣先生所記載的活動中，在五月二十日上午蔣先生是在馬公島上公開視察地方。下午接各人函則可以在馬公，也可以在路途上或在台南，可是晚上他與王叔銘談話，他本人則必須在台南，因為按照陶先生的小日記本，王將軍與陶先生同住在台南鐵路飯店。

這也才能解釋為什麼陶先生在他的五月二十一日日記中會誤寫「上午委座飛台北」。這是因為蔣先生在台南並未召見陶先生，陶是由王處知道在第二天（即五月二十一日）王與俞濟時將軍將要同機去台北。因為俞是蔣的侍衛長，陶自溪口到馬公，在這二十多天裡一直陪同蔣到各處旅行。他知道俞一向是與蔣寸步不離的，所以才誤會蔣也會與王叔銘及俞濟時一起飛去台北。

試想如果蔣先生在五月二十日晚上是在馬公召見王叔銘談話，其時人在台南的陶希聖又何從知道王與俞在二十一日上午飛台北的行程，因而誤判二十一日委座飛台北的呢？須知道當時蔣先生已切斷他馬公行館與外之電訊聯絡，如果王叔銘在二十日晚上人在馬公，他既無必要，也無方法即刻告訴人在台南的陶先生，王本人在第二天早上要飛去台北了。

在五月二十一日那張紙上，蔣先生所寫的當天之活動，可歸納成：㈠在朝課後，寫恩伯、至柔各函。㈡令曹祕書（曹聖芬）飛穗（廣州），傳達先生對陳誠有關部分存台黃金運回大陸之指令。㈢上午遊覽要塞等地方後回賓館「記事」。

其中第一及第二兩項是可以在台南、在路上或在馬公做的，由這段文字我們無從查出蔣先生當時人在何處。至於第三項，則是在馬公島公開的行程。

此示五月二十一日上午蔣先生是人在馬公島。因此陶先生及沈先生的記載皆為誤記，陶說委座那天早上飛去了台北，沈則說蔣先生在左營上岸後住在高雄。

可是在寫這段日記的時候，與蔣先生平日記日記的習慣大不相同。即是在「記事」這兩個字。蔣先生的習慣是在晨起做完朝課後，即著手記事去寫前一天的日記，此為數十年如一日，甚有規律。

一如前述，在那張日記紙上蔣先生竟然寫了兩天的活動，這已是與平日大不同了。況且當時他人在馬公，甚為清閑，又不是軍情緊急，為什麼要在二十日日記紙上去寫十九日的行程，而在二十一日的紙上卻寫了二十日與二十一日的兩天行程呢？況且在二十一日的紙張上，寫二十日的日記時卻是在午後「記事」，而不是在清晨。我認為這是因為二十一日一大早，蔣先生就從台南飛回馬公，在飛機上是很難用毛筆寫日記的。

假設沈大使在《孫立人傳》的記載是正確的，即此次蔣先生是坐太康艦，中午與「黎玉璽艦長聚餐」後，乘艦從馬公到達左營。在孫立人接艦後，蔣先生於「下午八時半到台南」。然後在第二天早上從台南飛回馬公，因此當天早上在馬公乃有了公開之行程。

接下來，有下面三個問題，即：

1.為什麼蔣先生要選擇從台南起飛？我認為是王叔銘在十九日已先到台南，先行佈置了蔣先生行腳。一如前文所述，不但王中將當時只能掌控一部分之空軍，而且對蔣先生來說，有些空軍分子也已為不穩了。

2.為什麼蔣先生不坐太康艦回程，而要坐飛機回馬公？須知道他五月二十一日上午在馬公之公開活動並非是急迫要做之事也。我認為此時他已知道陳誠即將自廣州起飛到馬公去與他見面，所以他要急著趕回馬公。據蔣日記：

五月二十一日

辭修與銘三忽由穗飛來相晤，數日來所焦慮者，至此釋然。

3.因之陶希聖與王叔銘在五月十九日專機飛台南，其任務之急迫性，是因為蔣要儘快決定何時去台灣，在何處降落？也就是在陳誠來見之前，蔣要有個腹稿。

下面一個問題是，如果蔣先生只與孫立人會面，能否全盤掌控台灣之情形？須知道此時孫立人在南台灣的鳳山駐紮，他的部屬唐守治軍是防守南台灣者，因此孫立人只能掌握南台灣，並不通曉北台灣之現況。因而彭孟緝這位台灣防衛副總司令，駐守在台北，又是陳誠總司令之副手，此時乃成為蔣先生要徵詢陳誠方面之重要情報來源了。這是我認為蔣先生之所以選擇陶先生去擔任這趟機密任務，以便代他先與彭將軍聯絡，安排兩個人在南台灣祕會的原因。此即如前文介紹的，陶先生是當時在馬公的重臣中唯一的湖北人，與彭將軍同鄉，其夫人萬冰如女士又是湖北宿將萬耀煌將軍之堂妹。

關於此點，容我在後文予以評析。

接下來我要問的一個問題，與蔣先生此次「台南之旅」並無直接關係，卻值得我們探討。此即在一九四九年五月二十一日，陶先生自己從台南搭機去了香港，因此他一時無從知道他在日記本上寫的「上午委座往台北」是誤記。可是陶先生是在一九八八年才去世，此已為四十年後的事。在此四十年中，陶先生應該發覺他的這條記載為誤記。作為一位負有盛名的歷史學家，陶先生在其晚年整理「小日記本」作「日記摘存」時，怎麼不予改正呢？是不是他故意留個破綻，讓後人去尋找他誤記之原因。這是我的推論，他是因為王叔銘在台南鐵路飯店告訴他王將軍自己與俞將軍將要在五月二十一日同機飛台北，才會因此誤記蔣先生會與他們同機飛台北？此即間接證明那天晚上蔣先生是在台南召見王叔銘的。

總之，這個問題，我目前沒有答案，在此提出來供大家去思考了。

以上是比對了蔣中正、陶希聖與沈克勤三位有關蔣先生這次「來台一日遊」之記載，我的結論是蔣先生確實有過這一次的「台南之旅」。雖然陶、沈二位之記載各有誤記，沈是寫錯了蔣先生在左營登岸的日期，把五月二十日寫成了六月一日；陶則是在記載五月二十一日早上蔣先生離開台南時，把蔣先生飛回馬公，誤寫成了「上午委座往台北」。不過除了這些細節性的小錯之外，以他們兩位之記載與蔣日記兩相對照，由五月二十日蔣與黎玉璽艦長午餐，以及晚上召見王叔銘二事去看，此與沈及陶的說法契合，可證二位並沒有弄錯蔣先生這次台南之旅。

㈤陶先生祕密接洽蔣先生召見彭孟緝之事宜

至於本節要寫的彭孟緝先生在「台南之旅」中所扮演的角色，則純粹是我個人的推論，在此提出來，謹供大家參考。

依據上文，蔣日記及陶的小日記本都說，在五月十九日上午十時，陶先生單獨晉見蔣先生，以請示他本人去台南、香港事宜，蔣日記說談甚久。在與陶談話之外，蔣亦分別召見王叔銘，也是與其一個人談話甚久。

五月十九日，即當天下午三時，王中將親自駕機用專機方式把陶先生從馬公送去台南，可見陶先生此行實為緊迫。但是接著在五月十九日下午與五月二十日全天，陶先生自己記載的行程全是遊山玩水，參觀學校與試驗所等不急之務。那麼蔣與陶談的「台南事宜」，以及陶急著趕去台南是為什麼呢？是讓陶先生能在台南玩個一天半，等到五月二十一日才轉搭民航機去香港嗎？

其次，陶先生去港九轉廣州，是為了要參加六月一日的立法院院會，以反對居正組閣。此在五月十九日並非急務，蔣先生不需要在當天下午就派王將軍駕專機送他去台南轉機去香港。

我們再研究另一個關鍵性事件。

陳誠與蔣鼎文兩位上將在五月二十一日要從廣州飛馬公來看蔣先生。蔣先生屆時勢必要決定他去台灣之行。可是蔣對陳之切斷台灣與蔣個人之間的電訊一事，十分憂慮，他急須與孫立人聯絡見面。依據《孫立人傳》之記載，孫在此之前已向蔣先生的密使表態歡迎，所以蔣之與孫見面只是加強雙方之聯繫。可是從蔣的立場來說，由馬公飛台北當然比由馬公飛往南台灣來得合乎情理的多。因此他此行除了與孫立人見面之外，也必須摸清楚北台灣的狀況，而孫將軍在這方面則無從協助蔣先生。

我判斷此時蔣先生所挑選的諮詢對象是彭孟緝將軍。彭將軍時任中將台灣防衛副總司令，是陳誠總司令之副手，可是又不是陳的嫡系——土木系出身。但是彭將軍在當時為資淺，蔣先生與之並不熟悉，況且他人在台北，蔣先生此行又必須只能到南台灣上岸，因此彭將軍必須祕赴南台灣晉見蔣先生。可是此時蔣先生已無法與台北通電訊，他又怎麼能夠讓彭將軍知道自己要與他見面呢？

當時從台北到高雄之火車及汽車之車程均須八小時以上，到台南亦至少須要六小時，彭將軍以搭乘軍機飛往南台灣較為合宜。因此我判斷蔣先生在祕召彭孟緝見面一事上，交給陶先生與王將軍之任務，分別是要陶以鄉誼或族誼去聯絡彭將軍，邀他南下到台南與陶見個面，以便陶先生當面傳達蔣先生予以召見之命令；王將軍則負責安排彭將軍南下時所要搭乘之軍機。

陶與彭聯絡當為陶在五月十九日下午到達台南之後，因為蔣先生此時已切斷其馬公行與外之聯絡；且陶在馬公與台北彭將軍聯絡，即使聯絡得上，也會引起陳誠陣營之注意。

陶先生在五月十九日下午到台南與彭將軍接洽後，彭將軍在二十日中午到台南與陶共進午餐。陶在當面傳達了蔣先生召見彭將軍之命令後，即在此事件中功成身退。剩下的，則是由王叔銘中將安排彭將軍去左營接艦事宜，因此才有了張佛千世伯告訴我的蔣、彭、孫三位同車之對話，以及孫將軍拒絕移身退讓座位之故事。

也因之蔣先生到達台南後並未再召見陶先生，可是他為了派船接運青島駐軍之劉安祺兵團事，在晚上召見王叔銘將軍，囑其在次日與俞濟時中將同飛台北。顯然王叔銘中將在回到台南鐵路飯店後，告訴了陶先生他第二天與俞濟時同飛台北之行程，因此陶先生在五月二十一日的日記中才會誤記「上午委座飛台北」。

本節所述有關彭孟緝將軍者，只是我個人的推論，因為在蔣、陶與沈三位先生的書面文件中都沒有記載相關彭將軍之事。不過我認為根據陶先生之小日記本記述，我所作的推論是合乎情理者。

三、小結

㈠三人同車故事發生在「台南之旅」

依據本文之分析，蔣先生在一九四九年五月二十日中午，從馬公坐太康艦到高雄左營登岸，並在當天下午八時半到台南，第二天，即五月二十一日早上從台南飛回馬公。在本文中我稱之為蔣先生的「台南之旅」。

依《孫立人傳》，那天孫將軍到左營接艦。再依照我的推論，彭孟緝將軍在那一次也去接艦，因之才有了坊間廣為流傳的蔣、孫、彭三人同車的故事。該流傳之故事，大致如下：

> 在座車中，蔣先生問孫、彭兩位將軍：「我這次來，安全有沒有問題？」孫中將說：「有我們兩個在，還會有什麼問題？」

彭中將接著說：「以校長您的德望，怎麼會有問題？」

沈克勤在《孫立人傳》的記載是：

「我在這裡安全吧？沒有人講甚麼吧？」

孫將軍聽到，不禁亢聲道：「我在這裡負責軍事，由我保護，誰敢講甚麼？」

據沈大使說這是他親耳聽到孫立人將軍口述之故事。

比照這兩個說法，有下述的異同，即：沈大使沒有提到彭將軍亦在場；有關孫將軍的說話，雙方的文句雖為有差異，語意則是相同。

因為蔣日記對此次五月二十日的「台南之旅」隻字不提，只寫了五月二十五日自馬公飛岡山，王叔銘接機，因此有一位讀者車守同先生乃投書《傳記文學》，對拙文所提到的前述之民間流傳之故事有所更正。（刊載於《傳記文學》九十八卷第二期）

為了釋此疑，我曾去閱讀了蔣先生在那段時期的日記，並撰文〈一九四九年蔣中正抵台行止略記〉。因為蔣日記中間隻字不提他在五月二十日的台南之旅，所以當時我也無從查考前述三人同車之事，所以結論為「即從日記中看不到任何有關之紀錄，目前只能存疑，待考了。」

一如本文起首處所記述的，陶希聖先生之公子恆生三哥，根據陶先生所遺留下來的「日記摘存」及「小日記本」，在《傳記文學》二〇一一年三月號發表〈先總統蔣公從溪口到台北的漫長旅程〉，首度揭露了蔣先生在一九四五年五月二十日下午八時半到台南。

可是恆生兄並沒有把陶先生的日記本拿去與蔣日記比對，因此對此「台南之旅」就沒有再予分析及研究。

在寫了本文之後，我可以說車守同先生與我都弄錯了，三人同車不是發生在一九四九年五月二十五日蔣先生從馬公飛到岡山那次，而是在此行五天之前的另一次「台南之旅」。

蔣先生在日記中隱瞞了「台南之旅」，這種情況不能稱之為省略。因為從馬公到台灣左營及台南，又從台南回馬公，是一個長途的旅行，這種行程在日記中豈可略去不寫呢？

㈡蔣日記為甚麼要隱瞞此次「台南之旅」？

假設到此為止我的分析與推論是正確的，我們要研究一下，蔣先生在日記中為甚麼不寫這次「台南之旅」。我認為這是蔣先生從西安事變中得到的教訓。

在西安事變中，張學良將軍閱讀了蔣日記。由我們今已看到的蔣日記去看，蔣先生毫無疑問，不論是在西安事變之前，還是一直到他晚年因健康不好而停寫日記為止，在這五十六年他寫日記的時間裡，我認為蔣先生是一位始終如一的民族主義者。他一生反日、反俄、反英、反美等，這並不是喊喊口號的反抗帝國主義對中國的侵略，而是數十年中在字裡行間、通篇累章地表現出來的。等到不久的將來，蔣日記由台灣的中央研究院公開出版以後，請大家去閱讀，應該可以有像我這般體認。

所以說，在西安事變中張學良因為讀了蔣日記，才知道蔣之抗日決心，我是認可此說的。

對蔣來說，不寫此次台南之旅，是要預防此事外洩，我認為此是因為：

1. 他對陳誠一度生疑，他並不希望包括陳將軍在內的外人知道他曾去過台南一趟。

2. 他要保護他在陳誠身邊的內線——彭孟緝將軍。

3. 在孫立人與彭孟緝二位之中，蔣先生到了台南，召見南台灣駐軍首長的孫立人將軍，當是應有之事，即使後來有人知道了，也無庸置議。

可是彭孟緝從台北專程趕去台南晉見，而且是瞞著台北的原單位，那就會引起非議了。姑且不說陳誠先生此後會不因之提防彭先生，即使此事本身，已可使陳將軍處分彭將軍了。

與西安事變對照，在一九三六年蔣先生在張學良身邊也安插了一個監視者，此時張將軍是上將西北剿匪總司令，而蔣在他身邊的耳目則是位居剿總中將參謀長的晏道剛。此人是黃埔一期生，是力行社（俗稱藍行社）的十三太保之一。因為他的失職，使得蔣先生身入虎穴，蔣對此非常生氣。在蔣先生脫險回到南京之後，有一次在歷險同仁合拍團體照時，蔣先生面令晏將軍出列，不許他參加，而且此後晏的仕途也就一蹶不振了。

在西安事變中扮演了重要角色的萬耀煌中將軍長與其夫人，他們的堂妹夫陶希聖先生則在此次「台南之旅」中也扮演了一個關鍵性角色。在這相隔十三年的兩次事件中，萬耀煌夫婦、陶希聖、彭孟緝這幾位湖北同鄉都成為要角，真是巧合到了令人驚奇的地步。

對我們研究蔣日記的人來說，這次「台南之旅」的例子顯示出一個重大疑問，即在蔣日記中除此之外還有沒有其他類似的情形，蔣先生還有沒有其他故意隱瞞真相之處呢？

可是我必須指明的是，蔣先生雖然在一九四九年五月二十日及二十一日的日記中沒有明白說出他去過台南，可是也沒有說謊，說他一直是在馬公，只是語焉不詳，沒有明說他曾去過台南而已。

後記

我曾將本文初稿給王顯達博士看，王兄與我一樣是學理工的史痴，是我北師附小及附中的學弟，其尊翁宜聲公是團派（陳誠系）在立法院中的要角。王兄對本文所寫的蔣陳之間一度生疑之事，大不以為然，但是對陳誠曾切斷台灣與蔣之間電訊之事，也無法提出合理解釋。王兄去了中央圖書館查閱當時的台北《中央日報》，提供給我在那段關鍵時刻陳誠上將的行蹤，紀錄如下：

一、一九四九年五月十三日陳濟棠上將從廣州飛到台北，面致李代總統宗仁寫給陳先生的一封信，邀陳去廣州面談國事。

二、陳在五月十六日乘專機出發，機上另有居正等國府要人。

三、另根據陳先生之回憶錄，此次他的專機在福州降落，朱紹良主任上機與之同去廣州。

四、五月二十二日陳誠回到台北，中途曾在「某地」停留。

在王兄所補充的資料中，仍然沒有找到一個關鍵性的日期，就是蔣先生在什麼時候從舟山群島打電報給陳誠？也就是說他將要赴台，而陳卻未覆電歡迎，蔣乃在五月十七日飛馬公。

附錄一：對樓文淵先生來文之回應

筆者在《傳記文學》二〇一三年七月號（第一〇三卷第一期）發表了〈一九四九年蔣中正神祕的「台南之旅」〉一文後，樓文淵先生即寫了〈回應阮文「台南之旅」：一九四九年蔣公行事紀要〉一文，刊載於同年之八月號，本文則是筆者對樓先生大作的回應。

在作回應之前，容我先引述樓先生的話如下，使讀者能明瞭雙方的說法，樓先生說：「近日拜讀阮大仁先生所撰關於先總統蔣公於旅次澎湖馬公時，曾神祕赴台南之旅之說，顯與事實不符。茲將該段時期，蔣公有關行程紀要略述於後，以期有助澄清事實之揣測與猜想。」

該文中樓先生說，他是引用了「當時侍衛人員的工作日誌，同時參酌隨侍人員的記事而撰述，千真萬確，絕不是日後編造的文字，更不是子虛烏有的杜撰。可澄清阮文中許多疑點與引述他人文字中的錯誤。」

在前文中我所引用的資料來源有三種，即為：

㈠《蔣中正日記》。
㈡陶希聖「小日記本」與「日記摘要」。
㈢沈克勤著《孫立人傳》。

其中蔣、陶二位的日記都是當時的記載，並不是日後編造的文字。至於沈大使的《孫立人傳》則是成書在後，不過沈大使今猶健在，承其面告，左營接艦一事是當年孫立人將軍當面告訴他的故事。至於樓先生所引用的侍衛人員之「工作日誌」，則是我第一次聽到的資訊，希望國府能將之解密，公諸於世，使大家在研讀蔣日記時，可以引用此「工作日誌」，作為比較與對照，那麼對大家在追尋歷史真相時，應當是有幫助的。

這篇文章是回應樓先生的，即將樓文中所引用的「工作日誌」，在一九四九年五月二十日午餐後，到五月二十日晚上，也就是我所謂的〈台南之旅〉發生的關鍵時段，在本文中以之與我前文中所引用的三份檔案之資料作對照。根據下文之所析，我認為彼此之間並非不能互相符合。更且因為工作日誌中的一條記載，此為蔣日記中沒有的，即五月二十日十六時十五分太康艦長黎玉璽單獨晉見蔣先生，談了五分鐘，反而加強了我立論的證據，即那天下午，蔣先生是從馬公坐太康艦去左營的。

一、黎玉璽及王銘是兩個關鍵人物

在〈台南之旅〉那篇拙文裡，點出了兩個關鍵人物，即時任太康艦長黎玉璽上校與空軍副總司令王叔銘中將，此是因為：

㈠《孫立人傳》說那次是「太康艦在海上巡弋三天，六月一日改航駛往高雄靠岸，孫立人聞訊前往迎接，蔣公由桂永清、蔣經國陪同，步下軍艦。」

按：此處沈大使的記載，日期有錯，即把五月二十日錯寫成六月一日，我在前文中已予指正。

㈡陶希聖「小日記本」記載，在五月十九日王叔銘駕專機自馬公把他飛到台南，二人同住鐵路飯店。

㈢蔣日記：「五月二十日……與叔銘談話……晚課」。那晚，王叔銘與陶先生仍舊同住台南鐵路飯店。

㈣陶「小日記本」記載「五月二十日下午八時半，委座到台南。」

二、「工作日誌」漏記蔣中正與王叔銘談話一事

台南之旅的關鍵時段，是在五月二十日午餐後到五月二十一日凌晨。此次我先把樓先生所引用的

「工作日誌」中有關那段關鍵時刻的記載全文抄錄，再逐條加以評析。

二十日：……十一時四十五分原路返歸。十二時五十分偕俞鴻鈞、黎玉璽、蔣經國同進午餐，十三時十五分辭出。十六時十五分見黎玉璽，時為太康艦長，二十分辭出。五十五分外出附近散步，二十時二十分偕俞鴻鈞、蔣經國、周宏濤晚餐。

今，西安撤守。

二十一日：上午十時四十分外出赴要塞司令部及四十軍巡視，十三時十五分偕俞鴻鈞、蔣經國午餐，三十分辭出。十六時四十分見甫自廣州飛返台北途中，前來馬公之陳誠、蔣鼎文、李良榮及俞鴻鈞，二十時十分同進晚餐。

至於在〈台南之旅〉文中，同一段關鍵時刻，我所引之蔣日記如下：

五月二十一日，星期六，晴、風

昨午前巡視金山營房要塞……即驅車回賓館已正午。……與黎玉璽艦長聚餐，下午接恩伯、逸民、至柔各函，對青島撤守之顧慮甚多也，立作處置。……與叔銘談話，屬濟時飛台北籌劃運船，以備撤退之用。晚課。

本二十一日朝課後，寫恩伯、至柔各函後，令曹祕書（聖棻）飛穗（廣州）……，上午遊覽要塞營房與市街，到漁港及碼頭而回，記事。……辭修與銘三忽由穗飛來相晤，數日來所焦慮者，至此釋然。

今以蔣日記所寫，與樓先生所引用「工作日誌」兩相比照，可得下列各點：

㈠在五月二十日午前，雙方的記載相互吻合，即蔣先生人在馬公視察各處。

㈡五月二十日的午餐，蔣日記說：「與黎玉璽艦長聚餐。」「工作日誌」說：「十二時五十分偕俞鴻鈞、黎玉璽、蔣經國同進午餐，十三時十五分辭出。」把這兩條記載相比較，很有意思。因為俞鴻鈞時任中央銀行總裁，蔣經國則為蔣先生之長公子。當時黎玉璽只是一位海軍上校的太康艦長，俞蔣二人比黎先生的位階遠為高出與重要，蔣先生與他們三位一同吃午餐，為何在日記中只用黎上校一個人的名字作為代表人物？為什麼黎「艦長」在蔣先生潛意識中如此重要？既為「聚餐」，則除了蔣先生與黎上校，同桌應當還有其他人在場，蔣先生何以沒有寫出俞鴻鈞及蔣經國的名字？並且這頓午餐只費時二十五分鐘，吃得非常快。

㈢「工作日誌」所記載五月二十日下午，蔣先生的行程只有一條，即為：「十六時十五分見黎玉璽，時為太康艦長，二十分辭出。」

這段記載值得研究，一方面因為蔣日記並未記載此事。以「工作日誌」去看，蔣先生當天下午只有三個活動，並不多，為何不記此事？另一方面，這是在三個小時之內，蔣先生第二次與黎先生談話。不過前一次是與旁人一齊吃午餐，這一次則是單獨談話，而且只有短短的五分鐘。

我在〈台南之旅〉一文中推斷，蔣先生是在五月二十日下午從馬公搭太康艦駛往左營，到岸後，孫立人去接艦。這條記載反而可以加強我這個立場的證據。

「（十六時）五十五分，外出附近散步」。僅僅只由這條記載我們看不出蔣先生當時身在何處？在馬公賓館？在太康艦上？還是在左營？

「二十時二十分偕俞鴻鈞、蔣經國、周宏濤晚餐。」這條記載也沒有說明蔣先生當時身在何處？今以此與陶希聖的「小日記本」與沈克勤《孫立人傳》兩個檔案去作互勘，來研究一下，這三份資料能否互相說得通而且不致有矛盾之處。

陶希聖說：「委座下午八時半到台南。」以之與「工作日誌」相較，只差十分鐘，也就是說蔣先生若是到台南時進晚餐，兩者並無相互扞格之處。

沈克勤《孫立人傳》中說，「孫立人去左營接艦時，蔣公由桂永清、蔣經國陪同，步下軍艦。」此時桂永清為海軍總司令，以海軍之傳統，如果在由馬公至左營的航段中，桂永清也在太康艦上，那麼在前述十六時十五分去晉見蔣先生的，應該是桂總司令，而不是黎玉璽。即使有事非得由黎艦長向蔣先生報告，桂總司令也應當在場。因此我判斷當太康艦到達左營時，桂將軍人在此海軍基地內，另就近上艦去迎迓蔣先生。所以等到孫立人自鳳山趕到左營接艦時，只見桂永清與蔣經國陪同蔣先生步下軍艦。孫將軍並不知道桂永清只是比他早一步登上太康艦，並不是與蔣先生一同搭太康艦到達。並且此示蔣經國是陪著蔣先生一起到左營，那麼他參加了晚餐，也是合理之事。

由五月二十日午餐及晚餐的名單去看，俞鴻鈞及蔣經國都是一同陪著蔣先生搭太康艦從馬公到左營。只是俞先生的身分與軍事無關，所以在蔣先生下艦去和孫立人會面時，俞先生並沒有陪著蔣先生一同步下軍艦。

蔣先生帶著俞先生同行應當是與他商量當時李宗仁代總統所要求的，把部分已運至台灣的中央銀行庫藏之黃金運去廣州一事。這也是與在第二天，即五月二十一日蔣日記中所說的，他命令曹聖棻飛廣州去向陳誠傳達蔣先生有關此事之指示。

由晚餐與會者名單中沒有桂永清及孫立人兩位將軍之大名可知，蔣先生此時已離開左營。此與甲條中所說的，與陶先生之記載相吻合，這頓晚餐蔣先生是在台南吃的，並不是在左營吃的。

到此為止，「工作日誌」所記載的，與我在〈台南之旅〉文中所引用的三個資料來源，在我看來，並無相互矛盾之處，彼此之間是說的通的。

下面的這一條記載，則為十分重要，此即蔣日記說五月二十日，「與叔銘談話，屬濟時飛台北籌劃運船，以備撤退之用，晚課。」可是樓先生所引「工作日誌」中，五月二十日並沒有記載蔣先生在晚上召見王叔銘一事。

因為當天王將軍在台南，所以蔣日記的這條記載，是我〈台南之旅〉一文立論之基礎，可是「工作日誌」則偏偏漏記了這一次蔣王之見面。

在「蔣日記」與「侍衛人員工作日誌」有了兩相扞格之處，我們當然是要採信蔣日記的記載。至於「工作日誌」為何有此漏寫之失，在我還沒有看到這個檔案加以研究之前，只以樓先生的一篇短文所引用者，本人實在無從論析之。只能說，由這個例子去看，「工作日誌」是有可能漏寫蔣先生行程之處。

三、蔣日記與「工作日誌」都有可能漏記事實

蔣日記與侍衛人員工作日誌之記載蔣先生之行程與活動，理論上只可能有四種情況，今以一九四九年五月二十日為例，說明之。

(一)兩者都記載的事，如五月二十日與黎玉璽上校同進午餐。

(二)兩者都沒有記載的事，如〈台南之旅〉一文中，我根據陶希聖小日記本去推斷蔣先生此次亦召見了彭孟緝中將。以及根據沈克勤《孫立人傳》之記載，此次蔣先生是坐太康艦到左營，孫立人中將前往接艦。

(三)蔣日記有記載而「工作日誌」沒有寫的，如五月二十日晚課前，蔣先生與王叔銘談話。

(四)蔣日記沒有記載，可是「工作日誌」卻有的，如十六時十五分黎艦長去見蔣先生，談了五分鐘

話。

在這四種情形裡，除了第二種，我認為都是曾經發生過的。即使是第四種，即蔣日記不曾記載而「工作日誌」卻有的，我也同意樓先生的說法，此是「千真萬確，絕不是日後編造的文字。」可是因為有了第三種及第四種情況出現，此示蔣日記或「工作日誌」都可能各有漏記之事，卻因為另一方之記載而得以證明其發生過，那麼在邏輯上就可能產生第二種情形，即雖然這兩個文件同時都漏記之事，卻也可能為真實發生過之事。

在第二種情形發生時，即蔣日記與「工作日誌」或者都沒有明白記載，或者都有漏記之時，這就得依靠其他資料了。

我在〈台南之旅〉所引用的其他資料，一是陶希聖先生「小日記本」中所記「五月二十日下午八時半，委座到台南。」

陶先生當時是國民黨中常委、中央日報負責人，也是從溪口到台灣一路陪伴蔣先生的重臣。他數十年來在官邸侍從人員群中的分量之重，應當是「侍衛人員」們所熟知的。這個小日記本是陶先生當年的日記，並不是「日後編造的文字」。所以其分量與可信度之高，絕非可以用我「引述他人文字中的錯誤」一句話可以抹煞的。

孫立人接艦事，是採用《孫立人傳》之記載，其作者沈克勤先生擔任中華民國駐泰大使長達十餘年，現猶健在。在一九四九年五月裡，大使是在孫立人將軍下，以上尉軍職在司令部任職。據大使面告我，此事是孫將軍親口告訴他的。

此事之另一個見證人為張佛千先生，佛老今雖已仙去，在一九九〇年代佛老曾告訴我此事。一九四九年五月，佛老是孫將軍司令部之政工部少將副主任兼新聞處長，是沈上尉之頂頭上司，張佛老也說「三人同車之故事」是孫將車面告他的。

以上述三位見證人，即陶、沈與張三位先生之身分及聲譽，我認為他們提供的資料，可信度頗高，也絕不是「子虛烏有的杜撰」。

至於我主張蔣先生在五月二十日曾到台南的證據，最為強而有力的是蔣日記明文寫了，當天晚上，他與王叔銘談話。因為根據陶希聖小日記本之記載，那天王將軍人在台南。可是樓先生所引「工作日誌」卻偏偏漏寫此事。在蔣日記有寫而「工作日誌」沒記的情形下，我們當然以蔣日記為重。至於為甚麼「工作日誌」會有漏寫，待考。

反過來，像黎上校在二十日下午十四時十五分去晉見蔣先生，談了五分鐘話，是「工作日誌」有寫，而蔣日記沒記，我也同意樓先生的說法，應當是有發生過的。

為甚麼蔣先生不寫這次與黎船長的會面，我判斷有幾個可能因素：

㈠受了日記紙張篇幅的限制。（這一點「工作日誌」應當沒有。）

㈡他認為此事不重要，只談了五分鐘。（這一點「工作日誌」的作者應當不予考慮。）

㈢蔣先生不願意讓人知道他在同一天下午見了黎艦長兩次。第一次是與旁人同進午餐，第二次則為餐後三個小時又單獨見了黎。我判斷當時蔣先生是搭乘太康艦從馬公航向左營，此時黎先生是以艦長身分單獨向蔣先生報告乘艦的行程，即將到左營也，蔣先生既然要為他此行保密，所以在日記裡不寫這第二次與黎艦長的見面，以免引起旁人之注意。至於他在日記中不提此次台南之旅的原因，我在前文中已予分析與推論，在此不再重複。

四、小結

在比對了樓先生所提出的「工作日誌」與拙著前文所引的三份資料後，我並不認為「工作日誌」

與之有相互矛盾之處。反而是「工作日誌」提到的，而且是蔣日記沒有寫的，那一次蔣先生與黎艦長的五分鐘談話，側面加強了我推論之證據，即五月二十日午餐後，蔣先生是搭乘了太康艦從馬公航向左營。

我同意樓先生的說話，也認為他所引用之「工作日誌」是非常珍貴的史料，希望國府能將之解密而公之於世，使我們研究中國近代史，尤其是對蔣先生的生平有興趣的同好們，能把這份「工作日誌」與蔣日記一齊比照，當為功莫大焉。

謝謝樓先生讓我們知道有這份「工作日誌」的重要檔案之存在。至於我個人，並不是一個專業史家，只是一個學理工商科的退休老人，對史學及寫作文章有興趣而已。所以拙作是非常可能有疏失之處，今後希望讀者們如上一次的車守同先生，與這一次的樓文淵先生一樣，不吝賜教。我也一定盡我所知所聞與能力所及，提出答覆。我們共同的目標是一樣的，就是要把歷史的真相給找出來，願共勉之。

附錄二：對樓文淵先生的再回應

二〇一三年十一月裏，接到《傳記文學》月刊轉來，樓文淵先生對我回應其大作之再次回應，因為傳記文學不願再予刊出有關此事雙方的回應，我乃請學生書局將其全文收在本書之中，這篇短文是我對此之答覆。

一九四九年五月二十日至今，即二〇一三年十一月，已長達六十四年之久，今猶健在而當時在蔣先生身邊的侍從人員，即使今已高齡九十歲，當時也只有二十六歲，不論文職或武職人員，都只是資淺的年青人。

如果蔣先生確是在五月二十日午餐後搭太康艦去了台南，在五月二十一日清晨飛回馬公，那麼這趟旅行只費時二十小時，扣去晚上睡眠及休息的十小時，只費時十小時。除非是蔣先生最貼身的侍從人員，並不會知道他全部的行蹤，若是資淺人員，則更不容易得知的了。一般言之，一個人要記得六十四年前在特定的十個小時中，另外一個人的行蹤，本身就不是一件容易的事情也。

樓先生回應我所提出來的，蔣先生在五月二十日日記中寫的，召見王叔銘一事，他的說法是：

五月二十日，王氏正在台灣台東視察所屬之二軍區，下午六時，正欲飛離台東基地前，忽接駐節馬公之有關侍從員電話通知，王氏即起飛赴馬公機場，趨謁蔣公，奉諭與負責蔣公安全任務之俞濟時將軍飛赴台北，組織船隻赴青島撤軍事宜。因時臨薄暮，倉卒起飛，夜降台南基地，翌晨偕俞氏飛台北。

樓先生說王將軍的日記今在中央研究院，因為我尚未讀到，待考。不過先前我曾請吾友王立楨兄向空軍查詢有關這段時間的馬公與台南機場之紀錄。王立楨兄是灣區有名的業餘空軍軍史專家，著有五本有關中華民國空軍之專著，包括曾任空軍總司令及參謀總長之陳燊齡上將之回憶錄。承告：

㈠台南機場只保留了一九五〇至今的飛航紀錄，一九四九年的紀錄則未存留。當然，我不清楚此是否屬實，也有可能是軍方不願意將之公開給外人查用。

㈡澎湖的馬公機場當時沒有夜航設備，飛機不可能在晚上降落，晚上起飛雖為可能，但是風險甚高。

樓先生這個說法的缺點是，如果王叔銘是在下午六時飛到馬公，薄暮起飛，此與蔣日記所載的與之談話時間不符，因為在與王談話之後，蔣日記接著寫「晚課」二字。

總之，此說待考。

我同意樓先生的說法，即此事應向海軍總部去查太康艦的航海日誌。其實軍方如果能找到一九四九年台南機場的航管紀錄，應當也能有助於找出真相也。

至於樓先生說如果蔣先生要去台灣，為甚麼不坐飛機，而去搭乘太康艦，我能想到的可能原因如下：

㈠那時在馬公機場的總統座機可能只有一架，在五月十九日被蔣先生命令王叔明自己親自駕駛，用專機方式送陶希聖去了台南。

此由樓文淵先生所述的，在五月十七日從舟山去馬公，蔣先生等重要人物是坐飛機，而他們這些侍從人員則是搭乘太康艦的。可見在那段時間內，蔣先生及其官邸能掌控之飛機並不多也。

㈡那麼在送陶先生到了台南之後，王叔銘為甚麼不再飛回馬公去接蔣先生，以便在五月二十日，也就是第二天中午去台灣呢？那是因為王必須留在台南，用陶在小日記本的話，是他們兩位此行去台南是要替蔣先生「佈置行腳」，即為打前站，以安排蔣到台南一行也。

㈢另外也有一個可能，就是蔣先生要祕密召見孫立人與彭孟緝兩位中將，在左營海軍基地內，比在台南空軍基地內，要來得容易保密也。

㈣當時飛機從馬公到台南費時半小時，坐太康艦從馬公到左營，我問了海軍退伍之朋友，粗估為三至四小時，兩者的所須的時差，並不大也。

總之，這只是我的猜想而已。

以上是我對樓先生大函的回應，我認為蔣先生是否曾有那一次的台南之旅，必須再查資料，才能證明。目前我最有力的證據是兩點，即：

店。

㈠陶希聖小日記本所說的，五月二十日夜八時半，委座到台南。

㈡蔣日記五月二十日寫的，與王叔銘談話後晚課，而那天晚上王在台南，與陶先生同住鐵路飯

還有一個小疑點，就是按照樓先生的說法，王先生與俞濟時中將在五月二十日薄暮自馬公起飛去台南，晚上二人一同住在台南，可是陶的日記中卻沒有提起在台南見到了俞先生，不過這也可能是陶先生沒有寫，漏記了。

二〇一三年十一月十一日於舊金山

由魏大銘回憶錄解析戴笠墜機身亡之謎
——兼談八德鄉滅門血案與此之關聯

一、前言

一九四六年三月十七日，南京附近的岱山上發生了一起空難事件，國府軍統局中將局長戴笠先生的座機撞山，機上十三人全部殉難。因為戴先生的身分特殊，此空難雖然距今已有六十多年，其成因猶為眾說紛紜，並無定論。

到目前為止，我曾讀到的說法有下列三種：

㈠純為天候不良，或另也有駕駛技術不好之故。

㈡是受到人為的破壞——機上裝了炸彈。這一種說法又可分為兩派：

⑴中共的特工做的，是要報一九四二年軍統特工爆破共方特工領袖鄧發先生座機的一箭之仇。

⑵國府軍統局特工內鬥，暗殺了戴局長。

關於中共特工報仇的說法，在六十多年後的今天，已不攻自破。因為中共執政已長達五十八年之久，大陸方面已出版的現代史文史資料可說是汗牛充棟，可是至今為止，共方還沒有人出面來據此大功也。

至於軍統內鬥，戴先生為當時軍統局北平站站長馬漢三所刺殺的說法，容我在後文中再予評析。本文是根據魏大銘中將晚年的回憶錄寫成的，結論是此事係純因天候不良之故也。

魏將軍是戴先生的重要助手，也曾閱讀過軍統局內部對此事的調查報告，以將軍的地位，他在晚年退休之後所作的記述，應當比外界揣測之辭遠為可信者也。將軍的這本回憶錄，是在他出獄以後所寫的，我並沒有讀到全書，我在十多年前所看過的是他的夫人用毛筆小楷所寫的手抄本，只是一部分，不過包括了戴先生空難那一段在內。因為當時我並沒有將之翻印拷貝，本文純粹是憑著我的記憶所寫的，如有誤記之處，應當由我負文責，而與魏將軍無涉也。現在將軍夫婦都已謝世，這本回憶錄應當是在其後人手中，如果能夠公之於世，定為一部極珍貴之史料也。

在引述將軍所寫戴先生空難經過之前，容我簡介其人其事，並寫出我們兩人在新店軍人監獄中初次見面的一段故事。

二、小記魏大銘將軍

一九四六年三月戴先生遇難身亡時，軍統局有四位中將級的重要幹部，他們可說是戴先生的左右手，此即鄭介民、毛人鳳、唐縱與魏大銘。其中除了魏先生之外，其他三位與戴先生一樣，都是黃埔軍校的早期畢業生，只有魏先生並非職業軍人出身。

魏先生是從一家商船電報學校畢業的，此校大約相當於今日的商職。他所受的教育程度雖然不高，但是在他專長的電訊方面，不論是硬體的發報機、無線電機等之研發與製造，以及軟體方面的密碼之設計與破解，他都是一位不世出的天才，成就極為輝煌。

今舉一例便可知他的功勞。

抗戰時我方的空襲警報系統，便是利用他所研發出來大量製造的五瓦特發報機，從淪陷區一直到大後方，在各地配置觀察員，發現了日機蹤跡以後，便一站一站用接力賽的方式向後方通報。這不但使得數量上居於劣勢的中美空軍得以從容應戰，也使受到空襲地區的人民得以及時避難。這真是救人無數，功德無量的了，將軍真是功莫大焉。

在戴笠逝世之初，其軍統局長之遺缺，由鄭介民升任，而毛人鳳、唐縱則出任副局長。自一九四六年到一九四九年國府遷台，軍統局曾一度改名為保密局，由毛人鳳繼鄭介民為局長，唐縱則轉任全國警察總署署長。至國府遷台後，保密局改名為今猶沿用的國防部軍事情報局，仍由毛人鳳擔任首任局長。

遷台後戴先生這四位中將級重要助手的仕途如下：

鄭介民：出任第一任安全局長，晉級二級上將，死於任上。

毛人鳳：長期擔任中將級的軍情局長，並死於任上。

唐縱：轉入政界，自警察署長先後升任內政部次長及部長，後又擔任國民黨中央黨部祕書長，卸任後出任駐韓大使後退休。

魏大銘：出任國防部第二廳中將廳長，主管軍事情報，在任上因貪污罪而長期入獄。

這四位先生中除了鄭介民上將之外，我都拜識過。

唐先生是先君在國民黨中政會副祕書長任內的上司，而毛將軍夫婦則與先君先母為好友，因此在社交場合中我曾多次見過兩位。當時我只是個少年學生，也不清楚他們兩位的軍政經歷。而今回想，印象中的兩位都是城府甚深，不苟言笑，令人難以親近的長輩。

倒是另一位先君的好友，當時擔任國民黨中央黨部第六組主任，出身與軍統抗衡的中統的陳建中世伯，卻與後來我認識的魏大銘將軍一樣，是平易近人，言談風趣，完全不像大家心目中的一個特工首腦。

魏將軍的夫人與先岳父、母是小同鄉，他們是江蘇嘉定人，此地今已劃入上海市。魏將軍夫婦是看著內子長大的，對她甚為寵愛。一九七〇年我們夫婦回國省親，此時將軍已被蔣經國先生整肅，入獄服刑，我起初只拜見了魏夫人。後來大約是將軍想看看久未見面的內子，因此魏夫人就帶著我們去新店軍人監獄探望他了。

魏將軍既然是軍統的元老，怎麼會身入牢籠呢？這就牽涉到國府遷台以後，蔣經國先生以後起之秀而要一統特工系統之大權，因之受到了老一輩的抗拒，魏將軍便是其中之一，而經國先生乃拿他開刀了。

故事是這樣的。

蔣經國先生在總統府資料室內成立了一個行動委員會，自任召集人，而以各情治單位之首長為委員。魏將軍時任國防部第二廳廳長，主管軍事情報，亦列名於其間。

這個黑組織看上去只是一個位階甚低的臨時性任務編組的小單位，實際上是當時情治系統的最高單位，也是日後國家安全局的前身。

魏將軍的國防部第二廳廳長到任時，軍方安排他出任一家公營公司的董事長，也就是要他退伍，交出實權，不料為其堅拒，一時成了僵局。

將軍的家庭成分複雜，我們認識的夫人是其繼配。其元配所生的公子早就赴美定居，此時忽然回台出面告發將軍貪污，而他也就因之琅璫入獄了。

將軍身在獄中，卻深知防身之術，其飲食皆由家中供給，絕不喝獄中一口水，吃一口飯也。我與將軍第一次見面，便是在魏家送飯時，隨車前去的，此情此景實為有趣，值得一記也。

三、監獄初識魏大銘將軍經過

記得那是一個大熱天，在一九七〇年的夏季，我們夫婦隨著魏夫人坐著她的私家轎車，去新店軍人監獄送午餐給魏將軍。

只見大鐵門開啟之後，是一個極為寬廣的院子，就像是一個學校的大操場。車子開到一株大樹旁，一位白髮老人端坐在樹蔭之下，樹枝中間撐著一把大黑傘替他遮住陽光，他面前放置著一張小餐桌。

顯然此為一個常見的場景，因之周遭除了我們這幾個訪客及魏將軍外，空無一人。不但沒有其他犯人過來看熱鬧，連看守員也沒有一個。

司機在佈置餐飲之時，魏夫人替我引見，身穿囚衣的將軍坐著受禮，是以晚輩之禮待我。先君與將軍並無往來，但是一定相互知名，而將軍又是看著內子長大的長輩，因之我們雖是初次會面，言談之間，倒是毫無隔閡。

我們寒暄之後，將軍一面用餐，一面與我聊天，那次談話時間甚長，因為隔了三十七年，今日還記得的，只有下列三點內容了。

㈠談著談著，忽然遠處傳來英文的聖詩歌聲，將軍笑著對他的太太說，衣復恩又在唱聖詩了（按：衣先生是空軍中將，入獄前是空軍情報署長）。

我判斷當時這所軍人監獄拘禁的犯人中，以魏大銘這位陸軍中將與衣復恩這位空軍中將的軍階最高了。不過他們兩位的年齡不但相差頗大，而且在軍中的資格也相差了一輩。

須知魏大銘在抗戰中已升任中將，是國軍在抗戰後改用美制之前的舊制中將，而衣復恩則是遷台後的新制中將。

舊制的國軍軍階，比照德國與日本，最高只有三星上將，因之二星中將的位階甚高也。可是新制比照美軍，最高為五星上將，而其下有四星的一級上將與三星的二級上將，因之新制的二星中將相對而言，其位階就比舊制時代稍為降低了。

當然此時兩位都是階下囚，已無在軍中資格輩分高低之分了。

(二)將軍指著監獄圍牆外的一棟樓房對我說，此是其原來的辦公室。他是隔著窗子看著這所軍人監獄一塊磚頭、一塊磚頭這樣造起來的，沒想到自己會有一天關進來成為囚犯的。

接著將軍忽然笑起來說：「我還不算最倒楣的，這所監獄是包啟黃監造的，更沒想到的，第一個在此地被槍斃的就是包啟黃本人。」（按：包啟黃中將是國防部軍法局局長，因案被判死刑。包案甚為曲折，值得一寫，只是此非本文之主題，暫且不提了。）

(三)在此之前，我在美國曾讀過一位孫家麒先生所寫的《蔣經國竊國內幕》，書中提到魏將軍。原來此人是國民黨中六組派駐香港的情報站少將站長，因為與其上司陳建中主任不合，受到打壓，乃憤而投共。之後他出版此書，揭露了遷台後經國先生在一統特工系統時的所作所為，其中頗有手段不太光明正大、不可為外人言者之處。至於前述經國先生設立行動委員會一事，即是由此書首度披露，世人才知道的。我乘此機會向將軍請教，這本書有多可信？

只聽他哈哈大笑，很大聲說：「怎麼不可信？他說我會倒楣的，你看，我今天不就在這裏嗎？」

魏太太急急嬌聲勸他，要他說話時聲音小點。

我們這次長談，魏將軍夫婦及內子用的都是上海話，我雖聽的懂，卻不太會講，所以說的是國語。

將軍乃笑著說：「怕啥，進都進來答，伊又那能？」這句是半發牢騷、半為俏皮的話，如果翻成國語，則是「怕甚麼，已經關起來了，他又能再拿我怎麼辦？」

我們夫婦對著這位不服輸，天不怕地不怕的老英雄，也只有報之以會心的微笑了。其實將軍固定坐在一個位置上去接見訪客，是很容易被監聽的。過了很多年，我才了解他那時之所以講話大膽的原因。他本來就是一手培訓創辦台灣特工監聽系統的教父，我判斷他有這個自信，他的老部下不會出賣他。據我所知，台灣情治系統中這一方面——電訊、電碼、監聽、電子作戰等單位的高層人士，別說一九七〇年，到二〇〇七年的今天，仍奉魏將軍為開山祖師爺，對他甚為尊敬也。

我認識魏將軍時，他已滿頭白髮，可是氣色甚好。他身材高大，膚色白皙，聲音宏亮，個性豁達，雖身為階下囚，仍是談笑自若，不怒而威，是有儒將之風雅也。我生平見過的人物可謂多矣，而其中將軍真是一位可記的傳奇人物了。

四、魏大銘所記戴笠墜機經過

一九四六年，抗勝利不久，國府重建海軍。

抗戰八年中中國海岸、港口多為日軍佔領，海軍名存實亡。勝利後，英、美計劃贈送不少兩國已經不再須用的軍艦給中國，因之國府乃有重建海軍之打算。中國海軍之創建遠在清末之北洋、南洋海軍，與國民政府以及蔣中正先生個人均無淵源。也就是說蔣先生並無嫡系的海軍將領去出任海軍總司令，而此時戴笠受到美國海軍軍方之支持，因之蔣中正先生乃有任命其為海軍總司令之腹稿。

為了掌有武力，戴笠乃有成立海軍陸戰隊之方案，其兵力來源有二，即：

㈠在抗戰末期，為了配合美方在華東及華南登陸之方案，軍統成立了大批的忠義救國軍，不料日本投降的太快，因之沒有派上用場，此時可以轉用。

㈡當時主持東北軍政的決策者，拒絕收編滿洲國號稱為數約六十萬的部隊，而戴笠有興趣收為己用。可是滿洲軍用的是日式裝備，在收編後須要改裝，美國海軍乃伸出援手，準備將儲存在青島的大量軍用物資送給我方。

魏將軍記載，一九四六年三月，戴笠之所以踏上這次死亡之旅，便是為了：

㈠先去北平與滿洲軍方的兩位將領祕密會面。

㈡再轉去青島與美方會面。

戴先生之飛去青島與美方第七艦隊司令柯克上將會面，是在取得美方可以移贈的武器、彈藥、裝備之清單，以及就地抽樣檢視此等物資。

此時蔣中正先生乃急電戴笠，說在兩天後即將在南京召開的國民政府會議中，蔣先生將要提名他去出任海軍總司令，因此先要召見他面談。

下面三點是我個人的判斷，並非得自魏將軍的回憶錄。我認為：

▲戴笠隨侍蔣中正左右。

㈠蔣先生看重的是美軍這一大批為數甚巨的物資。因為美方原先的作戰計劃是要動用上百萬的軍隊去登陸日本本土，所以準備了龐大的軍用物資，運送至琉球群島備用。不料日本投降的太快，這些物資對不再打仗的美方來說，便成了剩餘物資，在戰後乃移至青島儲存。

㈡美方既然願意把這批物資送給戴笠以裝備其將要收編的數十萬偽軍，蔣先生也就樂得任命戴笠為海軍總司令以取得此等物資，而戴笠也乘機挾洋人以自重，藉此取得上將總司令之名位，以及他個人可以控制的數十萬新編海軍陸戰隊之武力，作為他在政治上及軍事上的本錢，這是蔣先生與戴笠各取所須的兩利之事。

㈢可是蔣先生要先確定能從美方拿到多少東西，才肯與戴笠做成這筆交易。因之在提名戴笠出任新職之前夕，蔣先生之所以急著要與之見面，是要查明核實戴笠在北平與偽滿軍方談判，以及在青島與美方交涉之成果也。

這是蔣先生個性中上海生意人重實利的一面，不料因此使得戴笠不顧天候不佳，急著要飛回南京去，因而遭到空難身死也。

以下再回到魏將軍的記述。

三月十七日，青島及南京上空的天氣皆為不好，可是戴笠先生急著要回京向蔣先生覆命，堅持座機起飛。為了預防無法在南京降落，機上所加的油是足夠可以改飛上海、杭州與蕪湖三個機場。在經由上海轉到杭州時，卻是無法降落，正要轉飛蕪湖時，南京方面傳來電訊，告知其上空之雲層有一大洞，可以試一試。飛機遂改飛南京一試，不料在南京近郊之岱山撞山墜毀了。

魏將軍在敘述戴笠先生空難之經過時，沒有一字一句提到這架飛機是受到炸彈的破壞，也沒有提及是出自中共的陰謀。由魏將軍所說的飛行路線之一改再改去看，我認為此純粹是一個天候不佳所引起的空難。

大約一年多前，我在美國《世界日報》上看到一段記載，也有些許道理。此文說戴笠此行動身之時，空軍的王叔銘副總司令打電話給基地，特別吩咐「派一位老駕駛」擔任機師。王將軍意指是有經驗的老手，可是機地指揮官誤會了，卻派了一位最為年長的機師，那篇文章曾寫出這位王姓機師的名字，並且說他飛行技術不好。天候不佳，駕駛飛行技術不好，兩相湊合，便出事了，此說倒是有些道理在焉。

最近我又看到了另一新的說法，說是軍統北平站站長馬漢三在戴笠座機上放了定時炸彈，此見於台北新新聞文化公司出版的，尹家民所寫的《蔣介石與他的特務們》。在此書二八四頁的記載如下：

> 馬漢三假表忠誠，除交還古劍外，又送給戴笠十箱文物寶貝。當得知戴笠要走時，他指派劉玉珠以軍統局督導員的特殊身分去機場，以「檢查飛機安全狀況」為名登上飛機，用馬漢三交給他的鑰匙打開一只木箱，塞進一顆經過偽裝的高爆力定時炸彈，造成飛機飛到南京板橋附近爆炸。

這個說法倒是新鮮，但是破綻甚多。因為：

㈠戴笠在離開北平以後，曾在濟南與青島分別停留及過夜，並不是由北平直接飛回南京的。馬漢三在幾天前如何能算出戴笠座機何時飛到南京上空呢？

㈡在十七日由青島飛回南京時，因為天氣不好，這架飛機曾經改飛上海與杭州，再折回南京的。也就是說繞了一個大圈子，多在空中飛了幾個小時。試問在北平安裝定時炸彈的人如何能在幾天前便能預期這段因為繞道飛行而多出來的時間呢？如果天候正常，這架飛機在空難發生之前幾個小時早已降落在南京機場了。

我認為馬漢三是凶手的說法，當是軍統中與他鬥爭的人士所散播的謠言。

因馬漢三在抗戰勝利時，出任軍統局北平站長，少將軍階。當時各地的接收大員大發「劫收」財，五子登科，則馬漢三在北平必然也大飽私囊了。

一九四七年國民政府實行憲政，李宗仁將軍時任北平行轅主任，統治華北。馬漢三是軍統北平站長，名為其屬下，實負監視之責。蔣先生所屬意出任副總統的孫科先生，不料在國大投票時敗給了李將軍，而馬漢三居然公開支持李宗仁，乃使蔣先生大發雷霆。此時軍統首領，保密局局長毛人鳳乃乘機拔除他的異己之馬漢三站長，以貪污罪將之處死。馬漢三既已身敗名裂，則在他失敗之後軍統內部有人把戴笠之空難也算在他的帳上，當為可能之事也。

至於戴笠北平之行，行李多出十個箱子，魏將軍的回憶錄確有記載。此是空難後，軍統局立刻展開調查時，北平站馬漢三站長所作的報告。我認為戴笠先生多出的行李數目，應該是超過十個的。因為戴笠到北平時，女明星胡蝶與之同機，而離開時胡小姐卻未同行。那麼這一來一去之時，在行李總數中應當扣去胡蝶的行李箱籠之數目，才能去計算戴笠一行的行李之差數也。戴笠為什麼會在短短幾天裏，會多出來如許多的行李箱呢？是如尹家民先生說的，此為軍統北平站長馬漢三贈送他的金銀財寶，還是其他人的餽贈呢？須知此正是抗戰勝利不久，而北平地區又是王揖唐偽政府之所在，眾漢奸群居之地。在那嚴辦漢奸之時，手握肅奸大權，可以一語以決其生死的軍統局長戴笠先生，當然是大漢奸們爭相巴結的對象了。

這多出來的為數超過十個的箱子，裏面裝的是什麼寶物，將永遠是一個令人深感興趣的謎團了。

五、小記八德鄉滅門血案

戴先生墜機一事在多年之後，遠隔千里之外的台灣桃園縣八德鄉，卻因此引爆了一件滅門血案，此事至今知其中關聯者甚少，今順記於此。

當戴先生身死之時，軍統局有一位葉姓總務科長，是替戴先生保管私房錢的親信。不料此人見財起意，此時乃對外宣稱，我們戴先生一生為官清廉公正，怎麼會有私財在我這裏呢？他把戴笠的小金庫給吞沒了。

戴笠生前並不顧家，其妻兒長期住在浙江江山老家，並非富有，葉某之私吞錢財，一下子弄得戴家生計無著，實為窘迫。

這使得軍統局上下知情者，無不對那位貪財忘義的葉先生痛恨在心，可是此人是毛人鳳將軍的心腹，大家一直也拿他無可奈何。因此在毛人鳳將軍因心臟病突然病死之時，第二天就爆發了震驚全國的八德鄉滅門血案，苦主便是這位出賣了戴笠的葉某人。

毛將軍是在家中宴客時，打麻將打的累了，上樓休息。毛夫人及客人們繼續在樓下打牌，此時毛將軍乃心臟病突發而猝死的。發現時，只見他平躺在床上伸手要去拿掛在床邊椅子背上的軍裝上衣，以其治心臟病之藥丸瓶子放在上衣口袋中也。他是因為沒有拿到來不及取藥而不治的。也就是說，他發病時如果身邊有人在場，就可能及時服藥的了。

毛將軍身分特殊，他深夜猝死的消息外界一時並不知道。此時葉案下手者乃掌握此第一時間，在第二天就立刻動手，以免葉先生聞毛將軍死訊而另求自保之法也。也因之在此時間匆忙、陰差陽錯之情形下，凶手上門時，主要的目標葉某正好外出，去了台北，所以只殺死了葉家上下三代、主僕多人了。

葉先生的身分特殊，以及其出賣戴先生之往事，軍情局高層自為心知肚明。在案子一發生後，軍情局判斷凶手只有一人，因之立刻封鎖局中的單人宿舍，全面清查案發那夜所有住宿舍的人員之行蹤。不料為數以百計之員工，那夜每一個人都沒有外出，都相互有人證明。此示葉某之作為，已經引起軍統人員之公憤，因之沒有一個人願意出面指認那晚是有同仁外出的了，而軍情局內部之調查也只得不了了之也。

先君的得意門生，時任桃園縣警察局督察長的梁乃怡兄，是第一批趕到現場的警官之一。梁兄出身與軍統關係密切的浙江警官學校，自言也認識這位苦主葉先生。多年後承其賜告，他對此案的觀察如下：

㈠從應門把凶手放進來的女傭人，到最後一個被害的老太太，一家三代多人，包括青壯男子在內，都沒有一個人有過抵抗打鬥的痕跡，此示凶手是葉家的熟人，所以被害者沒有防備之心。

㈡凶器是扁鑽，而且全是一刀斃命，可見下手者是職業凶手。

此處要說明一下，何謂扁鑽？此物是用一般家用的螺絲刀，或螺絲起子（SCREW DRIVER）改造而成的。在使用扁鑽作為凶器時，有兩個大缺點。一是沒有血槽，插入人體之後不容易拔出來。二是當時的螺絲起子多用生鐵做的，插入人體時如果尖端插到骨頭，容易折斷。既然如此，為什麼還有人要用來作為凶器呢？那是因為攜帶方便，容易隱藏，即使遇到憲警臨檢而被查出來時，也可以說是工作上的工具，不像刀槍一樣會被定罪也。

㈢最後被殺害的一位老太太，已聞聲躲入茅廁，蹲在蹲坑上，凶手自上而下，一刀插入其天靈蓋，頭骨接合處的穴道。

梁兄解釋給我聽，女人的頭髮較多，旁人不易看出其穴道之所在，頭蓋骨又甚為堅硬，若認穴不準，扁鑽就會折斷了，那麼受害者也就一時死不了。此凶手居然一刀就將之斃命，而且扁鑽頭也沒有折斷留在被害者體內。由此可見凶手不是素有訓練的特工，便是黑道的職業殺手也。

㈣苦主葉先生當夜正好外出，不在家，因此成了漏網之魚。當他聞訊從台北趕回家時，梁兄與許多警察同仁還在現場。只見他衝進家中，先奔到客廳中的沙發前，用刀子割破座位，去查看隱藏在沙發中的一袋珠寶是否還在，然後才向警方探問他家人的安危。

梁兄認為，凶手明顯是葉家的朋友或熟人，只有一人涉案，行凶的動機是為了替戴笠報仇。以情治人員的行話說，是動用家法去處置了葉某全家，以示嚴懲，並告慰戴先生在天之靈也。

警方無法向軍情局要人，而軍情局也查不出是那一位同仁下的毒手。可是在不明此案成因的社會大眾去看，這是一件駭人聽聞的滅門血案，警方乃受到了龐大的社會壓力，必須抓到凶手，因之警方在無法可想的情形下，便抓了一個八德鄉的大流氓穆萬森去交差，把這個案子辦成了竊盜殺人案了。此案以後的發展已為世所周知，我在此也就不再多說了。

事後，苦主葉先生乃悄然赴香港，隱姓埋名長住於該地了。

六、小結

以上根據魏將軍的回憶錄，我認為戴先生空難的原因，純粹是天候不好，飛機是在大雨多雲之際下降而撞山的。

只是若非魏將軍的記述，世人不能明白戴先生此行來去匆匆，為什麼會先去北平，再去青島，又急著要飛回南京的原因，竟然是為了在替他自己將要出任海軍總司令所做的準備工作。

戴先生死後，蔣中正先生依然一本初衷，還是任命了另外一位陸軍中將——桂永清先生去擔任海軍總司令。我一九六五年服預官役是在海軍擔任憲兵副排長，因此對海軍軍史稍知一二。當時無人知道戴先生胎死腹中，可能出任海軍總司令一事，可是有關桂將軍之往事，我倒是聽的不少，今舉一例。據說桂將軍履任之初，在福州馬尾港檢閱艦隊分列式時，怕他這位海軍總司令暈船而在風浪中站立不穩，就把他的雙腿綁在艦橋上，遠遠望去，他的上半身確是紋風不動，甚有威儀的了。

這真是個令人哭笑不得的天下奇聞。

蔣中正先生是陸軍出身，他一生都是大陸軍主義的信奉者，因之才會有桂永清以陸軍中將出任海軍總司令，與周至柔上將、王叔銘中將之先後同為陸軍出身而出任空軍總司令之史例也。

可是空軍與海軍不同，世界各國的空軍都是在近幾十年裏或由陸軍、或由海軍衍生而成的。即使美國，也是要到二次大戰末期，空軍才從陸海軍裏面分割出來，單獨成為軍種的。而且到今天為止，美國的海軍與陸軍還各自保留了他們自己的航空兵力。

中華民國的空軍可以說是在蔣中正先生手上創建的，可是海軍則不然。遠自清末光緒年間，便成立了北洋及南洋這兩支海軍，在蔣先生崛起之前，海軍就早已有了歷史與傳統的。

即使在蔣先生一手建立的空軍中，當周至柔上將升任參謀總長時，他有兩位副總司令，即是陸軍出身的王叔銘中將，與空軍科班出身的毛邦初中將，蔣先生選擇了王，而沒有升毛。毛將軍是蔣先生的表弟，對此事大為不服，乃在美國捲逃公款，背叛了國府。

蔣先生這種喜歡用外行人去管內行，在其子弟兵的空軍中都會引起毛案的軒然大波。那麼他一而再，再而三，先後要任命戴笠與桂永清這兩位陸軍中將去做海軍總司令，怎麼會讓素有傳統的海軍高層心服呢？須知在抗戰勝利時，雖然並非是蔣先生嫡系，但是還健在的海軍元老宿將，實為所在多有矣。據我所知，當時便有薩鎮冰上將、沈鴻烈上將、陳紹寬上將、陳策上將、楊宣誠中將等人，此即海軍並不是像新生兒空軍一樣，必須要向陸軍借將者也。

由此一事便可知，在一九四九年大陸易手時，國府海軍軍心渙散，大批譁變投共並非無因也。蔣先生與海軍之間的複雜關係，值得一寫，只是此為本文之題外話，我不過因為寫到戴笠先生胎死腹中的海軍總司令之任命，順此一提，也算是我這個在海軍中服役一年的預備軍官，替我們海軍吐口悶氣，打抱不平了。一笑。

一九六三年蔣中正日記中的三條令人驚奇的記載

一、前言

在撰寫拙作〈由蔣中正日記分析一九六三年行政院長陳下嚴上之原因〉的時候，我閱讀了一九六三年全年的蔣先生日記，無意中找到了三條與該文無關，但是甚有意義的記載，乃另寫此文以記述之。此即：

一、時任中華人民共和國水利部長的傅作義（宜生）將軍，向蔣先生祕密表態，願意支持國府反攻大陸一事。

二、蔣先生在接見胡漢民（展堂）先生女公子後，在日記中表達悔意，自認當年錯怪了胡先生。

三、在日本池田勇人首相展開「親中」外交政策時，蔣先生在日記中痛罵日本人之表態。

這三件事都是與世人的印象大不相同者，值得一寫。只是第一及第二兩項，我無可評論，只能原文照抄，稍加分析，供大家參考而已。第一項關於傅將軍者，我手上毫無資料，只覺得此事雖為驚人，卻是事出有因。至於第二項關於蔣、胡之爭者，史家已多評述，我並無新見，此處主要只是抄下蔣先生在晚年的自我檢討，此為外界迄未注意者。至於第三項，有關抗戰勝利時，蔣先生個人的主張，即對日本採取「以德報怨」之政策，則予以分析及批評。

二、傅作義要「悉貢所能」以支持國府反攻大陸

蔣中正先生與傅作義將軍之間的恩怨離合，在一九四九年初，蔣先生以國府的總統身分在南京宣佈引退，而傅將軍則在第二天宣佈北京「和平解放」，是為最高潮。

這兩件事是相互有關的，也就是說傅將軍之「起義」，是造成蔣先生引退下野，壓死駱駝的最後一根稻草。而傅將軍等到蔣先生下野的第二天才宣佈「起義」，也是留了一分情面。

當傅將軍作此決定時，共軍已佔領了北京城郊的機場，此時北京城內還滯留了一批忠於國府，而且反共的黨政軍與教育界人士。傅將軍乃在北京城內安排了兩個臨時的小型機場，即一在長安大街，另一在天壇，由國府派出飛機緊急降落，以接運出這批重要人士。其中包括了胡適、陳寅恪、毛子水、梅貽琦等著名教授，以及李文、石覺、胡伯翰等中央軍的高級將領，都是因之在共軍入城前脫困的。

此證蔣先生與傅將軍之間，即使到了分手之前，彼此都沒有做出斷情絕義的舉動。不像後來雲南省主席盧漢之「起義」，在昆明扣押了大批國府的黨政軍

▶一九四八年十一月蔣中正與傅作義（左）在北平。

特之中高級幹部，送給了中共去作處置。

使我大出意外的，是在一九六三年，即大陸易手了長達十三年之久後，在北京擔任中華人民共和國水利部部長的傅先生，與隔海在台北擔任中華民國總統的蔣先生，不但私下仍在暗通款曲，而且雙方都遵守道義，沒有出賣對方，至死都沒有洩漏彼此在私下的往來。

依照本節所記述的情節，傅將軍對蔣先生私下所作的表態，是充分相信蔣先生的人格，不會出賣他。如果讓中共及時知道此事，傅先生家族的遭遇，不用等到幾年後的文化大革命，就早已將會是不堪設想的了。

一九五〇年代中共建政初期，號稱東北王的高崗先生，便是因為史大林出賣了他，把他與俄方私下的祕密通信文件，交給了去莫斯科訪問的毛澤東先生，因之使得高崗受到整肅而自殺身亡的。

研究歷史人物，不能只從他們公開的、官方的言行去看，此種言語及文書記載一定多為官樣文章，而是要觀察他們的肢體動作（Body Language）與私下的來往，才能觀察到他們真心的想法。以本節所述的情節去看，我認為蔣中正與傅作義兩人之間是相互尊重的道義之交，只是在公開與官方的紀錄上，兩個人道既不同，只有照著唱本說出他們各自基於立場及地位的相互責罵而已。

在一九六三年三月二十三日的日記中，蔣先生在「上星期反省錄」中記載：

> 一、傳逆作義特以專人帶來其親筆書「悉貢所能」四字。祕告於余，但其並未具名，其字卻是真筆，可知匪共內部已至崩潰在即，有不可想像之勢，否則此種投機分子，決不敢出此也。

在四個多月之後，此事猶在進行，八月九日日記：

經兒來，對傳作義事研究。

八月十日日記：

二、傳作義事之進行。

按此是在一九六三年裏，大陸歷經大躍進、三面紅旗失敗後，文革前夕之時刻。接著的是九月中經國先生訪美，在白宮與甘迺迪總統面商反攻大陸事，帶回來美方堅決反對之消息，國府乃中止反攻之準備，而傳作義支持國府反攻，也就不克實現了。

我的看法如下：

㈠此事可信，蔣先生當然熟悉傳將軍之筆跡，而且傳信者也一定是雙方都為熟悉的重量級人士。

㈡可是傳將軍的表態，並不像蔣先生所說的是中共政權已將崩潰，而是中共與「靠攏分子」之間的矛盾很大，試解釋如下：

一國之政權可分中央與地方。以國府為例，在北伐後到大陸易手之前，約為二十年，即自一九二八年至一九四九年。其中為蔣先生所直接控制的地區，大約不出七個省，主要是長江中下游的湖北、湖南、安徽、江西、江蘇、浙江與福建，也就是清朝三個總督的轄區，即湖廣總督（轄兩湖）、兩江總督（轄江西、安徽、江蘇）與閩浙總督（轄閩、浙），至於其他各省則是分屬各地方派系，例如山西（屬閻錫山之晉系）、廣西（屬李宗仁之桂系）、雲南（龍雲）等等。用現代商業名詞之說明，七個省的中央區是南京總公司的直營店，其他各地方派系割據的省分則為加盟店。

在某一個公司營業鼎盛之時，這些加盟店自為樂意掛上該公司之招牌作為店名。可是當這個公司衰敗之時，這些加盟店棄之而去，改換招牌，乃是人情之常，是商界之常態。

對傅作義將軍這些地方派系首領來說，在一九四九年時他們沒有想到的是，新政府在毛澤東先生領導之下，完全不允許地方派系之存在。此即不但只許有直營店，不許有加盟店，「天下歸於一」，而且把原來加盟店的員工及客戶都給收編掉了。那麼兩相比較，國府比中共對這些地方派系來說是要更受歡迎的多了。

我認為傅作義將軍在一九六三年春天會對蔣中正先生說：「悉貢所能」之原因即在此也。也就是說「靠攏分子」傅作義將軍對中共政權的離心，並不表示中共政權本身已經動搖，一如蔣先生所說的「即將崩潰」也。事實上，隨後在一九六〇年代中期爆發的文化大革命，如此之動亂也沒有使中共政權崩潰。故在十年文革裏，中共的高幹很少有人逃出境外。

三、晚年對胡漢民之感想

一九六三年八月八日，蔣先生的日記說：

> 脯，約見胡木蘭及其子黃振中，因之引起余對胡展堂之感想，與本黨歷史與高級幹部間之關係，感嘆不已。關於展堂與總理以下，自執信起至仲愷，皆對展堂反感，而皆為兆銘所惑而信之。余亦受其影響不少，及至總理逝世以後，仲愷反胡袒汪，更趨極端，此最後本黨卒為俄共分化，造成如此悲劇耳。

按胡木蘭女士是胡漢民（展堂）先生的女公子。

我的看法如下：

▲一九三一年，國民黨中央政治會議期間，胡漢民被囚禁在南京東郊湯山。

㈠在北伐之前的廣州軍政府時代，蔣先生本人是個左派，因此與右派首領胡漢民先生不睦。此時同為黨中左派的汪精衛、廖仲愷等人與蔣先生看法是一樣的。不過在那個時期，一開始蔣先生在國民黨內的政治地位不高，還沒有資格去挑戰胡先生的主張而已。

㈡孫中山先生是一個吸收新思想既快又多的人，在不同的時段裏，他的思想改變的很快，使得他的追隨者及同志們難以適從。他晚年在廣州政府時期所採取的「聯俄容共」政策，是他在思想上根本左轉，還是在政治謀略上為了拉攏蘇俄而採取的權宜之計，是一個在國共兩黨的黨史上爭辯不決的重大議題。他的左轉，使國民黨分裂成以汪精衛為首的左派與以胡漢民為首的右派，在孫先生逝世後，兩派積不相容，大起紛爭。

㈢蔣先生本人在北伐前是左派，在北伐中期則一改而為右派，此造成了寧漢分裂與清黨。不過初始時蔣先生之轉向右派，是如他後來之力稱為訪俄歸來，看清了俄共之專政思想乃右轉，還是基於實際上利益的考慮，則是未知者也。

㈣在北伐後，一九三一年蔣先生把時任立法院長的胡漢民先生幽禁在南京近郊的湯山，因而造成了支持胡先生的兩廣（廣東與廣西）之一度脫離中央。此是民國史的一件大事，蔣先生這段日記自我檢討之處。當是因此事而引起的。

(五)父親晚年講故事給我聽的時候，說到此事時，有兩個小故事可記，此即：

(1)蔣先生之所以勃然大怒，下令幽禁胡先生，是因為他們兩位在談制定訓政時期約法等事不協之時，蔣先生說：「現在總理不在了，我不管你，還有誰來管你？」那知道胡先生卻說：「這件事你就不要管了。」

(2)胡先生幽居之後，在大門上掛了一個木牌子，上寫「奉命不許見客」。

(六)先祖父阮性存（荀伯）公在清末光緒年間留學日本法政大學時，與汪兆銘、胡衍鴻（漢民、展堂）、古應芬、陳漢第（叔通）等國民黨元老是同學，我手上還保存了那一年的學生成績單。這些少年同學在數十年後各領風騷，卻多為互不相容，正如蔣先生日記中所感嘆的乃「造成如此之悲劇耳」。

四、痛罵日本人

世人都以為蔣中正先生親日，不但左派指責他在抗戰前「媚日賣國」，連日本產經新聞報在七〇年代所主編的《蔣中正祕錄》裏，也說日本是先生的「第二故鄉」。

可是在一九六三年夏天，因為日本池田勇人首相展開了「親中」外交，批准了日本政府所擁有的「進出口銀行」融資一億美元，以資助中共政府購買一座日製的人造纖維廠，此乃違背了前首相岸信介所立下的對中國外交採取「政經分離」之原則，以致蔣中正先生為之憤怒。須知當時台灣出口日本一年的貿易額只有三千萬美金，尚不及此次一億美金融資額度之三分之一，可見此事實為非同小可。

在此時期，蔣先生日記中對日本人甚多怨言，今擇取一條如下：

九月二十八日　星期六

日本自甲午戰敗滿清以來，我國由李鴻章、袁世凱，以至最後張作霖，皆被其武力所脅制屈服，甚至如張作霖被其謀害，其實李、袁等亦皆為日所威迫成疾而死。故四十年之間，幾視中國為其囊中物，甚且視中國為無物。及余北伐開始，彼日猶以為蔣某一如往日之李、袁一樣，故在民十七年五月三日，當時田中即派其福田師團進駐濟南，以保僑為名，阻止我國軍北上，即在濟南尋釁挑戰。余乃略加抵抗，派出少數部隊在濟南城與之周旋，而將其餘兵力，祕密越河北進，佔領北平，至年終卒能統一東北，以擊破日本分割中國為南北二部，分而食之之陰謀。彼日閥猶不覺悟，其今日蔣某革命精神，決非昔日李、袁之可比，其後有二十年九一八，廿六年七七之武力侵略，使余到了和平絕望關頭，不得不起全面抗戰至八年之久，卒使其至民卅四年無條件投降為止。余復宣佈以德報怨，不予報復，期其覺悟。乃亦予以教訓，使知中華民族終不可侮，而蔣某革命力量，乃非李、袁之比，不僅不可屈服，而且日卒將為我民族所屈服，望其能猛然回頭。……

在這段話裏，我要評析的是「以德報怨」這個政策，我的看法如下：

㈠一般人都以為「以德報怨」是出於儒學的忠恕之道，其實並非如此，孔子在論語中說：「以直報怨。以德報怨，孰以報德？」可見孔子是反對以德報怨的。

㈡即使中國要採取「以德報怨」的政策，以寬大對待戰敗的日本。如此重大的國策，應該通過合法的程序去制定的。就我所知，當時執政的國民政府至少有下列重要的機構應該參預其事，即：

⑴政府方面：

▲一九四五年，蔣中正在南京中山陵前，透過中廣電台向全國同胞宣布對日抗戰勝利。

甲：國民政府會議（行政權）。

乙：國民參政會（立法權）。

丙：最高國防會議（軍方）。

丁：軍事委員會（軍方）。

⑵黨方：

甲：中央政治會議。

乙：中央監察委員會。

結果是蔣中正先生沒有經過任何一個機構的授權，他一個人就制定及公佈了這一個決策。

㈢比照日本侵略中國的歷史，在中日甲午戰爭及八國聯軍時，日本強索中國的賠贖金之多，以及其他如割地、租界、內河航行權等極為苛刻的條件，蔣先生這種過於寬厚慷慨的「以德報怨」，無條件放棄日本應該付給中國的賠贖，是大失中國人的民心的。

我認為在此事之後的四年之內，國民黨就輸掉了整個大陸，這個深為國人所不滿的「以德報怨」之決策，應該是重要的原因之一。

㈣即使國民黨的核心分子，他們對此政策亦有大為不滿者，今舉兩個例子，即：

⑴傅朝樞先生告訴我，說閻錫山先生時在山西，蔣先生作廣播時，他正坐在車子中。在聽到了蔣先生說話時，閻先生大怒，命令司機關掉收音機，一面說：「婦人之仁！」

(2)家父時在浙江戰時省會之金華，擔任浙江省政府之民政廳長，他晚年告訴我：

①在國府還都南京之後，他曾在南京當面責問陳布雷先生，怎麼可以替蔣先生寫出這樣子的演講稿？陳先生力辯此非出於他手，他也是聽了收音機才知道此事的。父親說，他們兩人爭吵到陳先生幾乎要指天發誓的程度。

②父親相信他的好友陳布雷先生沒有騙他，他關照我說：

「以蔣先生的中文程度，是寫不出這篇演講稿的，一定是有人代筆。這不是張羣，就是王世杰，你將來要查清楚這件事。」

很抱歉，父親在一九八八年十月過世，在二十二年後的今天，我已六十九歲，還是沒有查清此事。在此寫出父親的遺命，請關心此事者大家將來一齊去查明白的了。

㈤總之，「以德抱怨」這個政策，我認為太對不起八年抗戰中受苦受難的全國軍民同胞了。我不但不能同意此事，甚至對蔣中正，以及後來效仿他的毛澤東這兩位國共的領袖，都覺得他們愧對我們的民族，是有罪的。

(6)令蔣先生大出意外的，是日方認為用金融手段去幫助中國大陸經建，正是他們變相償還中日戰爭虧欠中方的心意。也就是說，雖然「以德報怨」是出於蔣先生個人的決斷，但是日本人認為虧欠的對象是中國人民，而不是蔣先生個人，我同意這個看法。

可是不論是在事後採取何種手段，例如無息貸款、無償援助等等，其意義以及金額，都與八年抗戰日方應作賠償之意義及金額不大相符的了。

㈦我對蔣中正先生是尊敬的，可是在「以德報怨」這件事上，絕對不予贊同，並且要嚴加指責。我認為事情從大到小，一圈包含一圈，有下列各層次的考慮，即：

民族大於國家，國家大於政府，政府大於執政黨，執政黨大於執政者。這種多環節相扣的大小圈圈，在每一層次的利害關係並不一定相符合契，我們在考慮一件事之對錯利害時，在每一環節都應以外圈的大者為優先。

「以德報怨」事關全民族之利益，其考量應該超越中華人民共和國與中華民國之上，更不用說中共、國府這兩個政權；國共這兩個執政黨，以及毛、蔣二位執政者了。

五、小結

對有興趣研究中國近代史的人來說，蔣中正日記真是一個無盡的寶藏。作為一個年老的業餘寫作者，受了時間及精力的限制，我只能選擇個人有興趣的個別題目去做研究。

例如在研究一九六一年的外蒙入聯合國案時，我選擇了大約三個月的期間之日記作為資料。至於在研究一九六三年嚴家淦取代陳誠出任行政院長時，因為從一月一日起到十二月一日嚴先生受命組閣為止，我在日記中一直沒有找到過嚴先生的名字，所以看了大約十一個月的日記，因此意外的發現了本文所寫的三條記載。

其實在一九六三年中，蔣先生日記主要是在記載他準備反攻一事，大幅度記述了他調動軍方人事，佈置軍力的經過。如果對軍事史有興趣而且有深入研究者，如吾友周珞兄、王立楨兄二位，讀之尚可大有收穫。對我來說，這只是一大批三軍將校們的位置搬來搬去而已。

當我說將校二字時，請別以為我只是在用成語。在蔣先生日記中對空軍人事的安排，是包括了大隊長（上校）級別在內的，至於陸海軍則通常只寫到將級軍官之任免而已。

在細讀了蔣先生日記之後，深為遺憾者是我缺乏心理學之訓練，我認為須要有一位或多位熟悉近代史之心理學者去研究蔣先生的心理，作個分析，則功莫大焉。不知道我的老友楊國樞院士，不論其本人、其友人或其門弟子中間有否合適而且也有興趣於此之人選呢？

國家圖書館出版品預行編目資料

蔣中正日記中的當代人物

阮大仁著. – 初版. – 臺北市：臺灣學生，2014.03
面；公分

ISBN 978-957-15-1606-6 (平裝)

1. 蔣中正 2. 傳記 3. 中華民國史

005.32　　103002011

蔣中正日記中的當代人物

著作者：阮大仁
出版者：臺灣學生書局有限公司
發行人：楊雲龍
發行所：臺灣學生書局有限公司
臺北市和平東路一段七十五巷十一號
郵政劃撥戶：〇〇〇二四六六八號
電話：（〇二）二三九二八一八五
傳真：（〇二）二三九二八一〇五
E-mail: student.book@msa.hinet.net
http://www.studentbook.com.tw
本書局登記證字號：行政院新聞局局版北市業字第玖捌壹號
印刷所：長欣印刷企業社
新北市中和區中正路九八八巷十七號
電話：（〇二）二二二六八八五三

定價：新臺幣七〇〇元

二〇一四年三月初版
二〇一五年七月初版二刷

57302

ISBN 978-957-15-1606-6 (平裝)

本書獲  補助出版發行

Introduction: Opened for research in 2007 by the Hoover Institution, within Stanford University, the diaries of Chiang Kai-Shek mark a new era for modern Chinese history studies. Book author Yuan Tah-Zen has published research papers based on his studying of the diaries and related documents. The first chapter "Chiang Kai-Shek v.s. Chen Li-Fu" reveals how Chen Li-Fu stopped Chang Chun from forming a cabinet, and the reason why Chiang Kai-Shek expatriated Chen Li-Fu. The second chapter "Successor to CKS's presidential position" analyzes how Huang Shao-Gu lost his chance to the presidential position because of the Lei Zhen affair, and why Chen Cheng stepped down as President of the Executive Yuan in 1963. The third chapter "Some words for George K.C. Yeh" studies the diaries of Chiang Kai-Shek and Yuan Yi-Cheng and describes how George K.C. Yeh was removed from his position as ambassador in Washington in 1961, and was accused of "insulting the government," "swindling," and "treason." The last chapter tells the story of Chiang Kai-Shek, including how he coerced Wang Jing-Wei to be the vice president of Kuomintang, how Dai Li died in a plane crash, and Chiang's interaction with Sun Li-Ren and Peng Meng-Qi after his retreat to Taiwan in 1949, and his secret trip to Tainan. Comparing the diaries of Chiang and those of his father, Yuan Yi-Cheng, he unraveled mysteries including reasons why Chiang expatriated Chen Li-Fu, chose Yen Chia-Kan instead of Chen Cheng for the successor of his presidential position, and removed George K.C. Yeh from his position as ambassador in Washington. In 16 articles and 4 chapters, the book includes stories of the Nationalist Party's retreat to Taiwan in 1949, the political sects in Kuomintang, and the big names in the modern politics of China and Taiwan.

Contemporary figures in the diaries of Chiang Kai-shek
by Yuan Tah-Zen

No.11, Lane 75, Sec. 1, He-Ping E. Rd., Taipei, Taiwan
http://www.studentbook.com.tw
email: student.book@msa.hinet.net

ISBN 978-957-15-1606-6